Nora Roberts est le plus grand auteur de littérature féminine contemporaine. Ses romans ont reçu de nombreuses récompenses et sont régulièrement classés parmi les meilleures ventes du *New York Times*. Des personnages forts, des intrigues originales, une plume vive et légère… Nora Roberts explore à merveille le champ des passions humaines et ravit le cœur de plus de quatre cents millions de lectrices à travers le monde. Du thriller psychologique à la romance, en passant par le roman fantastique, ses livres renouvellent chaque fois des histoires où, toujours, se mêlent suspense et émotions.

L'emprise du vice

NORA ROBERTS

L'emprise du vice

Traduit de l'anglais (États-Unis)
par Guillaume Le Pennec

Titre original
BRAZEN VIRTUE

Éditeur original
Bantam Books, an imprint of The Random House Publishing Group, a division of Random House, Inc.

À Amy Berkower avec gratitude et affection.

Prologue

— Et qu'aimeriez-vous que je vous fasse ? demanda la femme qui se faisait appeler Desiree.

Elle avait une voix aussi douce et soyeuse que des pétales de rose. Elle faisait bien son travail, très bien même, et les clients rappelaient souvent en demandant spécifiquement à lui parler. Elle était d'ailleurs en ligne avec l'un de ses réguliers dont elle connaissait déjà les goûts.

— J'adorerais ça, lui chuchota-t-elle. De votre côté, vous n'avez qu'à fermer les yeux. Fermer les yeux et vous détendre. Je veux que vous oubliiez tout ce qui concerne votre travail, votre femme et votre associé. Il n'y a plus que vous et moi.

Son interlocuteur dit quelque chose auquel elle répondit par un petit rire.

— Oui, vous savez bien que oui. Je le fais à chaque fois, n'est-ce pas ? Fermez simplement les yeux et écoutez-moi. La chambre est paisible et éclairée par des bougies. Des dizaines de bougies blanches et parfumées. Vous sentez leur fragrance ?

Elle laissa échapper un autre petit rire malicieux.

— C'est ça. Blanc. Le lit aussi est blanc, grand, rond et blanc. Vous êtes allongé dessus, nu et déjà prêt. Êtes-vous prêt, monsieur Drake ?

Elle leva les yeux au ciel. Elle trouvait bizarre qu'il insiste pour qu'elle le vouvoie et lui donne du « monsieur ». Mais il fallait de tout pour faire un monde.

— Je sors à peine de la douche. Mes cheveux sont humides et mon corps constellé de minuscules gouttes d'eau. L'une d'entre elles a ruisselé jusqu'au bout de mon mamelon. Au moment où je m'agenouille sur le lit, elle glisse et vient s'écraser sur votre peau. Vous l'avez sentie ? Oui, oui, c'est ça, elle est froide, très froide, alors que vous êtes chaud, bouillant.

Elle étouffa un bâillement. M. Drake haletait déjà comme la cheminée d'une locomotive à vapeur. Heureusement qu'il était facile à satisfaire.

— Oh, j'ai tellement envie de vous ! Je ne peux pas m'empêcher de vous toucher. Je veux vous caresser, vous goûter. Oui, oui, ça me rend folle quand vous faites ça. Oh, monsieur Drake, vous êtes le meilleur. Le meilleur parmi les meilleurs.

Pendant les quelques minutes qui suivirent, elle se contenta d'écouter ses demandes et l'expression de son plaisir. Écouter constituait la plus grande part de son métier. Il était arrivé au bord de la jouissance à présent et elle jeta un coup d'œil reconnaissant à sa montre. Non seulement le temps de M. Drake était presque écoulé mais surtout, c'était son dernier client de la soirée. D'une voix si basse qu'elle n'était plus qu'un murmure, elle l'aida à dépasser le point de non-retour.

— Oui, monsieur Drake, c'était merveilleux. Vous êtes merveilleux. Non, je ne travaille pas demain. Vendredi, peut-être ? Oui, j'ai hâte. Bonne nuit, monsieur Drake.

Elle attendit le clic sur la ligne et raccrocha à son tour. Puis Desiree redevint Kathleen.

Vingt-deux heures cinquante-cinq, songea-t-elle avec un soupir.

Elle terminait à vingt-trois heures. Il ne devrait donc pas y avoir d'autres appels ce soir. Elle avait des copies à corriger et une interrogation surprise à préparer pour ses élèves pour le lendemain. En se levant, elle jeta un coup d'œil au téléphone. Elle avait gagné deux cents dollars durant la soirée. Merci l'opérateur téléphonique et la société Fantasme, Inc. Elle saisit sa tasse à café en souriant ; ça payait tellement mieux que de vendre des magazines !

À quelques kilomètres de là seulement, un autre homme serrait le combiné téléphonique au creux de sa paume moite. La pièce sentait le sexe, mais il était seul. Dans son esprit, cependant, Desiree avait été présente avec lui. Desiree au corps blanc et ruisselant d'eau, à la voix douce et rassurante.

Desiree.

Le cœur toujours battant, il s'étira sur son lit.

Desiree.

Il fallait qu'il la rencontre. Au plus tôt.

1

L'avion s'inclina au-dessus du Lincoln Memorial. Grace avait posé sa mallette ouverte sur ses genoux. Elle n'avait pas rangé toutes ses affaires mais elle gardait les yeux braqués sur le hublot, ravie de voir le sol se précipiter vers elle. À ses yeux, rien ne ressemblait aux sensations des transports aériens.

Le vol avait pris du retard. Elle le savait car l'homme qui occupait le siège 3B de l'autre côté de la travée ne cessait de s'en plaindre. Grace fut tentée de tendre la main pour tapoter gentiment la sienne et lui assurer qu'à l'échelle du monde, dix minutes n'avaient pas tant d'importance. Mais il n'avait pas l'air du genre à apprécier une telle intervention.

Kathleen aussi se serait plainte. *Pas à voix haute, bien sûr,* songea Grace en souriant avant de se caler contre le dossier en vue de l'atterrissage. Kathleen aurait pu se montrer aussi agacée que M. 3B, mais elle n'aurait jamais été assez grossière pour gémir et maugréer comme il le faisait.

Grace connaissait bien sa sœur. Elle aurait parié que celle-ci avait quitté son domicile plus d'une heure auparavant afin de tenir compte du côté imprévisible de la circulation à Washington.

Grace avait perçu dans la voix de Kathleen une inflexion qui trahissait son agacement à l'idée qu'elle ait choisi un vol atterrissant à dix-huit heures quinze, soit l'heure de pointe. Arrivée vingt minutes à l'avance, Kathleen aurait sans doute garé sa voiture dans le parking-minute, remonté les vitres, verrouillé les portières avant de se diriger directement jusqu'au lieu de débarquement, sans se laisser tenter par les boutiques. Le tout sans se perdre ni s'emmêler les pinceaux dans les numéros de vol, de porte, de terminaux.

Kathleen était toujours en avance. Grace était toujours en retard. Rien de nouveau sous le soleil.

Cela dit, elle espérait bien qu'elles pourraient trouver un terrain d'entente. Elles avaient beau être sœurs, elles avaient toujours beaucoup de mal à se comprendre.

L'avion toucha le sol et Grace entreprit de fourrer à la hâte tout ce qui lui tombait sous la main – rouge à lèvres, stylos, pince à épiler – dans sa mallette. Encore quelque chose qu'une femme aussi organisée que Kathleen ne concevrait jamais. À chaque chose sa place. Grace était plutôt d'accord sur le principe, mais en pratique, tout dans son univers changeait régulièrement de place.

Plus d'une fois, Grace s'était demandé comment Kathleen et elle pouvaient appartenir à la même fratrie. Elle était négligente, étourdie et couronnée de succès. Kathleen était organisée, dotée d'un grand sens pratique et abonnée aux fins de mois difficiles. Pourtant elles étaient nées des mêmes parents, avaient été élevées dans la même maison de brique dans la banlieue de Washington, D.C. et avaient fréquenté les mêmes écoles.

Les nonnes n'avaient jamais réussi à enseigner quoi que ce soit à Grace lorsqu'il s'agissait de tenir proprement ses cahiers mais, dès la sixième dans le collège St. Michael, elles avaient été fascinées par sa capacité à inventer des histoires.

Une fois l'avion posé sur le tarmac, Grace patienta tandis que les passagers pressés de débarquer s'entassaient dans la travée. Elle savait que Kathleen faisait sans doute les cent pas en craignant que son étourdie de sœur ait encore raté son vol, mais elle avait besoin de prendre quelques instants. Elle voulait se souvenir de l'amour qui existait entre elles, pas de leurs conflits.

Comme Grace l'avait prédit, Kathleen attendait face à la porte de débarquement. En regardant les passagers sortir en file indienne, elle ressentit une nouvelle poussée d'impatience. Grace voyageait toujours en première classe et pourtant elle n'était pas parmi les premières personnes à s'extirper de l'avion. Elle n'était même pas parmi les cinquante premières. Sans doute était-elle en train de discuter avec l'équipage, songea Kathleen, sans s'appesantir sur le côté envieux de cette pensée.

Grace n'avait jamais eu de mal à se faire des amis. Les gens allaient naturellement vers elle. Au terme d'années de lycée survolées avec toute l'aisance que lui conférait son charme, Grace avait vu sa carrière décoller deux ans à peine après le bac. Une éternité plus tard, Kathleen, diplômée avec mention, tournait toujours en rond dans ce même lycée. Elle était désormais assise de l'autre côté du bureau professoral mais, cela mis à part, peu de chose avait changé.

Les annonces de vol en partance ou à l'arrivée résonnaient en fond sonore. Il y avait des changements de porte, des retards, mais toujours pas de Grace. Alors que Kathleen était sur le point d'aller se renseigner au comptoir de la compagnie aérienne, elle vit sa sœur émerger dans le hall. L'envie s'évanouit. L'irritation disparut. Il était presque impossible d'être énervé contre Grace quand on se retrouvait en face d'elle.

Comment faisait-elle pour donner systématiquement l'impression de descendre d'un manège ? Son carré court, du même blond sombre que les cheveux de Kathleen, semblait en permanence avoir été ébouriffé par le vent. Elle était svelte et élancée, comme Kathleen là aussi, mais alors que celle-ci avait toujours eu le sentiment d'être robuste, Grace faisait penser à un saule prêt à s'incliner au gré de la brise. À cet instant, elle avait l'air un peu négligée, avec ses vêtements fripés, ses lunettes qui lui retombaient sur le bout du nez et des bagages plein les mains. Kathleen avait gardé la jupe et la veste qu'elle portait durant ses cours d'histoire. Grace, elle, arborait des chaussures de sport jaune vif assorties à son pull.

— Kath !

Dès qu'elle aperçut sa sœur, Grace laissa tomber toutes ses affaires sans se soucier de bloquer l'afflux des passagers derrière elle. Elle serra sa sœur contre elle de la même manière qu'elle faisait tout le reste : avec un immense enthousiasme.

— Je suis tellement contente de te voir ! Tu as super bonne mine ! Et un nouveau parfum, ajouta-t-elle en humant l'air. J'aime bien.

— Madame, vous comptez laisser ça là ?

Sans lâcher Kathleen, Grace sourit à l'homme d'affaires agacé derrière elle.

— Allez-y, enjambez-les ! Et bon vol, ajouta-t-elle comme il s'exécutait en grommelant.

Elle l'oublia aussi vite qu'elle oubliait la plupart des petits désagréments de la vie.

— Alors, de quoi j'ai l'air ? demanda-t-elle. Comment tu trouves ma coiffure ? J'espère qu'elle te plaît, je viens de dépenser une fortune pour faire de nouvelles photos officielles.

— Tu t'étais recoiffée avant le shooting ?

Grace porta une main à ses cheveux.

— Ouais, je crois.

— Ça te va bien, affirma Kathleen. Allez, on va déclencher une émeute si on ne bouge pas tes bagages. Qu'est-ce qu'il y a là-dedans ? demanda-t-elle en soulevant une pochette à l'apparence high-tech.

— Maxwell, mon nouveau portable, répondit Grace en rassemblant ses différents sacs. Super-léger et doté de toutes les dernières technologies. Lui et moi, c'est une histoire d'amour.

— Je croyais que tu étais en vacances ? s'étonna Kathleen en tâchant de dissimuler l'agacement dans sa voix.

Ce genre d'appareil était un autre symbole du succès de Grace. Et de son propre échec.

— En effet. Mais il faudra bien que je m'occupe pendant que tu donneras tes cours. Si l'avion avait eu dix minutes de retard en plus, j'aurais pu terminer un chapitre. (Elle jeta un coup d'œil à sa montre, constata qu'elle s'était encore arrêtée, puis n'y prêta plus attention.) Vraiment, Kath, c'est un meurtre complètement génial.

— T'as des valises ? l'interrompit Kathleen, consciente que sa sœur s'apprêtait à se lancer dans un long récit sans avoir besoin qu'elle l'y encourage.

— Ma malle devrait être livrée chez toi d'ici demain.

La malle. Un autre exemple de ce que Kathleen considérait comme les excentricités volontaires de sa sœur.

— Grace, quand te décideras-tu à utiliser des valises, comme tout le monde ?

Elles passèrent devant le tapis roulant autour duquel les gens s'agglutinaient en trois rangées, prêts à se piétiner les uns les autres à la vue d'une Samsonite familière.

Quand les poules auront des dents, songea Grace. Mais elle se contenta de sourire à sa sœur.

— T'es vraiment resplendissante. Comment ça va ?

— Bien. (Puis, parce que c'était sa sœur, Kathleen se détendit.) Mieux, en tout cas.

— Tu seras plus heureuse sans ce salaud, affirma Grace tandis qu'elles passaient les portes automatiques. Je suis désolée de te dire ça comme ça parce que je sais que tu l'aimais vraiment, mais c'est la vérité.

Dehors, un vent froid venu du nord faisait oublier aux gens que c'était le printemps. Le vacarme des avions qui décollaient et atterrissaient résonnait au-dessus de leurs têtes.

Sans regarder ni à gauche ni à droite, Grace descendit du trottoir en direction du parking.

— La seule véritable joie qu'il ait apportée dans ta vie, c'est Kevin. Où est mon neveu, d'ailleurs ? J'espérais qu'il viendrait avec toi.

Question douloureuse. Mais quand Kathleen prenait une décision avec sa tête, elle faisait en sorte que le cœur suive.

— Il est avec son père. On est tombés d'accord sur le fait que ce serait mieux pour lui d'habiter chez Jonathan durant l'année scolaire.

Grace s'immobilisa au milieu de la route. Un Klaxon retentit mais elle n'en avait cure.

— Quoi ? Kathleen, tu n'es pas sérieuse. Kevin n'a que six ans ! Il faut qu'il reste auprès de toi. Je parie que Jonathan lui fait regarder des chaînes télévisées d'analyse politique et économique au lieu de dessins animés.

— La décision est prise. On a estimé que c'était préférable pour nous tous.

Grace connaissait cette expression. Cela signifiait que Kathleen était fermée à la discussion et qu'elle ne la relancerait que quand elle s'y sentirait prête.

— D'accord.

Grace calqua son pas sur celui de sa sœur et se laissa guider à travers le parking. Le rythme n'était pas le même. Grace prenait son temps, Kathleen était toujours pressée.

— Tu sais que je suis là si tu as besoin d'en parler, dit-elle.

— Je sais.

Kathleen s'arrêta près d'une Toyota de seconde main. L'année précédente, elle conduisait une Mercedes. Mais ce n'était qu'une perte négligeable au regard du reste.

— Excuse-moi si j'ai répondu sèchement, Grace. C'est que j'essaye de mettre cette histoire de côté pour le moment. J'ai presque terminé de remettre de l'ordre dans ma vie.

Grace déposa ses bagages à l'arrière sans rien dire. Elle voyait bien qu'il s'agissait d'un véhicule d'occasion tout à fait en deçà de ce à quoi sa sœur était autrefois habituée, mais s'inquiétait plus de la tension audible dans la voix de sa sœur que de son changement de statut social. Elle aurait voulu la réconforter mais savait que Kathleen considérait la compassion comme une proche cousine de la pitié.

— T'as parlé à papa et maman ? demanda-t-elle.

— La semaine dernière. Ils vont bien.

Kathleen se glissa derrière le volant et mit sa ceinture.

— À les entendre, on pourrait croire que Phoenix, c'est le paradis.

— Tant qu'ils sont heureux...

Grace se cala contre le dossier de son siège et prit finalement le temps de regarder autour d'elle. L'aéroport de Washington. C'était là qu'elle avait pris son premier avion il y avait huit... mon Dieu, non, presque dix ans en fait. Flippée jusqu'au bout des ongles à l'époque. Pour un peu, elle aurait aimé pouvoir revivre ce sentiment si neuf et plein de naïveté.

Tu deviens blasée, Gracie ? se demanda-t-elle. Trop de vols. Trop de villes. Trop de gens. Et voilà qu'elle était de retour, à quelques kilomètres seulement de la maison où elle avait grandi, assise juste à côté de sa sœur. Pourtant, elle n'avait pas cette sensation de retour au pays qu'elle avait imaginée.

— Qu'est-ce qui t'a poussée à revenir sur Washington, Kath ?

— Je voulais quitter la Californie. Et le coin m'est familier.

Mais tu n'avais pas envie – et même besoin – de rester près de ton fils ? Ce n'était pas le moment de poser la question mais Grace eut du mal à la garder pour elle.

— Et tu enseignes à Notre-Dame de l'Espoir. Familier, ça aussi, mais ça doit te faire bizarre.

— En fait, ça me plaît. J'imagine que le côté organisé des cours me fait du bien.

Elle sortit du parking avec une précision étudiée. Le ticket du parking et trois billets d'un dollar étaient glissés dans le pare-soleil. Grace remarqua que Kathleen vérifiait sa monnaie après avoir payé.

— Et la maison, elle te plaît ?

— Le loyer est raisonnable et ce n'est qu'à quinze minutes de voiture de l'école.

Grace ravala un soupir. Kathleen serait-elle jamais capable d'exprimer un avis marqué à propos de quoi que ce soit ?

— Tu vois quelqu'un ?

— Non, répondit Kathleen avec néanmoins un petit sourire au moment de s'insérer dans la circulation. Le sexe ne m'intéresse pas.

Grace haussa les sourcils.

— Le sexe intéresse tout le monde. Pourquoi tu crois que les livres de Jackie Collins se vendent toujours autant ? Mais en fait je parlais plutôt d'un compagnon avec qui partager des choses.

— Je n'ai pas envie de compagnie en ce moment. (Puis elle posa la main sur celle de Grace, le geste le plus intime dont elle fût capable envers quiconque à l'exception de son mari et de son fils.) Sauf toi. Je suis vraiment contente que tu sois venue.

Comme toujours, Grace répondit chaleureusement à une parole chaleureuse.

— Je serais venue plus tôt si tu m'avais laissée faire.

— Tu étais en pleine tournée.

— Les tournées, ça peut s'annuler, répondit Grace avec un haussement d'épaules. (Elle ne s'était jamais considérée comme capricieuse ou arrogante mais elle aurait pu le devenir si cela avait été utile à Kathleen.) Bref, la tournée est terminée et me voilà. Washington au printemps. (Elle baissa la vitre de sa portière malgré un vent d'avril évoquant plutôt le froid mordant de mars.) Il y a des fleurs sur les cerisiers ?

— Non. Victimes d'un gel tardif.

— Rien ne change.

Avaient-elles vraiment si peu à échanger ? Grace laissa la radio remplir le silence au fil de la route. Comment deux personnes pouvaient-elles grandir ensemble, vivre ensemble, se disputer pendant des années… et rester étrangères l'une à l'autre ? À chaque fois elle espérait que ce serait différent. Et à chaque fois, c'était la même chose.

Au moment de traverser le pont de la 14e Rue, elle se remémora la chambre que Kathleen et elle avaient partagée durant leur enfance. Impeccablement rangée d'un côté, complètement en bazar de l'autre. Cela n'avait été qu'un de leurs nombreux sujets de discorde. Il y avait aussi les jeux que Grace inventait et qui frustraient sa sœur plus qu'ils ne l'amusaient. Quelles étaient les règles ? Apprendre les règles avait toujours été la priorité de Kathleen. Et quand il n'y en avait pas ou qu'elles étaient trop flexibles, elle se trouvait tout simplement incapable de comprendre le jeu.

Toujours à vouloir jouer dans les règles, Kath, songea Grace, assise sans rien dire à côté de sa sœur.

À l'école, à l'église, dans la vie. Pas étonnant qu'elle soit toujours perdue quand les normes changeaient. Et elles venaient justement de changer drastiquement.

Est-ce que tu as déclaré forfait dans ton mariage, Kathy, comme tu le faisais durant nos jeux quand le règlement ne t'allait pas ? Es-tu revenue là où notre vie a débuté pour pouvoir effacer la période entre les deux et recommencer selon tes propres conditions ?

Pour Grace, c'était tout à fait le style de Kathleen. Elle espérait, pour le bien de sa sœur, que cela fonctionnerait.

La seule chose qui la surprit fut la rue dans laquelle Kathleen avait choisi de s'installer. Un appartement moderne et équipé avec un gardien disponible vingt-quatre heures sur vingt-quatre aurait plus correspondu à Kathleen que ce quartier abritant de grands arbres et de vieilles demeures un peu délabrées.

Celle de Kathleen était l'une des plus petites du pâté de maisons et, même si Grace était certaine que sa sœur n'avait rien fait de plus que de tondre le petit carré de gazon, de petites fleurs commençaient à éclore à la surface de la terre le long du chemin soigneusement ratissé.

Debout près de la voiture, Grace fit courir son regard des deux côtés de la rue. Elle repéra plusieurs vélos, un break vieillissant et une nette absence de peinture fraîche. Usé, érodé, habité depuis longtemps, le voisinage était soit au bord de la renaissance, soit prêt à s'enfoncer progressivement dans la vieillesse. Elle aimait bien l'ambiance qui se dégageait des lieux.

C'était précisément le genre de coin qu'elle aurait choisi si elle avait dû revenir à Washington. Et si elle avait dû choisir une maison… ça aurait été celle d'à côté, conclut-elle immédiatement. La bâtisse avait indéniablement besoin qu'on s'occupe d'elle. L'une des fenêtres était condamnée et des tuiles manquaient sur le toit, mais quelqu'un avait aussi planté des azalées. La terre au pied des tiges avait été fraîchement retournée et les pousses étaient petites, une trentaine de centimètres tout au plus. Les bourgeons n'en étaient pas moins prêts à s'ouvrir. En les regardant, Grace se prit à souhaiter pouvoir rester assez longtemps pour les voir fleurir.

— Oh, Kath, quel chouette endroit !

— On est loin de Palm Springs.

Sa sœur s'était exprimée sans la moindre amertume en entreprenant de décharger les sacs de Grace.

— Non, cocotte, je suis sérieuse. C'est un vrai chez-toi.

Elle était sincère. Entre son œil d'écrivain et son imagination, elle n'avait aucun mal à voir sa sœur s'épanouir dans cette maison.

— Je voulais être en mesure d'offrir quelque chose de bien à Kevin quand… quand il arrivera.

— Il va adorer, assura Grace avec l'assurance qui l'accompagnait partout telle une bannière. Ce trottoir est idéal pour faire du skateboard. Et les arbres…

L'un d'entre eux, sur le trottoir d'en face, donnait l'impression d'avoir été frappé par la foudre sans jamais pouvoir s'en remettre, mais Grace ne s'y arrêta pas.

— En voyant tout ça, Kath, je me demande ce que je fiche encore à Manhattan.

— Tu y deviens riche et célèbre.

Cette fois encore, Kathleen avait parlé sans amertume tout en tendant les bagages à Grace. Le regard de celle-ci dévia de nouveau vers la maison voisine.

— Et ça ne me déplairait pas d'avoir quelques azalées chez moi, dit-elle en passant son bras sous celui de Kathleen. Allez, montre-moi le reste !

L'intérieur n'était pas aussi étonnant que l'extérieur. Kathleen aimait que les choses soient propres et bien rangées. Le mobilier était solide, épousseté et de bon goût.

Tout comme Kathleen, songea Grace avec une pointe de regret.

Elle apprécia néanmoins le méli-mélo de petites pièces qui semblaient entrer en collision les unes avec les autres. Kathleen avait transformé l'une d'elles en bureau. Le plan de travail avait encore l'éclat du neuf. Elle n'avait rien emporté avec elle, constata Grace. Pas même son fils. Elle s'étonna de voir que Kathleen avait un téléphone sur le bureau et un autre à quelques mètres de là mais ne fit pas de commentaire. Connaissant Kathleen, il y avait forcément une bonne raison à tout ça.

— De la sauce spaghetti...

L'odeur attira Grace jusqu'à la cuisine. Si quelqu'un lui avait demandé de dresser la liste de ses occupations préférées, manger serait arrivé en tête de liste.

La cuisine était aussi impeccable que le reste de la maison. Si Grace avait été du genre à parier, elle aurait misé gros sur le fait qu'il n'y avait même pas une miette dans le grille-pain. Les restes seraient tous stockés dans des boîtes en plastique soigneusement étiquetées et les verres rangés par ordre de taille dans les placards. C'était la façon de faire de Kathleen et ça n'avait pas changé d'un iota en trente ans.

Au moment de poser les pieds sur le linoléum usé, Grace espéra n'avoir pas oublié de s'essuyer sur le paillasson en arrivant. Elle souleva le couvercle d'une mijoteuse et huma les effluves qui s'en échappèrent.

— J'ai l'impression que tu n'as pas perdu la main, dit-elle.

— Ça m'est revenu. (Même après des années à être servie par des chefs privés et des domestiques.) Tu as faim ? demanda Kathleen. (Puis son sourire s'élargit et, pour la première fois, parut tout à fait sincère et détendu.) Je ne sais pas pourquoi je pose la question.

— Attends, j'ai un truc pour toi !

Comme sa sœur repartait précipitamment vers l'entrée, Kathleen se tourna vers la fenêtre. Pourquoi avait-elle soudain une conscience aiguë du côté vide de la maison maintenant que Grace était là ? De quelle magie sa sœur était-elle habitée pour être ainsi capable de remplir une pièce, une demeure, un stade ? Et que ferait-elle quand elle se retrouverait de nouveau seule ?

— Valpolicella ! annonça triomphalement Grace en revenant dans la cuisine. Comme tu vois, je comptais bien manger italien. (Au moment de se retourner vers sa sœur, Kathleen ne put dissimuler ses larmes. Grace se précipita vers elle, la bouteille toujours à la main.) Oh, ma chérie…

— Gracie, il me manque tellement. Parfois j'ai l'impression que je vais en mourir.

— Je sais. Oh, cocotte, je sais. Je suis désolée. (Elle caressa les cheveux de Kathleen qui se recoiffa immédiatement après.) Laisse-moi t'aider, Kathleen, ajouta-t-elle. Dis-moi ce que je peux faire.

Au prix d'un effort plus grand qu'elle n'aurait voulu l'avouer, Kathleen refoula ses larmes.

— Rien. Rien... Je ferais bien de préparer la salade.

— Attends...

Grace prit sa sœur par le bras pour la guider jusqu'à la petite table de la cuisine.

— Assieds-toi. Je suis sérieuse, Kathleen.

Bien que d'un an son aînée, Kathleen s'inclina devant l'autorité. Encore un comportement devenu habituel.

— Je n'ai vraiment pas envie d'en parler, Grace.

— Ça, c'est pas de chance pour toi. Le tire-bouchon ?

— Tiroir du haut à gauche de l'évier.

— Et les verres ?

— Deuxième étagère du placard près du frigo.

Grace ouvrit la bouteille. Même si le ciel allait s'assombrissant, elle ne prit pas la peine d'allumer la lumière de la cuisine. Elle posa un verre en face de Kathleen et entreprit de le remplir à ras bord.

— Bois. Il est super bon.

Elle trouva un pot de mayonnaise vide à l'endroit exact où leur mère l'aurait rangé et retira le bouchon pour improviser un cendrier. Elle savait à quel point Kathleen désapprouvait la cigarette, et avait pris la décision avant de partir de se tenir à carreau de ce point de vue. Mais, comme pour la plupart des promesses qu'elle se faisait à elle-même, elle n'eut pas beaucoup de mal à la transgresser. Elle alluma une cigarette, se servit son propre verre de vin puis s'assit à son tour.

— Raconte-moi tout, Kathy. Tu sais que je ne ferai que t'asticoter jusqu'à ce que tu le fasses.

Et c'était vrai. Kathleen en avait eu conscience en acceptant de l'accueillir. Peut-être était-ce pour ça qu'elle avait approuvé sa venue.

— Je ne voulais pas de cette séparation. Et tu n'as pas besoin de me dire que je suis stupide de m'accrocher à un homme qui ne veut pas de moi. Je le sais déjà.

— Je ne pense pas que tu sois stupide, assura Grace en soufflant sa fumée. (Elle se sentait un peu coupable car c'était exactement ce qu'elle avait pensé, et plus d'une fois.) Tu aimes Jonathan et Kevin, poursuivit-elle. Ils étaient à toi et tu veux les garder.

— C'est un bon résumé.

Kathleen but une deuxième gorgée, plus longue que la précédente. Grace avait raison, une fois de plus. Le vin était délicieux. C'était difficile à admettre, elle détestait y être obligée, mais elle avait besoin de se confier à quelqu'un. Autant que ce quelqu'un soit Grace car, quels que soient leurs désaccords, elle serait incontestablement de son côté.

— On en est arrivés à un point où j'ai dû donner mon accord pour la séparation. (Elle n'était toujours pas capable de prononcer le mot « divorce ».) Jonathan... m'a fait du mal.

— Qu'est-ce que tu veux dire ? (La voix basse et rauque de Grace laissait transparaître quelque chose d'inquiétant.) Il t'a frappée ?

Elle était déjà prête à se lever pour sauter dans le prochain vol à destination de la Côte Ouest.

— Il y a d'autres formes de violence, répondit Kathleen sur un ton las. Il m'a humiliée. Il y avait d'autres femmes, beaucoup d'autres femmes. Oh, il était très discret. Je doute que même son assistant ait été au courant. Mais il s'est assuré que moi je le sois. Pour le plaisir de me faire souffrir.

— Je suis désolée.

Grace se rassit. Elle savait que Kathleen aurait préféré un coup de poing au menton à l'infidélité. À bien y réfléchir, Grace devait admettre que sa sœur et elle étaient d'accord, en tout cas sur ce point.

— Il ne t'a jamais plu, dit Kathleen.

Grace fit tomber un peu de cendres dans le couvercle du pot de mayonnaise.

— Non, et je n'ai pas changé d'avis.

— J'imagine que ça ne sert plus à rien d'en discuter maintenant, reprit Kathleen. Quoi qu'il en soit, quand j'ai accepté la séparation, Jonathan m'a clairement fait comprendre que c'était lui qui dicterait les conditions. C'est lui qui lancerait la procédure et personne ne serait en faute. Comme un simple accrochage sur la route. Huit ans de ma vie à la poubelle et personne n'est responsable.

— Kath, tu sais que tu n'avais pas à accepter ses conditions. S'il était infidèle, tu pouvais lancer un recours en justice.

— Et comment j'aurais fait pour le prouver ?

Cette fois, l'amertume était clairement audible dans la voix de Kathleen. Elle avait longtemps attendu avant de la laisser s'exprimer librement.

— Il faut que tu comprennes de quel monde je sors, Grace. Jonathan Breezewood troisième du nom est un homme au-delà de tout reproche. C'est un avocat, je te rappelle, associé dans un cabinet familial qui pourrait représenter le diable contre Dieu tout-puissant et s'en sortir avec des dommages et intérêts. Même si quelqu'un avait été au courant ou suspecté la chose, personne ne m'aurait aidée. Ils étaient amis avec l'épouse de Jonathan. Mme Jonathan Breezewood. Mon identité durant huit ans. (Et, Kevin mis à part, c'était ce qui avait été le plus difficile à perdre.) Aucun d'eux n'a le moindre intérêt pour Kathleen McCabe. Ça a été mon erreur. Je me suis dévouée corps et âme pour devenir Mme Breezewood. Il fallait que je sois l'épouse parfaite, l'hôtesse parfaite, la mère et la femme d'intérieur parfaite. Et je suis devenue ennuyeuse. Et quand il s'est suffisamment ennuyé, il a décidé de se débarrasser de moi.

— Bon sang, Kathleen, pourquoi es-tu toujours aussi dure avec toi-même ? (Grace écrasa sa cigarette et tendit la main pour saisir son verre.) C'est lui qui est en tort, pas toi. Tu lui as donné exactement ce qu'il disait vouloir. Tu as abandonné ta carrière, ta famille, ta maison pour organiser ta vie autour de lui. Et maintenant tu risques de tout abandonner de nouveau, y compris Kevin.

— Je n'abandonnerai pas Kevin.

— Tu m'as dit...

— Je n'ai pas cherché à contredire Jonathan. Je ne pouvais pas ; j'avais trop peur de ce qu'il pourrait faire.

Grace reposa son verre avec un geste précautionneux.

— Peur de ce qu'il pourrait faire contre toi ou contre Kevin ?

— Pas contre Kevin, s'empressa de répondre Kathleen. Quelle que soit sa nature ou ses actes, il ne ferait jamais de mal à Kevin. Il l'adore sincèrement. Et même si c'était un mauvais mari, il reste un père merveilleux.

— D'accord, dit Grace même si elle s'autorisait à en douter. Alors tu craignais ce qu'il risquait de te faire à toi ? Physiquement ?

— Jonathan perd rarement son sang-froid. Il se contrôle soigneusement car il peut devenir très violent. Un jour, quand Kevin n'était qu'un bébé, je lui ai offert un animal de compagnie, un chaton. (Kathleen choisit ses mots avec soin pour raconter son histoire, consciente que Grace avait toujours été capable de concocter un gâteau entier à partir de quelques miettes.) Ils jouaient et le chaton a griffé Kevin. Jonathan était tellement en colère en voyant les griffures sur le visage de Kevin qu'il a jeté le chaton par-dessus le balcon. Depuis le troisième étage.

— J'ai toujours dit que c'était un vrai prince charmant, maugréa Grace en buvant un peu de vin.

— Et puis il y a eu l'assistant du jardinier. Il avait déterré par erreur l'un de nos rosiers. C'était un malentendu ; il ne maîtrisait pas bien la langue. Jonathan l'a viré sur-le-champ et ils se sont disputés. Quelques instants plus tard, Jonathan l'a roué de coups au point qu'il a fallu l'hospitaliser.

— Nom d'un chien !

— Bien sûr, Jonathan a payé pour les soins.

— Bien sûr, répéta Grace sans que sa sœur capte le sarcasme dans sa voix.

— Il l'a payé pour que la presse ne l'apprenne pas. Ce n'était qu'un rosier. J'ignore ce qu'il ferait si j'essayais d'éloigner Kevin.

— Kath, ma chérie, tu es sa mère. Tu as des droits. Je suis sûre qu'il y a d'excellents avocats à Washington. On ira en voir quelques-uns pour savoir ce qu'on peut faire.

— J'en ai déjà engagé un. (Kathleen avait la bouche sèche. Elle but une autre gorgée. Le vin aidait les mots à sortir.) Et j'ai embauché un détective. Ça ne sera pas facile et on m'a déjà dit que ça allait sans doute nécessiter beaucoup de temps et d'argent, mais ça vaut le coup d'essayer.

Grace prit les mains de sa sœur.

— Je suis fière de toi. (Le soleil était presque couché et la pièce était plongée dans l'ombre. Les yeux de Grace, aussi gris que la lumière ambiante, s'illuminèrent.) Cocotte, Jonathan Breezewood troisième du nom est tombé sur un os en s'en prenant aux McCabe. J'ai des contacts sur la Côte Ouest.

— Non, Grace, il faut que j'agisse discrètement. Personne ne doit être au courant, pas même papa et maman. Je ne peux pas prendre ce risque.

Grace songea aux Breezewood. Ce genre de dynastie ancienne et fortunée avait le bras long et des tentacules partout.

— D'accord, c'est sans doute pour le mieux. Mais je peux quand même t'aider. Les avocats et les détectives coûtent cher. Et j'ai plus d'argent qu'il ne m'en faut.

Pour la deuxième fois, les larmes montèrent aux yeux de Kathleen. Cette fois, elle parvint à ne pas pleurer en clignant les paupières. Elle savait que Grace avait les moyens et ne pouvait pas lui en vouloir d'avoir mérité cet argent. Et pourtant elle lui en voulait. Dieu qu'elle lui en voulait !

— Je tiens à faire ça toute seule.

— Ce n'est pas le moment de laisser parler ton orgueil. Tu ne peux pas mener ce genre de combat avec un salaire de prof. Le fait que tu aies fait la bêtise de laisser Jonathan t'écarter de sa vie sans te donner un centime n'est pas une raison pour refuser que je t'aide financièrement.

— Je ne voulais rien de Jonathan. Je suis sortie de ce mariage avec exactement ce que j'y avais apporté. Trois mille dollars.

— On va éviter de parler des droits des femmes et du fait que tu méritais quelque chose après huit ans de mariage. (Grace était une activiste… quand ça l'arrangeait.) Ce qui compte, ajouta-t-elle, c'est que tu es ma sœur et que je veux t'aider.

— Pas avec de l'argent. C'est peut-être mon orgueil qui parle mais je dois faire ça seule. J'ai un boulot en plus de mes cours.

— Quoi ? Tu vends des Tupperware ? Tu donnes des cours particuliers aux gamins ? Tu monnaies tes charmes ?

Avec son premier vrai éclat de rire depuis des semaines, Kathleen les resservit toutes les deux en vin.

— C'est exactement ça.

— Tu vends des Tupperware ? Est-ce qu'ils font encore ces petits bols de céréales avec un couvercle ? demanda Grace après un instant de réflexion.

— Aucune idée. Je ne vends pas de Tupperware. (Elle prit une longue gorgée avant d'ajouter :) Je monnaie mes charmes.

Comme Kathleen se levait pour allumer le plafonnier, Grace saisit également son verre. Kathleen faisait rarement des blagues de ce genre ; elle n'était pas sûre de savoir si elle devait rire ou non. Elle préféra s'abstenir.

— Tu ne m'as pas dit tout à l'heure que le sexe ne t'intéressait pas ?

— Pas pour moi, en tout cas pas pour le moment. Je gagne un dollar à la minute pour un échange de sept minutes, dix dollars si c'est quelqu'un qui a déjà fait appel à moi. La plupart de ceux qui me contactent le font plusieurs fois. En moyenne, je reçois vingt coups de fil par soirée, trois jours par semaine, plus entre vingt-cinq et trente le week-end. Ce qui donne à peu près neuf cents dollars par semaine.

— Eh ben... (La première pensée de Grace fut que sa sœur avait beaucoup plus d'énergie qu'elle ne l'avait imaginé. La deuxième fut que tout cela n'était qu'une grosse blague pour lui signifier de se mêler de ses affaires. Grace dévisagea sa sœur sous la lumière fluorescente et crue du plafonnier. Rien dans le regard de Kathleen ne laissait penser qu'elle plaisantait. Mais Grace reconnaissait cet air d'autosatisfaction. Le même que le jour où, à douze ans, Kathleen avait vendu cinq boîtes de biscuits de plus que Grace au profit des éclaireuses.) Eh ben, répéta-t-elle en allumant une autre cigarette.

— Tu ne vas pas me faire un petit discours moral, Gracie ?

— Non. (Grace leva son verre et but longuement. Elle n'était pas très sûre de son avis sur le sujet, pas encore.) Il me faut le temps de digérer la nouvelle. Tu es sérieuse ?

— Tout à fait.

Évidemment. Kathleen était toujours sérieuse. *Vingt par nuit,* se répéta Grace avant de chasser vivement l'image de son esprit.

— Pas de discours moral mais plutôt de bon sens. Bon Dieu, Kathleen, tu sais quel genre de mecs louches et de maniaques se trimballent là-dehors ? Même moi je suis au courant alors que je n'ai pas eu un seul rendez-vous autre que professionnel depuis presque six mois. Et je ne parle pas que du risque de tomber enceinte, plutôt de celui d'attraper un truc que tu ne feras pas sauter sur tes genoux dans neuf mois. C'est stupide, Kathleen, stupide et dangereux. Et tu vas arrêter immédiatement ou bien je devrai...

— Le dire à maman ? suggéra Kathleen.

Grace s'agita sur son siège, mal à l'aise. C'était précisément les mots qu'elle avait sur le bout de la langue.

— Ce n'est pas une blague, dit-elle. Si tu ne veux pas penser à toi, pense au moins à Kevin. Si Jonathan a vent de cette histoire, tu n'auras aucune chance de récupérer ton fils.

— C'est bien à Kevin que je pense. Je ne pense même qu'à lui. Bois ton vin et écoute-moi, Grace. Tu as toujours eu tendance à élaborer des histoires sans connaître tous les faits.

— Le fait que des mecs font appel à ma sœur pour satisfaire leurs pulsions me suffit.

— C'est exactement ça. Ils m'appellent. C'est ma voix que je vends, Grace, pas mon corps.

— Deux verres de vin et mon cerveau est déjà tout embrumé. Tu veux bien m'expliquer tout ça clairement, Kathleen ?

— Je travaille pour Fantasme, Inc. C'est une petite boîte qui se spécialise dans les services téléphoniques.

— Les services téléphoniques ? répéta Grace en soufflant sa fumée. Services téléphoniques ? Tu veux dire du sexe par téléphone ? demanda-t-elle, sourcils froncés.

— Parler de sexe constitue depuis un an ma seule activité en la matière.

— Un an ? (Grace prit le temps de digérer l'information avant de poursuivre :) Je compatirais bien avec toi mais je suis trop fascinée par ce que tu me racontes. Tu veux dire que tu fais le genre de trucs pour lesquels on voit des pubs dans les dernières pages des magazines masculins ?

— Depuis quand tu lis les magazines pour hommes ?

— Je fais des recherches. Et tu es en train de me dire que tu gagnes environ neuf cents dollars par semaine en parlant à des hommes au téléphone ?

— J'ai toujours eu une belle voix.

— Ouais.

Grace s'appuya contre le dossier de sa chaise le temps d'accepter l'énormité de la chose. De toute sa vie, elle n'avait jamais vu Kathleen faire quoi que ce soit d'aussi peu conventionnel. Elle avait même attendu le mariage pour coucher avec Jonathan. Grace le savait pour avoir posé la question. Aux deux. Puis elle prit conscience que non seulement c'était surprenant de la part de Kathleen, mais également très drôle.

— Au collège, la sœur Mary Francis disait que tu étais l'oratrice la plus douée de la classe. Je me demande ce qu'elle penserait, la pauvre vieille, si elle savait que sa meilleure élève joue les prostituées téléphoniques.

— Je n'aime pas beaucoup ce terme, Grace.

— Oh, arrête, ça sonne bien ! répondit Grace avec un petit rire dans son verre. Pardon... Alors, explique-moi comment ça fonctionne.

Kathleen aurait dû se douter que Grace verrait l'aspect léger de la chose. Elle n'était pas du genre à se lancer dans les récriminations. Kathleen sentit se dénouer les muscles de ses épaules tandis qu'elle prenait une autre gorgée.

— Les hommes appellent le standard de Fantasme et s'ils sont déjà clients ils peuvent demander à parler à une femme en particulier. S'ils sont nouveaux, on leur demande leurs préférences pour les mettre en contact avec quelqu'un qui leur correspond.

— Quel genre de préférences ?

Kathleen savait bien que Grace avait tendance à poser mille questions. Le fait d'en être à son troisième verre de vin lui évita d'être agacée.

— Certains hommes aiment tenir les rênes de la conversation, décrire ce qu'ils feraient à la femme ou ce qu'ils se font eux-mêmes. D'autres préfèrent que ce soit la femme qui parle, qu'on les guide à travers la scène, si tu veux. Ils veulent qu'elle se décrive, qu'elle détaille ce qu'elle porte, à quoi ressemble la pièce. Certains veulent parler de SM ou de bondage. Mais je ne fais pas ce genre d'appels.

Grace avait du mal à prendre tout ça au sérieux.

— Tu ne verses que dans le sexe classique.

Pour la première fois depuis des mois, Kathleen se sentait agréablement détendue.

— C'est ça. Et je suis douée pour ça. Je suis très demandée.

— Félicitations.

— Bref, les hommes appellent, ils laissent leur numéro de téléphone et de carte bleue. La société s'assure que la carte passe puis nous contacte. Si j'accepte l'appel, je rappelle l'homme sur la ligne spécifique que Fantasme a fait installer ici mais qui est directement facturée à leur adresse.

— D'accord. Et après ?

— Après on discute.

— Après vous discutez, murmura Grace. C'est pour ça que tu as un deuxième téléphone dans ton bureau.

— Aucun détail ne t'échappe.

Kathleen s'aperçut, non sans une certaine satisfaction, qu'elle commençait à se sentir saoule. Ça lui faisait du bien d'avoir l'esprit un peu brumeux. Elle se sentait beaucoup plus légère et ravie d'avoir sa sœur en face d'elle.

— Kath, qu'est-ce qui empêche ces types de trouver ton nom et ton adresse ? L'un d'entre eux pourrait décider qu'il ne veut plus se contenter de « discuter ».

Kathleen secoua la tête tout en essuyant soigneusement les traces d'humidité que son verre avait laissées sur la table.

— Le fichier des employées de Fantasme est strictement confidentiel. On ne donne jamais notre numéro aux clients, en aucune circonstance. La plupart d'entre nous utilisons des faux noms. Moi, c'est Desiree.

— Desiree, répéta Grace sur un ton plein de respect.

— Je fais un mètre cinquante-huit, je suis blonde avec un corps de rêve.

— T'es sérieuse ?

Même si elle tenait mieux l'alcool que sa sœur, Grace n'avait rien mangé de la journée à l'exception d'une barre chocolatée sur le chemin de l'aéroport. L'idée que Kathleen ait un alter ego lui semblait non seulement plausible mais logique.

— Félicitations, là aussi. Mais, Kath, imagine qu'un membre de Fantasme ait soudain envie d'une relation employeur/employée beaucoup plus intime ?

— T'es déjà en train d'écrire un livre dans ta tête, répondit Kathleen.

— Possible, mais…

— Grace, tout ça est parfaitement sûr. C'est un contrat professionnel, rien de plus. Je ne fais que parler, les hommes en ont pour leur argent. Je suis bien payée et Fantasme récupère un pourcentage de mes gains. Tout le monde est content.

— Ça paraît cohérent… (Grace fit tourbillonner le vin dans son verre en tâchant de chasser les doutes qui persistaient dans son esprit.) Et j'imagine que le sexe virtuel est à la mode. On ne peut pas attraper le sida par téléphone.

— Je vois que tu as des connaissances médicales solides. Pourquoi tu ris ?

Grace s'essuya les lèvres du dos de la main.

— Je visualise le truc… « Peur de vous engager ? Ras le bol des rencontres entre célibataires ? Appelez Fantasme, Inc et demandez Desiree, Delilah ou DeeDee. Orgasme garanti, satisfait ou remboursé. Paiement par carte de crédit. » Mince, je devrais devenir publicitaire !

— Je n'ai jamais considéré ça comme une plaisanterie.

— Tu n'as jamais su prendre les choses de la vie à la légère, répliqua Grace sans aucune méchanceté. Dis, je pourrai écouter ton prochain appel ?

— Non.

Grace haussa les épaules sans prendre le refus au sérieux.

— Bon, on en reparlera. Quand est-ce qu'on mange ?

Au moment de se glisser dans son lit ce soir-là dans la chambre d'amis de Kathleen, rassasiée de pâtes et de vin, Grace ressentait envers sa sœur une complicité qu'elle n'avait plus connue depuis l'enfance. Elle ne se souvenait pas de la dernière fois où Kathleen et elle étaient restées debout à boire et parler comme deux amies. Il était difficile d'admettre que ça n'était jamais arrivé avant.

Kathleen faisait enfin quelque chose d'inattendu en défendant son choix et ses actions. Tant que cela ne lui causait pas d'ennuis, Grace était ravie pour elle. Kathleen se prenait en main. Tout allait bien se passer.

Il tendit l'oreille pendant trois heures cette nuit-là, en l'attendant. Desiree ne vint pas. Il y avait d'autres femmes, bien sûr, des femmes aux noms exotiques et à la voix sexy, mais elles n'étaient pas Desiree. Pelotonné dans son lit, il tenta de prendre du plaisir en imaginant sa voix mais cela ne suffisait pas. Il resta donc allongé là, frustré et en sueur, en se demandant quand il trouverait le courage d'aller à sa rencontre.

Bientôt, se promit-il. Elle serait tellement heureuse de le voir. Elle l'attirerait à lui, le déshabillerait de la manière exacte qu'elle décrivait au téléphone. Et elle le laisserait la toucher. Partout où il en aurait envie.

Il avait hâte.

Dans la lumière du clair de lune, il se leva et retourna jusqu'à son ordinateur. Il voulait la voir de nouveau avant d'aller dormir. Le terminal s'alluma avec un bourdonnement discret. Ses doigts fins mais habiles composèrent une série de chiffres. En quelques secondes, l'adresse s'afficha à l'écran. L'adresse de Desiree.

Bientôt.

2

Grace mit le vrombissement grave et répétitif qu'elle entendait sur le compte du vin. Elle se refusa à se plaindre ou maugréer à propos de sa gueule de bois. On lui avait appris que tout péché, véniel comme mortel, nécessitait de faire pénitence. C'était l'un des rares aspects de l'éducation catholique reçue pendant l'enfance à l'avoir accompagnée jusqu'à l'âge adulte.

Le soleil était levé et déjà assez haut pour filtrer à travers les rideaux vaporeux aux fenêtres. Elle enfouit son visage dans son oreiller pour tenter de s'en protéger. De quoi se cacher de la lumière mais pas de ce fichu bourdonnement. Qu'elle le veuille ou non, elle était réveillée.

Elle se redressa dans le lit avec des visions d'aspirine et de café. C'est à ce moment qu'elle prit conscience que le vrombissement ne provenait pas de sous son crâne mais de l'extérieur de la maison. Elle fouilla dans l'un de ses sacs de voyage et en sortit un vieux peignoir en éponge. Elle en avait un autre, en soie, qu'elle gardait chez elle dans sa penderie. Cadeau d'un ancien amant. Grace avait de bons souvenirs de l'amant en question mais préférait le peignoir en éponge.

Toujours un peu groggy, elle tituba jusqu'à la fenêtre et écarta le rideau.

C'était une belle journée, l'air frais sentait le printemps et la terre fraîchement retournée. Une clôture grillagée affaissée séparait la cour de chez sa sœur de celle des voisins. Un forsythia d'apparence chétive y avait emmêlé ses branches. L'arbrisseau semblait avoir du mal à fleurir et Grace trouva à ses minuscules fleurs jaunes un air brave et déterminé. Jusqu'à ce moment, il ne lui était pas venu à l'esprit à quel point elle en avait assez des fleurs de serre et des pétales parfaitement agencés.

Bâillant à s'en décrocher la mâchoire, elle explora du regard les alentours.

C'est alors qu'elle vit l'homme dans la cour de la maison voisine. De longues planches étroites étaient calées sur des chevalets de sciage. Avec une maîtrise pleine d'une aisance qu'elle admirait, l'inconnu prit des mesures, marqua le bois et entreprit de le découper. Intriguée, Grace remonta la fenêtre pour mieux voir. Il faisait frisquet mais elle prit plaisir au contact de l'air frais qui lui décrassait la tête. Tout comme le forsythia, cet homme méritait son attention.

Un vrai look de bûcheron, songea-t-elle avec un sourire. Il devait faire au moins un mètre quatre-vingt-quinze et était bâti comme un joueur de football américain. Même à cette distance, elle devinait la puissance des muscles qui s'activaient sous sa veste. Il arborait une crinière de cheveux roux et une barbe touffue. Pas un petit truc taillé pour se donner un genre, une authentique barbe. Derrière les poils, elle discernait le mouvement de ses lèvres en rythme avec la musique country qui sortait d'un poste de radio.

Elle posa les coudes sur le rebord de la fenêtre pour regarder en souriant.

— Salut ! lança-t-elle quand le vrombissement de la scie se tut. (Son sourire s'élargit quand l'homme se retourna et leva les yeux vers elle. Elle remarqua que son corps s'était tendu au moment de pivoter sur lui-même, pas tant sous l'effet de la surprise que comme une manière de se préparer à l'action, estima Grace.) J'aime bien votre maison, ajouta-t-elle.

Ed se détendit en découvrant la femme appuyée à sa fenêtre. Il avait travaillé plus de soixante heures cette semaine, et avait tué un homme. La vision d'une jolie femme lui souriant depuis l'étage de la maison voisine avait sur ses nerfs tendus un effet étonnamment apaisant.

— Merci, dit-il.

— Vous la retapez ?

— Morceau par morceau. (Il leva une main pour protéger ses yeux du soleil et la regarda. Ce n'était pas sa voisine. Même si Kathleen Breezewood et lui n'avaient pas dû échanger plus d'une dizaine de mots, il la connaissait de vue. Mais ce visage souriant à la chevelure ébouriffée n'était pas le sien.) Vous êtes ici en visite ?

— Oui. Je suis la sœur de Kathy. Mais j'imagine qu'elle doit déjà être partie. Elle est prof.

— Oh. (En deux secondes, il venait d'en apprendre plus sur sa voisine que durant les deux mois écoulés. Son diminutif était « Kathy », elle avait une sœur et elle était enseignante. Ed souleva une autre planche pour la poser en équilibre sur les tréteaux.) Vous restez longtemps ?

— Je ne sais pas trop. (Elle se pencha un peu plus, si bien que le vent agita ses cheveux. C'était le genre de petit plaisir que lui interdisaient le décorum et le rythme trépidant de New York.) C'est vous qui avez planté les azalées sur la façade ?

— Ouais. La semaine dernière.

— Elles sont superbes. Je pense que je vais en planter quelques-unes pour Kath, ajouta-t-elle dans un sourire. Allez, à plus tard !

Elle se redressa et disparut à l'intérieur de la chambre.

Ed resta là quelques instants de plus à contempler la fenêtre vide. Elle avait laissé la vitre ouverte, remarqua-t-il, alors que la température n'atteignait pas encore quinze degrés. Il sortit son crayon de charpentier pour marquer le bois. Il connaissait ce visage. De par son métier autant que sa personnalité, il n'oubliait jamais les traits de quelqu'un. Ça lui reviendrait.

À l'intérieur, Grace enfila un survêtement. Sa chevelure était encore humide de la douche mais elle n'était pas d'humeur à dégainer sèche-cheveux et autres brosses. Il y avait un café à boire, un journal à lire et un meurtre à résoudre. D'après ses calculs, elle avait assez de temps pour mettre Maxwell à contribution et pondre suffisamment de pages avant le retour de Kathleen de Notre-Dame de l'Espoir.

Au rez-de-chaussée, elle mit la cafetière en route puis jeta un coup d'œil dans le réfrigérateur. Les restes de spaghettis de la veille constituaient sans doute la meilleure option. Grace écarta les œufs pour sortir le petit récipient en plastique. Il lui fallut une minute pour constater que la cuisine de sa sœur n'était pas équipée de four micro-ondes. Qu'à cela ne tienne, elle mangerait froid ! Elle laissa le couvercle dans l'évier et attaqua directement les pâtes. Tout en mâchant, elle repéra le mot posé sur la table de la cuisine. Kathleen laissait toujours des petits mots.

Sers-toi comme tu veux dans la cuisine. Ne t'inquiète pas pour le dîner, je prendrai des steaks.

Grace sourit avant d'enfourner une grande bouchée de spaghetti. C'était là, se dit-elle, la manière polie de Kathleen de lui demander de ne pas mettre le bazar dans sa cuisine.

Réunion parents-professeur cet après-midi. Je rentrerai pour 17 h 30. N'utilise pas le téléphone dans mon bureau.

Grace plissa le nez en fourrant le mot dans sa poche. Cela allait demander du temps et une certaine insistance mais elle avait bien l'intention d'en apprendre plus sur le job secret de sa sœur. Restait également à découvrir le nom de son avocat. Malgré les objections motivées par la fierté de Kathleen, Grace voulait s'entretenir personnellement avec lui. Si elle prenait les précautions nécessaires, l'ego de sa sœur n'en souffrirait pas. À vrai dire, il fallait parfois accepter d'encaisser quelques coups pour atteindre son but. Tant qu'elle n'aurait pas récupéré Kevin, sa sœur ne pourrait pas reprendre vraiment le cours de sa vie. Ce salaud de Breezewood n'avait pas le droit de se servir de Kevin comme d'une arme contre Kathleen.

Aux yeux de Grace, il avait toujours été un calculateur. Jonathan Breezewood troisième du nom était un homme froid et manipulateur qui se servait du poids politique et financier de sa famille pour obtenir ce qu'il voulait. Mais pas cette fois. Cela nécessiterait sans doute quelques manœuvres mais Grace trouverait un moyen de rétablir une situation juste pour sa sœur.

Au moment où elle tendit la main vers la cafetière, on frappa à la porte.

Sa malle, sans doute. Elle récupéra le bol de spaghetti et se dirigea vers l'entrée. Un petit billet de dix dollars convaincrait le livreur de porter la malle à l'étage. Grace ouvrit la porte, son sourire le plus persuasif sur les lèvres.

— G. B. McCabe, c'est ça ?

Ed se tenait sur le seuil, un exemplaire relié de *Meurtre stylé* à la main. Il avait bien failli se scier un doigt au moment où son esprit avait fait le lien entre le nom et le visage.

— C'est ça. (Elle jeta un coup d'œil à la photo sur la couverture. Ses cheveux étaient soigneusement coiffés et frisottés et le photographe avait fait appel à un noir et blanc contrasté pour lui donner un air mystérieux.) Vous avez l'œil, ajouta-t-elle. Je me reconnais à peine sur ce cliché.

À présent qu'il était là, il n'avait pas la moindre idée de comment se comporter. C'était ce qui se produisait toujours quand il agissait de manière impulsive ; il le savait bien. Surtout avec les femmes.

— J'aime beaucoup ce que vous faites. Je pense que j'ai dû presque tout lire.

— « Presque » seulement ?

Grace planta sa fourchette dans le bol de spaghetti et lui sourit.

— Vous ne savez donc pas que les écrivains ont un ego énorme et hyper fragile ? Vous êtes censé dire que vous avez lu et adoré le moindre des mots que j'ai un jour écrits.

Il se détendit un peu sous l'effet de ce sourire.

— Que diriez-vous de « vous racontez de sacrées histoires » ?

— Je m'en contenterai.

— Quand j'ai compris qui vous étiez, je… je me suis dit qu'il fallait que je vienne vérifier que je ne m'étais pas trompé.

— Eh bien, bravo, vous avez gagné. Entrez.

— Merci. (Il fit passer le livre dans son autre main ; il se sentait bête.) Mais je ne veux pas vous déranger, dit-il.

Grace le gratifia d'un long regard solennel. Il était encore plus impressionnant de près que depuis la fenêtre. Et il avait les yeux bleus, un bleu sombre et captivant.

— Vous voulez dire que vous ne voulez pas d'autographe ?

— Eh bien, si, mais…

— Alors entrez !

Elle le prit par le bras pour lui faire franchir le seuil.

— Le café est chaud, dit-elle.

— Je n'en bois pas.

— Vous ne buvez pas de café ? Comment vous faites pour rester en vie ? (Elle lui sourit de nouveau et agita sa fourchette dans sa direction.) Venez quand même avec moi, on vous trouvera sûrement un truc buvable. Alors comme ça vous êtes fan de romans policiers ?

Il aimait la manière dont elle marchait, une démarche lente et insouciante, comme si elle pouvait à tout moment changer d'avis et de direction.

— J'imagine qu'on peut dire que les romans policiers, c'est ma vie.

— La mienne aussi. (De retour dans la cuisine, elle ouvrit de nouveau la porte du réfrigérateur.) Pas de bière, murmura-t-elle en prenant mentalement note d'y remédier à la première occasion. Et pas de sodas non plus. Bon sang, Kathy… Il y a du jus de fruits. D'orange, à première vue.

— Très bien.

— J'ai des spaghetti. Vous en voulez ?

— Non, merci. C'est votre petit déjeuner ?

— Ouais. (Elle lui versa un verre de jus d'orange et lui fit signe de s'asseoir tandis qu'elle allait se servir en café.) Ça fait longtemps que vous habitez à côté ?

Il fut tenté de parler de nutrition mais se retint.

— Deux mois seulement.

— Ça doit être super de remettre les choses en état selon vos envies, commenta Grace avant d'avaler une autre bouchée de pâtes. C'est votre métier ? Charpentier ? Vous avez les mains qui vont avec, en tout cas.

Ed se trouva agréablement surpris qu'elle ne lui ait pas demandé s'il jouait au football américain.

— Non, je suis flic.

— Pour de vrai ? Sérieux ? (Elle écarta son bol et se pencha vers lui. C'étaient ses yeux qui la rendaient belle, songea immédiatement Ed. Ils étaient si pleins de vie et de fascination.) J'adore les flics.

Certains de mes meilleurs personnages sont des flics, même les pourris.

Il ne put s'empêcher de sourire.

— Je sais. Vous avez une vraie compréhension de la façon dont travaille la police. Ça se voit à la manière dont vous construisez vos scénarios. Tout est basé sur la logique et la déduction.

— Le peu de logique dont je dispose part dans mon écriture. (Elle saisit son café puis se rendit compte qu'elle avait oublié le lait. Plutôt que de se lever, elle décida de le boire tel quel.) Vous êtes quel genre de flic ? Agent en uniforme ? Flic infiltré ?

— Criminelle.

Elle rit et lui tapota gentiment la main.

— C'est le destin ! dit-elle. J'arrive pas à y croire. Je viens rendre visite à ma sœur et je me retrouve assise juste à côté d'un inspecteur de la Criminelle. Vous êtes sur une enquête en ce moment ?

— À vrai dire, on vient juste de boucler une affaire hier.

Une affaire difficile, estima Grace. Elle l'avait senti dans sa manière de le dire, un changement subtil dans sa voix. Sa curiosité était indéniablement piquée mais elle avait assez d'empathie pour se maîtriser.

— Je travaille sur un sacré meurtre de mon côté. Une série de meurtres, en fait. J'ai... (Elle laissa sa phrase en suspens. Ed vit ses yeux s'assombrir. Elle cala son dos contre le dossier de son siège et posa les pieds sur une chaise vide.) Je pourrais changer l'endroit, dit-elle doucement. Situer tout ça ici, à Washington. Ce serait encore mieux. Ça marcherait. Qu'est-ce que vous en pensez ?

— Eh bien, je…

— Je pourrais peut-être passer au commissariat un jour prochain ? Vous pourriez me faire visiter. (Laissant libre cours au processus créatif, elle fouilla dans sa poche de peignoir à la recherche d'une cigarette.) C'est autorisé, non ? demanda-t-elle.

— Je pourrais sans doute organiser ça.

— Génial. Dites, vous avez une femme, une amante ou quelque chose comme ça ?

Il la dévisagea tandis qu'elle allumait sa cigarette et soufflait un nuage de fumée.

— Pas en ce moment, répondit-il sur un ton prudent.

— Alors peut-être que vous pourrez me consacrer une heure ou deux de vos soirées, de temps à autre ?

Il prit son verre de jus d'orange et but une longue gorgée.

— Une heure ou deux, répéta-t-il. De temps à autre ?

— Ouais. Je ne m'attends pas à ce que vous me consacriez tout votre temps libre. Mais si vous êtes d'humeur et que vous avez un peu de temps…

— Si je suis d'humeur, murmura-t-il.

Le peignoir de Grace descendait jusqu'au sol mais il s'était écarté au niveau du genou et laissait voir sa jambe, rendue pâle par l'hiver et aussi lisse que du marbre. Ed se demanda s'il n'était pas en train d'assister à un petit miracle.

— Vous pourriez être un peu comme un expert, mon consultant sur place. Franchement, qui s'y connaîtrait mieux en matière d'enquête criminelle à Washington qu'un inspecteur de la Criminelle de Washington ?

« Consultant ». Soudain gêné par ses propres pensées, il se força à écarter de son esprit l'image de ses jambes.

— C'est sûr. (Il exhala longuement et laissa échapper un petit rire.) Vous êtes du genre fonceuse, hein, mademoiselle McCabe ?

— Appelez-moi Grace. Et je suis un peu insistante mais je ne bouderai pas longtemps si vous me dites non.

Il se demanda en la regardant s'il existait quelque part un homme qui aurait pu dire non à de tels yeux. D'un autre côté, son équipier, Ben, lui répétait sans cesse qu'il était trop bonne poire.

— J'ai bien une heure ou deux de libre, de temps à autre.

— Merci. Que diriez-vous de dîner ensemble demain ? D'ici là, Kath sera ravie à l'idée d'être débarrassée de moi pendant un moment. On parlera meurtres et crimes. Et c'est moi qui invite.

— Ça me va très bien. (Il se leva avec l'impression d'avoir fait un tour imprévu sur un grand huit.) Je ferais mieux de me remettre au travail, dit-il.

— Je vous signe votre livre. (Elle fouilla rapidement dans l'appartement et finit par trouver un stylo sur un support magnétique près du téléphone.) Je ne connais pas votre nom, dit-elle.

— Ed. Ed Jackson.

— Enchantée, Ed. (Elle griffonna quelque chose sur la page de garde puis glissa inconsciemment le stylo dans sa poche.) On se voit demain, vers dix-neuf heures ? proposa-t-elle.

— D'accord. (Il remarqua qu'elle avait des taches de rousseur. Une demi-douzaine, saupoudrées sur l'arête de son nez. Et ses poignets étaient fins, presque frêles. Il passa de nouveau son livre d'une main à l'autre.) Merci pour la dédicace, dit-il.

Grace le fit sortir par la porte de derrière. Elle trouva qu'il sentait bon, mélange d'effluves de bois et de savon. Puis, se frottant les mains, elle remonta à l'étage pour brancher Maxwell.

Elle travailla durant le reste de la journée, sautant le déjeuner en faveur d'une barre chocolatée qu'elle avait trouvée dans la poche de son manteau. À chaque fois qu'elle refaisait surface depuis le monde qu'elle créait jusqu'à celui qui l'entourait, elle captait les bruits de scie et de marteau provenant de la demeure voisine. Elle s'était installée près de la fenêtre ; elle aimait l'idée d'avoir une vue sur cette maison et de pouvoir imaginer ce qui s'y passait.

À un moment, elle remarqua une voiture qui se garait sur la voie d'accès du voisin. Un homme brun et élancé remonta le chemin d'un pas tranquille et entra sans frapper dans la maison. Grace consacra quelques instants à imaginer de qui il pouvait s'agir puis replongea dans son scénario. Lorsqu'elle releva la tête pour regarder, deux heures s'étaient écoulées et la voiture n'était plus là.

Elle s'étira puis sortit la dernière cigarette de son paquet et relut quelques paragraphes.

— On a fait du bon boulot, Maxwell, déclara-t-elle avant d'éteindre son ordinateur pour le reste de la journée.

Grace se leva pour faire le lit, ses pensées tournées vers sa sœur.

Sa malle était désormais posée au milieu de la pièce. Le livreur l'avait effectivement portée pour elle jusqu'à l'étage et n'aurait sans doute pas hésité à tout déballer et ranger si elle le lui avait ne serait-ce que suggéré. Elle y jeta un coup d'œil, réfléchit un instant puis décida qu'elle attendrait avant de faire face au chaos qui l'attendait à l'intérieur. Au lieu de quoi elle descendit dans le salon et alluma la radio pour faire vibrer la maison au rythme de bons vieux morceaux de rock'n'roll.

En rentrant, Kathleen trouva Grace allongée sur le canapé avec un magazine dans une main et un verre de vin dans l'autre. Elle dut réprimer une montée d'agacement. Elle avait passé la journée à lutter pour faire entrer des connaissances dans le crâne de cent trente adolescents. La réunion avec les parents n'avait rien donné de bon et sa voiture s'était mise à émettre des bruits inquiétants sur le chemin du retour. Et voilà qu'elle se retrouvait face à une sœur profitant de tout le temps libre du monde et d'un compte en banque bien rempli.

Les bras chargés de sacs de courses, elle se dirigea jusqu'à la radio et l'éteignit. Grace releva la tête, la vit et lui sourit.

— Salut ! Je ne t'avais pas entendue arriver.

— Pas étonnant avec la radio à fond.

Grace se souvint de reposer le magazine sur la table basse plutôt que de le laisser glisser à terre.

— Pardon, dit-elle. Dure journée ?

— Certains d'entre nous sont obligés de bosser dur.

Kathleen se détourna et partit en direction de la cuisine. Grace se redressa pour poser les pieds au sol et demeura assise une minute, la tête entre ses mains. Après avoir pris le temps de respirer plusieurs fois à pleins poumons, elle se leva et rejoignit sa sœur dans la cuisine.

— J'ai pris le parti de regarnir la salade d'hier soir. C'est toujours ce que je prépare de meilleur.

— Très bien.

Kathleen disposait déjà une feuille d'aluminium sur la plaque d'un gril.

— Tu veux du vin ? demanda Grace.

— Non, je travaille ce soir.

— Au téléphone ?

— C'est ça. Au téléphone, répondit Kathleen en posant brusquement la viande sur le gril.

— Hé, Kath, je posais juste la question. Ce n'est pas une critique. (Ne recevant pas de réponse, Grace s'empara de la bouteille de vin et se resservit sans attendre d'avoir vidé son verre.) À vrai dire, je me suis dit que je pourrais peut-être utiliser ton activité comme point de départ pour un roman.

Kathleen fit volte-face. Dans son regard se lisait une colère brûlante.

— Tu ne changeras jamais, hein ? Rien n'est jamais trop personnel ou intime pour toi.

— Bon sang, Kathy, je n'ai pas dit que j'utiliserai ton nom ou même ta situation. Seulement l'idée, rien de plus. J'y ai juste pensé, c'est tout.

— Tout sert de grain à moudre pour alimenter ton petit moulin. Tu ne voudrais pas aussi exploiter mon divorce pendant que tu y es ?

— Je ne me servirais jamais de toi, répondit Grace à mi-voix.

— Tu te sers de tout le monde : amis, amants, famille. Oh, en apparence tu as de l'empathie pour leur souffrance et leurs problèmes, mais intérieurement tu te préoccupes surtout de savoir comment tu vas pouvoir utiliser ça à ton avantage. Est-ce qu'on ne peut rien te raconter ou te montrer sans que tu aies envie de le replacer dans un bouquin ?

Grace ouvrit la bouche pour nier, pour protester. Mais elle la referma avec un soupir. Il était toujours préférable d'affronter la vérité, même quand elle était déplaisante.

— Visiblement non. Je suis désolée.

— Alors oublie ça, d'accord ?

La voix de Kathleen était brusquement redevenue très calme.

— Je n'ai pas envie qu'on se dispute ce soir, ajouta-t-elle.

— Moi non plus, dit Grace.

Elle fit un effort pour relancer la conversation sur de meilleures bases.

— J'ai envisagé de louer une voiture le temps de mon séjour, histoire de jouer un peu les touristes. Et en étant mobile, je pourrai m'occuper des courses et te faire gagner du temps.

— Très bien.

Au moment d'allumer le gril, Kathleen fit un pas de côté qui permit à Grace de voir que sa main tremblait.

— Il y a une agence Hertz sur le chemin de l'école. Je pourrai t'y déposer le matin si tu veux.

— D'accord.

Et maintenant, de quoi on peut parler ? se demanda Grace en sirotant son vin.

— Oh, dit-elle, j'ai fait la connaissance du voisin ce matin.

— Je n'en doute pas.

La tension était toujours audible dans la voix de Kathleen tandis qu'elle passait la viande au-dessus des flammes. À vrai dire, elle était étonnée que

Grace ne soit pas d'ores et déjà devenue la meilleure amie de tout le voisinage.

Grace prit une nouvelle gorgée en tâchant de maîtriser son humeur. C'était généralement elle qui s'emportait la première, se souvenait-elle. Mais pas cette fois.

— Il est très sympa. Et il s'avère que c'est un flic. Je dînerai avec lui demain soir.

Kathleen posa bruyamment une casserole sur la cuisinière et y versa de l'eau.

— Merveilleux ! Tu vas vite en besogne, Gracie, comme d'habitude.

L'interpellée reprit une gorgée puis posa précautionneusement son verre sur le plan de travail.

— Je crois que je vais aller prendre un peu l'air.

Les yeux fermés, Kathleen s'appuya contre la cuisinière.

— Pardon. Je ne voulais pas dire ça. Je ne voulais pas m'emporter comme ça.

— D'accord.

Grace n'était pas toujours prompte à pardonner mais elle n'avait qu'une seule sœur.

— Pourquoi tu ne t'assieds pas un peu ? Tu es crevée.

— Non, je suis de service ce soir. Je veux que le dîner soit prêt avant que le téléphone se mette à sonner.

— Je m'en occupe. Tu n'auras qu'à me superviser.

Grace prit sa sœur par le bras et la fit s'asseoir sur l'une des chaises.

— Qu'est-ce que je mets dans la casserole ? lui demanda-t-elle.

— Il y a un petit truc dans le cabas.

Kathleen sortit un flacon de médicaments de son sac à main et en tira deux pilules. Grace plongea la main dans les courses et en tira un petit paquet en papier kraft.

— Nouilles et sauce à l'ail. Pratique. (Elle déchira le papier et en vida le contenu sans lire les instructions.) Je n'ai aucune envie que tu me sautes encore à la gorge mais... est-ce que tu veux qu'on en parle ?

— Non. J'ai eu une longue journée, c'est tout. J'ai des copies à corriger, répondit Kathleen avant d'avaler les pilules sans l'aide d'un verre d'eau.

— Bon, je ne risque pas de pouvoir t'aider sur ce point. Mais je peux prendre les appels pour toi.

Kathleen réussit à former un petit sourire.

— Ça ira, merci.

Grace sortit le bol de salade et le déposa sur la table.

— Je peux peut-être me contenter de prendre des notes.

— Non. Et si tu ne mélanges pas les nouilles, elles vont coller au fond.

— Oh.

Désireuse d'aider sa sœur, Grace se tourna vers les pâtes. Dans le silence, elle entendit les steaks commencer à grésiller.

— La semaine prochaine, c'est Pâques. Tu n'auras pas droit à quelques jours de congé ?

— Cinq en comptant le week-end.

— Pourquoi est-ce qu'on ne se ferait pas un petit voyage jusqu'à Fort Lauderdale pour profiter des festivités et prendre un peu le soleil ?

— Je n'ai pas les moyens.

— Je te l'offre, Kath. Allez, ce sera marrant. Tu te souviens du printemps de notre dernière année de lycée quand on a supplié les parents de nous laisser y aller ?

— C'est toi qui as supplié, lui rappela Kathleen.

— En tout cas on y est allées toutes les deux. Trois jours de fêtes, de coups de soleil et de rencontres avec des dizaines de garçons. Tu te souviens de Joe ou Jack, je sais plus, qui avait essayé de grimper jusqu'à la fenêtre de notre motel ?

— Parce que tu lui avais raconté que j'étais folle de son corps.

— Et c'était vrai. Le pauvre a failli se tuer.

Tout en riant, Grace planta sa fourchette dans une nouille pour voir si elle était cuite.

— Mon Dieu, qu'on était jeunes et bêtes. Mais franchement, Kath, on a encore ce qu'il faut là où il faut pour faire s'allumer les yeux de quelques étudiants.

— Je n'ai aucune envie d'enquiller les verres et de flirter avec des étudiants. Par ailleurs je me suis organisée pour prendre des appels pendant tout le week-end. Baisse le feu sous les nouilles, juste de quoi les réchauffer. Et retourne la viande.

Grace obéit sans rien dire et entendit Kathleen mettre la table derrière elle. Ce n'était pas après l'alcool ou les hommes qu'elle courait ; elle avait surtout envie de revivre un peu de la complicité entre sœurs qu'elles avaient connue à l'époque.

— Tu travailles trop dur.

— Je ne suis pas dans la même situation que toi, Grace. Je ne peux pas me permettre de rester sur le canapé à lire des magazines pendant tout l'après-midi.

Grace reprit son verre et se mordit la langue. Il y avait des jours où elle restait assise devant un écran pendant douze heures d'affilée, des nuits où elle écrivait jusqu'à trois heures du matin. Durant les tournées des librairies, elle restait active pendant toute la journée et la moitié de la nuit jusqu'à n'avoir plus que l'énergie de ramper jusqu'à son lit pour s'y effondrer. Elle se considérait comme chanceuse, elle était toujours étonnée du montant des chèques de droits d'auteur qu'elle recevait. Mais elle avait mérité tout ça. Le fait que sa sœur ne puisse pas le comprendre était terriblement frustrant.

— Je suis en vacances, rappela-t-elle sur un ton qui échoua à être léger.

— Pas moi.

— Compris. Si tu ne veux pas partir, est-ce que ça te gênerait si je travaillais un peu dans ton jardin ?

— Fais comme tu veux. (Kathleen se frotta les tempes. Ses maux de tête ne semblaient plus jamais disparaître complètement.) En fait, j'apprécierais, ajouta-t-elle. Je ne me suis pas beaucoup occupée du jardin. Nous en avions un beau en Californie. Tu te souviens ?

— Bien sûr. (Grace avait toujours trouvé l'endroit trop net et trop formel, comme Jonathan. Comme Kathleen. Elle regretta la bouffée d'amertume qu'elle avait sentie monter en elle et la chassa de son esprit.) On pourrait mettre des pensées. Et c'est quoi ces fleurs que maman a toujours adorées ? Les belles-de-jour.

— D'accord, approuva Kathleen dont l'esprit, toutefois, était ailleurs. Grace, les steaks vont brûler.

Plus tard, Kathleen s'enferma dans son bureau. Grace entendit plusieurs fois sonner le combiné qu'elle avait mentalement décidé de nommer « le téléphone à fantasmes ». Elle dénombra dix appels avant de se décider à monter à l'étage. Trop agitée pour s'endormir, elle ralluma son ordinateur. Mais elle fut incapable de se concentrer sur son travail ou sur l'invention de nouvelles histoires de meurtres.

La satisfaction ravie qu'elle avait ressentie la veille et durant le plus gros de la journée s'était envolée. Kathleen n'allait pas bien. Ses changements d'humeur étaient trop soudains et trop marqués. Grace avait été à deux doigts de mentionner l'intérêt d'une thérapie mais elle n'avait que trop conscience du genre de réaction que cela occasionnerait. Kathleen lui aurait lancé l'un de ses regards durs et renfermés. La discussion se serait arrêtée net.

Grace n'avait fait allusion qu'une seule fois à Kevin. Kathleen lui avait dit qu'elle ne voulait parler ni de lui ni de Jonathan. Elle connaissait suffisamment sa sœur pour savoir que celle-ci regrettait sa présence. Pire, Grace elle-même regrettait cette visite. Kathleen avait toujours le chic pour pointer du doigt les pires facettes de sa personnalité, des facettes que, dans d'autres circonstances, Grace elle-même se débrouillait pour ne pas voir.

Mais elle était venue pour lui apporter son aide. Et d'une façon ou d'une autre, envers et contre elles deux, c'était ce qu'elle allait faire.

Ça va demander du temps, par contre, se dit-elle pour se rassurer, le menton appuyé au creux de sa paume. Elle remarqua qu'il y avait de la lumière aux fenêtres de la maison voisine.

Impossible désormais d'entendre le téléphone avec la porte du bureau fermée et la sienne poussée. Elle se demanda combien d'autres appels sa sœur prendrait ce soir. Combien d'autres hommes satisferait-elle sans même avoir vu leur visage ? Corrigeait-elle des copies entre les coups de fil ? Ça aurait dû être drôle. Elle aurait aimé que ce soit drôle, mais elle ne pouvait s'empêcher de revoir la tension sur les traits de Kathleen durant le repas.

Je ne peux rien y faire, se dit Grace en se frottant les yeux. Kathleen était décidée à gérer les choses à sa façon.

Quel bonheur d'entendre de nouveau sa voix, de l'entendre faire des promesses et laisser s'envoler ce rire vif et rauque. Elle portait du noir, cette fois, un vêtement très fin et moulant qu'un homme pourrait déchirer si l'envie lui en prenait.

Elle aimerait ça, se dit-il.

Elle aurait certainement aimé qu'il soit là, auprès d'elle, pour lui arracher ses habits.

L'homme avec qui elle parlait ne disait pratiquement rien. Et cela l'arrangeait. En fermant les yeux, il pouvait s'imaginer que c'était à lui et à lui seul qu'elle parlait. Il l'avait écoutée pendant des heures, appel après appel. Au bout d'un moment, les mots perdaient leur importance. Ne comptait plus que sa voix, cette voix chaude et sexy qui se déversait depuis ses écouteurs jusque sous son crâne. La télé était allumée quelque part dans la maison, mais il ne l'entendait pas. Il n'entendait que Desiree.

Elle avait envie de lui.

Parfois, dans son esprit, il l'entendait dire son nom. Jerald. Elle le prononçait avec les accents rieurs qui résonnaient si souvent dans sa voix. Lorsqu'il la rejoindrait, elle ouvrirait grand les bras et le prononcerait de nouveau, avec lenteur, dans un halètement. Jerald.

Ils feraient l'amour de toutes les manières qu'elle décrivait au téléphone.

Il serait l'homme qui la satisferait enfin. Il serait celui qu'elle désirerait plus que tous les autres. Ce serait son nom qu'elle répéterait à l'infini, dans un souffle, dans un gémissement, dans un cri.

Jerald, Jerald, Jerald !

Il fut parcouru par un long frisson puis se laissa retomber, épuisé, contre le dossier de la chaise tournante face à son ordinateur.

Il avait dix-huit ans et n'avait fait l'amour à une femme que dans ses rêves. Ce soir, ses rêves ne tournaient qu'autour d'une seule chose : Desiree.

Et ça le rendait fou.

3

— Alors, où vous allez ?

Parce que Ed avait gagné la partie de pile ou face, il était derrière le volant. Son partenaire Ben Paris et lui venaient de passer l'essentiel de la journée au tribunal. Attraper les criminels ne suffisait pas : il fallait ensuite investir des heures à témoigner contre eux.

— Quoi ?

— Je te demande où vous allez. Avec la romancière.

Ben avait sur les genoux un énorme sachet de M&M's dans lequel il piochait régulièrement.

— J'en sais rien.

Ed rétrograda en arrivant devant un stop, hésita, puis traversa l'intersection.

— Tu ne t'es pas arrêté complètement, fit remarquer Ben en écrasant un bonbon entre ses dents. L'accord était que si tu conduisais, tu devais respecter tous les panneaux.

— Il n'y avait personne. Tu penses que je devrais mettre une cravate ?

— Comment le saurais-je si tu ne sais même pas où vous allez ? Et puis t'as toujours l'air ridicule avec une cravate. Comme un taureau avec une cloche autour du cou.

— Merci, partenaire.

— Ed, le feu passe au rouge. Le feu... merde. (Il rangea les friandises dans sa poche tandis qu'Ed continuait sa route.) Alors, elle reste combien de temps en ville, la fameuse romancière ?

— Je ne sais pas.

— Qu'est-ce que tu me racontes ? Tu lui as parlé, non ?

— Je n'ai pas posé la question. J'ai estimé que ça ne me regardait pas.

— Les femmes aiment qu'on leur pose des questions, tu sais. (Ben appuya son pied sur un frein imaginaire tandis qu'Ed prenait un virage en faisant crisser les pneus.) Elle écrit des bons bouquins, ajouta-t-il. Avec un côté réaliste. J'espère que tu te souviendras que c'est moi qui t'ai conseillé ses livres.

— Tu veux que je donne ton prénom à notre premier enfant ?

Avec un petit rire, Ben actionna l'allume-cigare.

— Alors, elle ressemble à sa photo en couverture, ou bien ?

Ed sourit mais baissa la vitre tandis que Ben allumait une cigarette.

— Elle est mieux. Elle a de grands yeux gris. Et elle sourit beaucoup. Elle a un super sourire.

— Il t'en faut pas beaucoup pour être à fond, hein ?

Ed s'agita sur son siège, mal à l'aise, mais garda les yeux sur la route.

— Je ne vois pas ce que tu veux dire.

— J'ai déjà connu ça avant.

Voyant qu'ils étaient dans le sillage d'une berline peu pressée, Ben relâcha la pression sur le frein invisible.

— Une femme mignonne avec de grands yeux et un super sourire bat des cils devant toi et, hop, t'es ferré. Tu n'as aucune résistance face aux femmes, mon vieux !

— Les études ont prouvé que les hommes mariés depuis moins de six mois développent une tendance agaçante à donner des conseils, rétorqua Ed.

— T'as lu ça dans *Elle* ?

— *Cosmopolitan*.

— J'imagine. Bref, quand j'ai raison, j'ai raison.

La seule personne qu'il connaissait mieux que lui-même était Ed Jackson. Ben aurait été le premier à admettre que même son épouse avait plus de secrets pour lui qu'Ed. Il n'avait pas besoin d'une loupe pour reconnaître les premiers signes d'une toquade.

— Pourquoi tu ne viens pas boire un verre chez nous avec elle ? On te donnera notre avis, Tess et moi.

— Je vais me faire mon propre avis, merci.

— Attends, mon pote. Tu sais que maintenant que je suis marié, j'ai une vision très objective des femmes.

Un grand sourire apparut sous la barbe d'Ed.

— Tu parles !

— C'est la vérité absolue.

Ben passa un bras par-dessus le dossier de son siège.

— Tu sais quoi ? Je peux appeler Tess. On s'organisera pour aller dîner avec vous ce soir. Histoire de te protéger de toi-même.

— Merci mais je veux essayer de me sortir tout seul de cette terrible épreuve.

— Tu lui as déjà dit que tu ne mangeais que des noix et des baies ?

Ed lui lança un regard tranquille tout en prenant le virage suivant.

— Ça pourrait influencer le choix du restaurant, ajouta Ben en évacuant d'une pichenette son mégot par la fenêtre. (Mais son sourire s'évanouit quand Ed s'engagea sur un parking.) Oh non, pas le magasin de bricolage. Pas encore !

— Je dois acheter des gonds.

— Bien sûr. C'est ce que tu dis à chaque fois. T'es devenu un vrai boulet depuis que tu as acheté cette maison, Jackson.

Alors qu'ils sortaient de la voiture, Ed lui lança une pièce.

— Traverse jusqu'à l'épicerie 7-*Eleven* et prends-toi un petit café. Je n'en ai pas pour longtemps.

— Je te donne dix minutes. C'est déjà assez moche d'avoir passé ma matinée au tribunal à contrer les petites manœuvres de l'avocat commis d'office de Torcelli, mais si en plus je dois me coltiner Ed le Proprio...

— C'est toi qui m'as dit d'acheter une baraque.

— Là n'est pas la question. Et je ne vais pas pouvoir me payer un café avec vingt-cinq cents !

— Montre-leur ton insigne, peut-être qu'ils te feront une ristourne.

Ben traversa la rue en grommelant. S'il devait poireauter pendant que son équipier arpentait le rayon bricolage, autant le faire avec un café et un pain aux raisins.

La petite épicerie était presque vide. Il faudrait attendre encore deux bonnes heures avant que la foule émergeant des bureaux s'y arrête pour acheter une miche de pain ou une boisson géante pour la route. La caissière, qui lisait un livre de poche, releva la tête et lui sourit au passage. Objectivement, il estima qu'elle avait une jolie poitrine.

À l'arrière du magasin, à côté des plats chauds et du micro-ondes, il se versa un grand café puis s'empara de la bouilloire d'eau chaude et versa une tasse pour Ed, lequel se trimballait toujours avec un sachet de thé dans la poche.

Durant un moment, il avait eu la certitude qu'Ed avait commis une énorme erreur en achetant cette ruine. Mais, à vrai dire, le voir la retaper petit à petit l'avait fait réfléchir. Peut-être Tess et lui devraient-ils commencer à chercher aussi. Pas une bicoque avec des trous dans le plafond et des rats au grenier comme celle d'Ed mais un endroit doté d'un vrai jardin. Où l'on pouvait installer un grill et organiser des barbecues pendant l'été.

Un endroit où l'on pourrait élever des enfants, songea-t-il avant de s'inviter à ralentir.

C'était sans doute le mariage qui vous incitait à réfléchir à l'année prochaine aussi régulièrement qu'au lendemain.

Il retourna vers la caisse tout en sirotant son café. Il eut à peine le temps de pousser un juron quand une brusque poussée dans son dos renversa la boisson brûlante sur sa chemise.

— Merde ! s'exclama-t-il.

Puis il se tut et se figea immédiatement en voyant la lame brandie d'une main tremblante par un gamin d'à peu près dix-sept ans.

— Le fric !

Le gamin pointa son arme sur Ben en faisant signe à la caissière.

— Donne-moi tout le fric. Tout de suite !

— Super, maugréa Ben.

Il jeta un coup d'œil à la femme derrière le comptoir, toute pâle et comme paralysée.

— Écoute, petit, ils ne gardent presque rien dans ces caisses enregistreuses.

— Le fric. Je t'ai dit de me donner ce putain de fric !

La voix du gamin s'était brisée en montant dans les aigus. Quelques postillons accompagnèrent ses paroles ; la salive était teintée de rose par la lèvre qu'il avait mordue jusqu'au sang. Il avait besoin d'une dose, et vite.

— Bouge-toi le cul, grosse conne ! lança-t-il. Ou bien je te grave mes initiales sur le front.

Avec un nouveau regard vers la lame, la femme sortit de son immobilisme. Elle saisit le plateau à l'intérieur du tiroir de la caisse et en vida le contenu sur le comptoir. Des pièces de monnaie rebondirent et tombèrent au sol.

— Ton portefeuille ! ordonna le jeune à Ben tout en fourrant les billets et les pièces argentées dans ses poches.

C'était son premier hold-up. Il n'avait pas pensé que ça puisse être aussi simple. Mais il avait toujours la gorge serrée et les aisselles dégoulinantes de sueur.

— Sors-le doucement et lance-le sur le comptoir.

— D'accord. Restons calmes.

Ben envisagea de dégainer l'arme de service sous sa veste. Le gamin transpirait comme un fou et son regard était aussi terrifié que celui de l'employée. Mais le policier se contenta de saisir son portefeuille avec deux doigts. Il le montra au gamin et vit que celui-ci le suivait des yeux. Puis il le laissa tomber en ratant volontairement le comptoir de deux centimètres. À l'instant où le gamin baissa la tête, il passa à l'action.

Il n'eut pas de mal à lui faire lâcher le couteau. La transpiration du jeune homme rendait sa prise glissante. C'est à ce moment que la femme, toujours figée derrière sa caisse, commença à pousser une série de cris stridents. Et le gamin se débattit comme un ours blessé. Ben passa derrière lui et referma ses bras autour de sa taille mais, malgré ses tentatives pour garder son équilibre, ils basculèrent en arrière et s'écrasèrent sur une table qui se brisa sous leurs poids. Bonbons et chewing-gums s'éparpillèrent en tous sens.

Le gamin se mit à crier et à jurer en tâtonnant pour récupérer son couteau. Le coude de Ben heurta une vitrine de surgelés avec assez de force pour faire danser des étoiles dans son champ de vision. Coincé sous lui, le corps du gamin était maigre comme un clou et sa vessie l'avait trahi, inondant d'urine son pantalon. Ben fit ce qui lui paraissait le plus simple : il s'assit sur lui.

— T'es coincé, mon pote. (Il sortit son insigne et le mit sous le nez du délinquant.) Et vu la façon dont tu trembles, c'est la meilleure chose qui puisse t'arriver.

Le gamin était déjà en larmes quand Ben sortit les menottes. Agacé, le souffle court, il releva les yeux vers la caissière.

— Ça vous dirait pas d'appeler les flics, mademoiselle ?

Ed émergea du magasin de bricolage avec un sac de gonds, une demi-douzaine de poignées de porte en cuivre et quatre poignées en céramique. Celles-ci constituaient une vraie trouvaille car leur couleur renvoyait à celle des carreaux qu'il avait choisis pour la salle de bains à l'étage. Son prochain projet.

Ben étant introuvable, Ed tourna son attention vers l'autre côté de la rue et avisa la voiture de patrouille blanc et noir. Avec un soupir, il déposa son sac dans la voiture et se dirigea nonchalamment vers l'épicerie à la recherche de son partenaire. Il vit d'abord la chemise tachée de Ben puis le gamin qui tremblait en sanglotant à l'arrière du véhicule de patrouille.

— Je vois que t'as pris ton café.

— Ouais. Offert par la maison, espèce de lâcheur. (Ben fit un signe de tête au flic en uniforme qui l'accompagnait puis, les mains dans les poches, retourna vers leur voiture.) Et maintenant je vais avoir un rapport à rédiger. Et regarde un peu ma chemise ! (Il écarta le tissu de sa peau sur lequel il s'était collé, froid et humide.) Comment tu veux que je rattrape ces éclaboussures de café ?

— Un petit coup d'Eau écarlate.

Il était presque dix-huit heures quand Ed se gara dans son allée. Il avait traîné dans le commissariat, s'était attardé à son bureau et avait enquillé les petites tâches sans intérêt. La vérité était qu'il était nerveux. Il aimait les femmes, sans toutefois prétendre les comprendre.

Son métier en lui-même posait certaines limites en matière de vie sociale mais lorsqu'il sortait avec quelqu'un, il était généralement attiré par des femmes faciles à vivre et pas spécialement brillantes. Il n'avait jamais eu le talent de son partenaire pour attirer les filles par dizaines et jongler avec les rendez-vous comme un artiste de cirque. Et il n'avait jamais non plus connu l'engagement soudain et total de Ben pour une seule et unique femme.

Ed préférait celles qui n'allaient pas trop vite et ne le mettaient pas trop sur la sellette. Il était juste de dire qu'il aimait les longues conversations stimulantes, mais il sortait rarement avec quelqu'un susceptible de lui en proposer une. Et il n'avait jamais analysé pourquoi.

Il admirait le cerveau de G. B. McCabe. Mais il n'était pas certain de savoir comment s'y prendre avec Grace McCabe en face-à-face. Il n'avait pas l'habitude qu'une femme lui propose un rendez-vous et décide de l'heure et de l'endroit. Il était plus habitué à prendre soin d'elles, à les guider, mais se serait senti désemparé et insulté si on l'avait accusé d'être machiste.

Il avait toujours été un fervent supporteur de l'amendement pour l'égalité des droits, mais ça, c'était politique. Bien qu'il ait travaillé avec Ben pendant des années, il n'aurait rien trouvé à redire à l'idée d'avoir une coéquipière. Mais ça, c'était professionnel.

D'aussi longtemps qu'il s'en souvienne, sa mère avait travaillé tout en élevant trois fils et une fille. Il n'y avait pas eu de père et, en tant qu'aîné, Ed avait assumé le rôle de chef de famille dès le début de l'adolescence. Il avait l'habitude de voir une femme gagner sa vie, tout comme il avait l'habitude de gérer le salaire qu'elle rapportait et de prendre les décisions clés pour elle.

Dans un coin de son esprit, il avait toujours eu l'idée que lorsqu'il se marierait, sa femme n'aurait pas besoin de travailler. Il prendrait soin d'elle de la manière dont son père ne s'était jamais occupé de sa mère. De la manière dont Ed avait toujours voulu prendre soin d'elle.

Un jour, quand sa maison serait terminée, les murs peints et le jardin planté, il trouverait la femme qui lui fallait et la ramènerait à la maison. Et prendrait soin d'elle.

Au moment de se changer, il jeta un coup d'œil par la fenêtre vers la maison voisine. Grace avait laissé les rideaux ouverts et la lumière allumée. Au moment même où il envisageait de lui donner un petit conseil sur la manière de protéger son intimité, elle entra précipitamment dans la pièce. Même sans voir ses jambes, il eut la certitude qu'elle avait donné un coup de pied dans quelque chose. Puis elle se mit à faire les cent pas.

Que faire ? Grace se passa les deux mains dans les cheveux comme si elle pouvait y trouver des réponses. Sa sœur avait des ennuis, des ennuis plus graves qu'elle ne l'avait imaginé. Et elle était impuissante.

Elle n'aurait pas dû s'emporter, elle le savait. Crier sur Kathleen revenait à lire *Guerre et Paix* dans le noir : on en ressortait avec la migraine et pas plus avancé. Il fallait qu'elle fasse quelque chose.

Elle se laissa tomber sur le lit et appuya sa tête sur ses genoux.

Depuis combien de temps ça dure ? se demanda-t-elle. *Depuis le divorce ?* Kathleen ne lui avait pas répondu donc Grace en conclut immédiatement que c'était également la faute de Jonathan.

Mais qu'allait-elle faire pour y remédier ? Désormais furieuse contre elle, Kathleen refuserait de l'écouter. Grace connaissait les drogues ; elle avait trop souvent vu ce que l'addiction pouvait entraîner chez les gens. Elle en avait réconforté certains qui luttaient pour s'en sortir et avait pris ses distances avec d'autres qui couraient vers leur propre destruction. Elle avait mis fin à une relation à cause de la drogue, au point d'expulser totalement de sa vie l'homme en question.

Mais cette fois il s'agissait de sa sœur. Elle massa ses paupières fermées et tenta de réfléchir.

Du Valium. Trois flacons différents prescrits par trois médecins différents. Et, pour ce que Grace en savait, Kathleen pouvait très bien en avoir caché d'autres ailleurs, à l'école, dans sa voiture ou Dieu savait encore où.

Contrairement à ce dont Kathleen l'accusait, Grace n'avait pas fouiné dans la maison. Elle cherchait un crayon à papier et savait que sa sœur en aurait forcément un dans le tiroir de sa table de nuit. Elle l'avait trouvé, effectivement, impeccablement taillé. Ainsi que trois flacons de pilules.

« Tu ne sais pas ce que c'est d'être sur les nerfs ! avait explosé Kathleen. Tu ne sais pas ce que c'est d'avoir de vrais problèmes. Tout ce que tu entreprends se passe toujours comme sur des roulettes. Moi j'ai perdu mon mari, et j'ai perdu mon fils. Comment oses-tu me faire la morale sur ce que je peux faire pour atténuer ma douleur ? »

Grace n'avait pas su trouver les bons mots, rien que de la colère et des récriminations. « Fais face, bon sang ! Pour une fois dans ta vie, fais face ! »

Pourquoi n'avait-elle pas plutôt proposé de l'aider ? « Je t'aiderai. Je suis là si tu as besoin de moi. »

C'était ce qu'elle avait voulu dire. Mais même si elle redescendait à présent pour supplier Kathleen, ramper devant elle ou lui hurler dessus, elle n'obtiendrait qu'une seule réaction. Kathleen avait dressé un mur. Grace s'était déjà retrouvée devant auparavant. Quand Kathleen avait rompu avec un petit ami de longue date, quand Grace avait obtenu le premier rôle dans la pièce de l'école.

La famille. On ne se détournait pas de sa famille.

Avec un soupir, Grace retourna au rez-de-chaussée pour faire une autre tentative.

Kathleen était dans son bureau, porte fermée. Grace frappa au panneau en se promettant de rester calme quoi qu'il arrive.

— Kath. (Il n'y eut pas de réponse mais au moins, la porte n'était pas verrouillée. Grace l'entrouvrit.) Kath, je suis désolée.

Kathleen termina la vérification d'une copie d'élève de seconde avant de relever la tête.

— Tu n'as pas à me faire d'excuses.

— D'accord.

Elle a donc recouvré son calme, se dit Grace. Grâce aux médicaments ou parce que la tension avait eu le temps de redescendre ? Difficile à dire.

— Écoute, je vais passer en coup de vent chez Ed pour repousser notre rendez-vous à un autre soir. Après quoi on pourra discuter.

— Il n'y a rien de plus à discuter. (Kathleen posa la copie corrigée sur une pile et en saisit une autre sur une autre pile. Elle était à présent d'un calme redoutable. L'effet des médicaments, sans aucun doute.) Et j'attends des appels ce soir. Sors, va t'amuser.

— Kathy, je m'inquiète pour toi. Je t'aime, tu sais.

— Moi aussi je t'aime. (C'était sincère. Elle aurait voulu pouvoir montrer à sa sœur à quel point c'était sincère.) Mais tu n'as aucune raison de t'inquiéter. Je sais ce que je fais.

— Je vois bien que tu es sous pression, une pression terrible. Je voudrais t'aider.

— Et je t'en remercie. (Kathleen raya une réponse fausse en se demandant pourquoi ses étudiants n'étaient pas plus attentifs.) Je m'en occupe, poursuivit-elle. Je t'ai dit que j'étais contente que tu sois venue et c'est le cas. Et je serai heureuse de t'accueillir aussi longtemps que tu le voudras… tant que tu ne te mêles pas de mes affaires.

— Sœurette, l'addiction au Valium peut être très dangereuse. Je ne veux pas qu'il t'arrive quoi que ce soit.

— Je ne suis pas accro, affirma Kathleen en inscrivant un C- en haut de la feuille. Dès que j'aurai récupéré Kevin et que ma vie aura repris son cours normal, je n'aurai plus besoin de ces médocs.

Elle sourit et prit une nouvelle copie.

— Arrête de t'inquiéter pour moi, Gracie. Je suis une grande fille maintenant.

Quand le téléphone sonna, elle quitta son bureau pour s'installer dans le fauteuil.

— Oui ?

Kathleen prit un crayon papier pour noter quelque chose.

— Oui, je vais le prendre. Donnez-moi le numéro.

Elle inscrivit les chiffres qu'on lui dictait puis appuya sur le bouton pour raccrocher.

— Bonne soirée, Grace. Je laisserai la lumière du porche allumée pour toi.

Voyant que sa sœur composait déjà les coordonnées, Grace sortit à reculons du bureau. Elle prit son manteau dans la penderie du couloir où Kathleen l'avait rangé et quitta précipitamment la maison.

La fraîcheur de ce début de mois d'avril rappelait la Floride. Elle avait peut-être encore une chance de convaincre Kathleen de s'y rendre. Ou alors les Caraïbes, le Mexique. N'importe quel endroit à l'ambiance décontractée et ensoleillée ferait l'affaire. Et une fois qu'elles seraient loin de la ville et du plus gros de la pression qui pesait sur Kathleen, elles pourraient discuter à cœur ouvert. Si cela échouait, Grace avait mémorisé les noms des trois médecins qui apparaissaient sur les flacons de médicaments. Elle irait les voir.

Elle frappa à la porte de chez Ed sans avoir tout à fait terminé d'enfiler son manteau.

— Je sais que je suis en avance, déclara-t-elle dès qu'il lui ouvrit. J'espère que ça ne vous dérange pas. Je me suis dit qu'on pourrait aller boire un verre avant. Je peux entrer ?

— Bien sûr.

Il s'écarta, tout à fait conscient qu'elle ne voulait de réponse qu'à cette dernière question.

— Ça va ? demanda-t-il.

Avec un petit rire, elle écarta les mèches ébouriffées qui lui retombaient en travers du visage.

— Ça se voit que je stresse, hein ? Je me suis disputée avec ma sœur, c'est tout. On n'a jamais réussi à passer plus d'une semaine ensemble sans que le ton monte. Par ma faute, habituellement.

— Les disputes impliquent en général deux personnes.

— Pas avec moi.

Il serait trop facile d'ouvrir les vannes et de se décharger sur lui. Ed avait le genre de regard bienveillant qui appelait la confidence. Mais c'était une histoire de famille. Elle choisit plutôt d'examiner l'intérieur de la maison.

— C'est superbe ici.

Sans s'arrêter sur le papier peint qui se décollait ou les morceaux de bois empilés un peu partout, Grace avait fixé son attention sur le volume et l'ampleur de la pièce. Elle s'intéressa à la hauteur de plafond plutôt qu'au plâtre fendillé, à la beauté du sol en bois ancien plutôt qu'aux taches et aux rayures.

— Je n'ai pas encore commencé les travaux dans cette pièce. (Mais il l'avait déjà imaginée terminée.) Ma première priorité était la cuisine, expliqua-t-il.

— Même chose pour moi. La cuisine, toujours.

Elle sourit et lui tendit la main.

— Alors, vous me faites visiter ?

— Si vous voulez.

C'était étrange, il avait toujours l'impression d'engloutir la main d'une femme en la lui serrant. Celle de Grace était petite et fine mais sa poignée de main était ferme. Comme ils passaient devant l'escalier, elle jeta un coup d'œil vers les marches.

— Une fois que vous aurez poncé le bois, vous allez avoir quelque chose de vraiment beau. J'adore ces vieilles demeures avec toutes ces pièces empilées les unes sur les autres. C'est marrant parce que mon appart à New York ressemble plutôt à un vaste espace unique et que j'y suis très à l'aise mais... Oh, c'est super !

Il avait tout démoli, décapé et nettoyé à la vapeur avant de réagencer complètement les lieux. La cuisine constituait l'aboutissement de presque deux mois de labeur. Aux yeux de Grace, la quantité de travail qu'il y avait consacrée, aussi astronomique soit-elle, en valait la peine. Les plans de travail étaient d'un rose sombre, une couleur qu'elle ne se serait pas attendue à voir un homme apprécier. Pour jouer sur les contrastes, il avait repeint les placards en vert menthe. Tout l'électroménager était blanc et semblait sortir des années 1940. Une cheminée et un four en brique avaient été restaurés avec amour. Il avait sans doute fallu arracher le vieux linoléum mais à présent, le sol était en chêne.

— 1945, la guerre est finie et la vie aux États-Unis devient idyllique. J'adore. Où avez-vous trouvé cette cuisinière ?

Grace semblait étonnamment à sa place dans cet endroit, avec ses cheveux rebelles et frisottants et son manteau à la mode.

— Je... Heu, il y a un antiquaire à Georgetown. Ça a été l'enfer pour trouver toutes les bonnes pièces.

— C'est sensationnel. Vraiment.

Elle pensa pour elle-même, en s'appuyant contre l'évier, qu'elle se sentait bien dans cette cuisine. La porcelaine blanche lui rappelait la maison parentale et une époque moins compliquée. Sur le rebord de la fenêtre s'alignaient de petits pots de tourbe d'où ressortaient déjà de petites pousses vertes.

— Qu'est-ce que vous faites pousser ?

— Des herbes aromatiques.

— Des herbes ? Du romarin, ce genre de trucs ?

— Ce genre de trucs. Quand j'aurai le temps, je leur réserverai un petit espace dans le jardin.

En regardant par la fenêtre, elle vit l'endroit où il avait travaillé la veille. Bien qu'incapable de différencier l'origan du thym, elle trouva charmant d'imaginer un petit jardin d'herbes aromatiques se dressant là. Des herbes à la fenêtre, des bougies sur la table. Ce serait un foyer heureux, loin de la raideur et de la tension qui régnait dans la maison voisine. Elle chassa cette pensée maussade avec un soupir.

— Vous êtes un homme ambitieux, Ed.

— Pourquoi ça ?

Elle se retourna vers lui en souriant.

— Pas de lave-vaisselle. Venez, dit-elle en lui tendant de nouveau la main, je vous paie un verre.

Kathleen était installée dans son fauteuil, les yeux fermés, le combiné coincé entre son épaule et son oreille. Ce client aimait tenir l'essentiel de la conversation. La seule chose qu'il attendait d'elle était d'émettre des bruits approbateurs.

Un travail facile, songea-t-elle en essuyant une larme accrochée à ses cils.

Elle n'aurait pas dû laisser les paroles de Grace l'affecter de cette manière. Elle savait exactement ce qu'elle faisait et si elle avait besoin d'un peu d'aide pour ne pas perdre la tête, c'était son droit d'aller la chercher.

— Non, c'est merveilleux... Non, je ne veux pas que tu t'arrêtes.

Elle ravala un soupir et se prit à souhaiter ne pas avoir oublié de mettre du café à chauffer.

Grace l'avait déstabilisée. Kathleen recala le téléphone contre sa joue et regarda sa montre. Il restait deux minutes au client. C'était incroyable comme parfois deux minutes semblaient durer une éternité.

À un moment, elle releva la tête en pensant avoir entendu un bruit, puis reporta son attention vers le client. Peut-être devrait-elle laisser Grace l'emmener en Floride pour le week-end. S'aérer l'esprit et prendre un peu le soleil pourrait lui faire du bien. Arrêter de réfléchir pendant quelques jours.

Le problème était que quand Grace était dans les parages, Kathleen ne pouvait s'empêcher de ressasser ses propres erreurs et ses échecs. Il en avait toujours été ainsi et Kathleen savait que cela ne changerait pas.

Je n'aurais pas dû élever la voix contre elle, se dit-elle en se frottant la tempe.

Mais ce qui était fait était fait et à présent, elle avait du travail.

Le cœur de Jerald battait la chamade. Il l'entendait qui murmurait et soupirait. Le son de ce fameux rire rauque vint lui caresser la peau. Il avait les paumes glacées. Il se demanda ce que cela lui ferait de les réchauffer contre elle.

Elle allait être tellement contente de le voir ! Il passa le dos de sa main en travers de sa bouche tout en se rapprochant. Il voulait lui faire la surprise. Cela lui avait demandé deux heures d'atermoiements et trois lignes de cocaïne mais il avait enfin trouvé le courage de venir jusqu'à elle.

Il avait rêvé d'elle la nuit précédente. Elle lui avait demandé de venir, l'avait supplié. Desiree. Elle voulait être sa première.

Le couloir était plongé dans la pénombre mais il voyait de la lumière sous la porte du bureau de Desiree. Et il entendait sa voix à travers le panneau. Elle le titillait. Elle l'appelait.

Il dut s'arrêter un bref instant pour appuyer la main sur le mur et reprendre son souffle. Le sexe avec Desiree allait lui procurer plus de sensations que tout ce qu'il avait pu s'injecter ou sniffer. Ce serait le trip ultime, l'apogée du plaisir. Et lorsqu'ils auraient terminé, elle lui dirait qu'il était le meilleur.

Elle s'était arrêtée de parler. Il l'entendit qui se déplaçait dans la pièce. Elle se préparait à le recevoir. Lentement, si excité qu'il en avait presque le tournis, il ouvrit la porte.

Elle était là.

Il secoua la tête. Elle était différente de la femme de ses fantasmes. Elle avait les cheveux bruns, pas blonds, et ne portait ni combinaison transparente noire ni dentelles blanches mais une jupe et un chemisier ordinaires. Pris de confusion, il s'immobilisa sur le seuil en la fixant des yeux.

Quand une ombre vint se poser en travers de son bureau, Kathleen releva brièvement les yeux, s'attendant à moitié à se retrouver face à Grace. Sa première réaction ne fut pas la peur. Le garçon qui lui rendit son regard aurait pu être l'un de ses élèves. Elle se leva, comme elle aurait pu le faire dans sa salle de classe.

— Comment êtes-vous entré ? Qui êtes-vous ?

Ce n'était pas le bon visage mais c'était bien sa voix. Tout le reste s'évanouit, il ne restait que cette voix. Jerald se rapprocha en souriant.

— Tu n'as pas besoin de faire semblant, Desiree. Je t'avais dit que je viendrais.

Lorsqu'il s'avança dans la lumière, elle sentit la peur l'envahir. Il n'était pas nécessaire d'avoir connu la folie pour la reconnaître.

— Je ne comprends pas de quoi vous parlez, dit-elle.

Il l'avait appelée Desiree, mais ce n'était pas possible. Personne n'était au courant. Personne ne pouvait être au courant. Elle tâtonna à la recherche d'une arme improvisée sur le bureau tout en jaugeant la distance jusqu'à la porte.

— Je vais vous demander de partir, sans quoi j'appellerai la police !

Mais il continuait à sourire.

— Ça fait des semaines que je t'écoute. Et puis la nuit dernière, tu m'as dit que je pouvais venir. Et je suis là. Pour toi.

— Vous êtes fou. Je ne vous ai jamais parlé. (Il fallait qu'elle reste calme. Très calme.) Vous avez fait erreur. Maintenant, je vous demande de partir.

C'était la voix. Il l'aurait reconnue parmi des milliers d'autres. Des millions, même.

— Toutes les nuits. Je t'ai écoutée toutes les nuits.

Il était dur, si dur que ça en devenait inconfortable, et sa bouche était comme desséchée. Il s'était trompé : elle était blonde, blonde et magnifique. Il avait dû être victime d'une illusion d'optique en entrant. Ou peut-être était-ce la magie de Desiree.

— Desiree, murmura-t-il. Je t'aime.

Son regard plongé dans le sien, il entreprit de défaire sa ceinture. Kathleen saisit son presse-papiers et le lança en se précipitant vers la porte. Le projectile frôla la tempe de l'inconnu.

— Tu m'avais promis ! s'écria-t-il.

Il la tenait à présent, ses bras noueux refermés autour d'elle. Haletant, il approcha son visage tout près du sien.

— Tu m'avais promis de m'offrir toutes ces choses dont tu parles. Et je les veux. Je veux plus que des mots, maintenant, Desiree.

C'est un cauchemar, songea-t-elle.

Desiree était une illusion et cette situation aussi. Un rêve, rien de plus. Mais les rêves ne faisaient pas mal. Elle entendit son chemisier se déchirer alors qu'elle se débattait. Elle eut beau tenter de le repousser et de le frapper, elle sentit les mains de l'inconnu courir le long de son corps. Quand elle le mordit à l'épaule, il poussa un cri aigu mais ne la lâcha pas. Il la poussa au sol et tira sur sa jupe.

— Tu m'avais promis. Tu m'avais promis, répétait-il sans cesse.

Il sentait à présent la peau de Desiree, douce et chaude sous ses doigts, exactement telle qu'il se l'était imaginée. Rien ne pouvait plus l'arrêter.

En le sentant entrer de force en elle, elle se mit à hurler.

— Arrêtez !

La passion explosa sous le crâne de Jerald, mais pas de la manière dont il l'aurait voulu. Les cris de Desiree lui agressaient les tympans, au risque de tout gâcher. Une telle occasion ne devait pas être gâchée. Il avait attendu trop longtemps, désiré pendant trop longtemps.

— Arrêtez, j'ai dit !

Il la pénétra avec plus de force, désireux de profiter de toutes les merveilles qu'elle lui avait promises. Mais elle ne s'arrêtait pas de crier. Elle le griffa même, mais la douleur ne fit qu'attiser son désir et sa fureur. Elle avait menti. Ce n'était pas censé se passer de cette manière. C'était une menteuse, une salope, et pourtant il avait toujours envie d'elle.

Agitant désespérément le bras dans les airs, elle finit par renverser la table. Le téléphone heurta le sol tout près de sa tête. Alors il s'empara du cordon et le lui enroula autour du cou. Puis il serra fort, très fort, jusqu'à ce que cessent les cris.

— Alors votre partenaire est marié à une psychiatre ?

Grace descendit la vitre de la voiture avant d'allumer sa cigarette. Le dîner lui avait permis de se détendre. Ed lui avait permis de se détendre, se corrigea-t-elle. Il avait une excellente écoute et une vision si drôle et charmante de la vie.

— Ils se sont rencontrés sur une affaire il y a quelques mois.

Ed se souvint d'arrêter complètement la voiture à l'intersection. Après tout, Grace n'était pas Ben. Elle ne ressemblait à personne d'autre.

— Ça vous aurait sûrement intéressée : il s'agissait d'un tueur en série.

— Vraiment ?

Elle ne s'était jamais sérieusement interrogée à propos de sa fascination pour les meurtres.

— J'imagine que vous aviez fait appel à elle pour établir un profil psychologique du tueur.

— Exactement.

— Elle est douée dans son domaine ?

— C'est la meilleure.

Grace hocha la tête en songeant à Kathleen.

— J'aimerais bien la rencontrer. Peut-être qu'on pourrait organiser un petit dîner ou un pot quelque part ? Kathleen ne voit pas assez de monde.

— Vous vous inquiétez pour elle.

Grace laissa échapper un soupir tandis qu'ils tournaient au coin d'une rue de leur quartier.

— Je suis désolée. Je ne voulais pas vous gâcher la soirée mais je me rends compte que je n'étais pas de très bonne compagnie.

— Je n'étais pas en train de me plaindre.

— C'est parce que vous êtes trop poli.

Lorsqu'il s'arrêta dans l'allée devant chez elle, elle se pencha vers lui et l'embrassa sur la joue.

— Vous ne voulez pas entrer prendre un café ? Non, vous ne buvez pas de café. Du thé ? Je vais vous faire un bon thé pour me faire pardonner.

Elle s'extirpa de la voiture avant qu'il ait eu le temps de sortir pour lui ouvrir la portière.

— Vous n'avez rien à vous faire pardonner, dit-il.

— Un peu de compagnie me ferait plaisir. Kath est sans doute déjà couchée et moi je vais me retrouver à bouillir dans mon jus.

Elle fouilla dans son sac à la recherche de la clé.

— Et on pourra discuter du bon moment pour cette visite guidée du commissariat… Mince, je sais que la clé est quelque part là-dedans. Ça aurait été plus facile si Kath s'était souvenue d'allumer le porche. Ah, voilà !

Elle déverrouilla la porte puis glissa négligemment les clés dans sa poche.

— Installez-vous dans le salon. Vous voulez bien mettre la chaîne ou la radio pendant que je prépare le thé ?

Elle retira son manteau en chemin et le déposa sans cérémonie sur un dossier de chaise. Ed le ramassa en le voyant glisser au sol et le plia.

Il a la même odeur qu'elle, songea-t-il. Puis, se reprochant d'agir comme un idiot, il reposa le vêtement sur la chaise. Il s'approcha de la fenêtre pour étudier le travail d'encadrement. C'était une habitude qu'il avait prise depuis l'achat de la maison. Il fit courir un doigt le long du cadre et tenta de l'imaginer sur ses propres fenêtres.

Il entendit Grace appeler sa sœur sur un ton interrogatif. Puis elle cria son nom, plusieurs fois. Paniquée.

Il la trouva agenouillée devant le corps de Kathleen, tirant sur son bras, lui criant de se réveiller. Lorsqu'il la prit dans ses bras, elle se débattit comme une tigresse.

— Lâchez-moi ! Bon sang, lâchez-moi ! C'est Kathy.

— Allez dans le salon, Grace.

— Non ! C'est Kathy. Oh, mon Dieu... Lâchez-moi. Elle a besoin de moi.

— Allez-y.

Les mains fermement posées sur ses épaules, il interposa son corps entre elle et celui de Kathleen puis la secoua avec force, deux fois.

— Allez dans le salon. Tout de suite. Je m'occupe d'elle.

— Mais il faut...

— Écoutez-moi bien ! (Il planta son regard dans le sien et y lut le choc. Mais il ne pouvait pas la dorloter, l'apaiser ou l'envelopper dans une douce et chaude couverture.) Allez dans le salon. Appelez les urgences. Vous pouvez faire ça ?

Elle hocha la tête et recula d'un pas.

— Oui. Oui, bien sûr. Les urgences.

Il la regarda partir en courant puis reporta son attention sur le cadavre.

Les urgences ne pourraient rien faire pour Kathleen Breezewood. Ed s'accroupit auprès d'elle et redevint un flic.

4

La scène paraissait sortie d'un de ses livres. Le meurtre déclenchait l'arrivée des policiers. Certains seraient las, certains pincés et peu loquaces, d'autres cyniques. Cela dépendait de l'atmosphère que développait le roman. Parfois, cela dépendait aussi de la personnalité de la victime. Et toujours, toujours, de l'imagination de Grace.

L'action pouvait se dérouler dans une ruelle ou dans un salon cossu. L'ambiance tenait toujours un rôle essentiel dans n'importe quelle scène. Dans le roman qu'elle écrivait, elle avait planifié un meurtre dans la bibliothèque du secrétaire d'État. Elle se réjouissait à l'idée de faire intervenir le Secret Service et des histoires de politique et d'espionnage en plus de la police.

Il y était question de poison et de personne buvant dans le mauvais verre. Un meurtre était toujours plus intéressant quand les choses étaient un peu confuses. Grace était ravie du scénario dans l'état où il en était car elle n'avait pas tout à fait décidé de l'identité du meurtrier. Elle avait toujours été fascinée par le fait de le découvrir et de se surprendre elle-même.

Au final, le coupable commettait toujours une erreur.

Grace était assise sur le sofa, silencieuse et le regard dans le vague. Pour une raison ou une autre, elle était incapable de dépasser cette idée. Le mécanisme d'autodéfense de son esprit avait transformé l'hystérie en état de choc anesthésiant, si bien que même les frissons qui la parcouraient semblaient traverser le corps de quelqu'un d'autre. Un bon meurtre avait plus de punch si la victime laissait derrière elle quelqu'un susceptible d'être ainsi frappé de stupeur, anéanti. Bien écrit, cela garantissait de manière quasi certaine de plonger le lecteur dans l'histoire.

Grace avait toujours eu un vrai talent pour décrire les émotions : le chagrin, la colère, la douleur. Une fois qu'elle comprenait ses personnages, elle était en mesure de capter leur état intérieur.

Elle était capable de travailler pendant des heures et des jours d'affilée à se nourrir des émotions, à y prendre plaisir, à se délecter des aspects les plus sombres et les plus lumineux de la nature humaine. Puis elle pouvait mettre en veille ces émotions comme elle le faisait pour son ordinateur et reprendre le cours de sa vie.

Ce n'était qu'une histoire, après tout, et la justice triompherait dans le dernier chapitre.

Elle reconnaissait la profession de tous ceux qui entraient et ressortaient de la maison de sa sœur : le légiste, les experts médico-légaux, le photographe de la police.

Une fois, elle avait fait d'un photographe de la police le personnage central d'un roman, dépeignant la mort dans ses moindres détails avec une sorte de délectation. Elle connaissait la procédure, l'avait décrite d'innombrables fois sans la moindre hésitation ou le moindre frisson. Les images et les odeurs accompagnant un meurtre ne lui étaient pas étrangères, en tout cas pas à son imagination.

Même à présent, elle pouvait presque se convaincre que si elle fermait très fort les yeux, tous s'évanouiraient pour réapparaître sous la forme de personnages qu'elle pouvait contrôler, d'individus qui n'existaient qu'au sein de son esprit, qui pouvaient être créés ou détruits par une simple pression sur une touche.

Mais pas sa sœur. Pas Kathy.

En ramenant ses jambes sous elle, elle se dit qu'elle modifierait le scénario. Elle ferait toutes les réécritures nécessaires, effacerait la scène de meurtre, réinventerait les personnages. Elle changerait tout jusqu'à ce que les choses fonctionnent exactement comme elle l'attendait. Elle n'avait qu'à se concentrer. Elle ferma les yeux et, les bras serrés sous la poitrine, s'efforça de réagencer le puzzle à sa façon.

— Elle ne s'est pas laissé faire, murmura Ben en observant le légiste qui examinait le corps de Kathleen McCabe Breezewood. Je ne serais pas étonné si l'on découvrait qu'une partie du sang est celui du tueur. On pourrait aussi relever des empreintes sur le cordon de téléphone.

— Ça remonte à quand ?

Ed prenait note de tous les détails dans son carnet en tâchant de ne pas penser à Grace. Il ne pouvait pas se le permettre pour le moment. Il risquait de rater quelque chose – un élément potentiellement essentiel – s'il songeait à la façon dont elle était assise dans la pièce d'à côté, telle une poupée cassée.

Le médecin légiste se tapa la poitrine à l'aide du poing. Le chili aux oignons qu'il avait mangé au dîner ne passait pas.

— Pas plus de deux heures, sans doute moins. (Il jeta un coup d'œil à sa montre.) Pour le moment, je situerais l'heure du crime entre dix-neuf et vingt et une heures. Je devrais pouvoir affiner l'estimation une fois que j'aurai récupéré la dépouille.

Il fit signe à deux hommes qui patientaient près de lui. À peine s'était-il redressé que déjà ils entreprirent d'envelopper le corps dans un épais sac de plastique noir. Propre et efficace. Et définitif.

Ben alluma une cigarette tout en étudiant la silhouette tracée à la craie sur le tapis.

— Ouais, merci, dit-il. D'après l'apparence des lieux, il l'a surprise dans cette pièce. La porte de derrière a été forcée. Ça n'a pas été bien difficile, donc je ne serais pas étonné qu'elle n'ait rien entendu.

— C'est un quartier tranquille, murmura Ed. Les gens ne verrouillent même pas leurs voitures.

— Je sais. C'est toujours plus dur quand on a une proximité avec la victime. (Ben marqua un temps d'arrêt mais ne reçut pas de réponse.) On va devoir aller parler à la sœur, dit-il.

Ed rangea son carnet dans sa poche arrière.

— Ouais. Les gars, vous voulez bien me laisser deux minutes avant de transporter le corps au-dehors ?

Il eut un hochement de tête à l'intention du légiste avant de quitter la pièce. Il n'avait pas pu empêcher Grace de trouver le cadavre mais il pourrait s'assurer qu'elle n'ait pas à les voir l'emmener.

Il la retrouva là où il l'avait laissée, recroquevillée sur le sofa. Ses paupières étaient closes et il se dit – espéra – qu'elle s'était endormie. Mais elle releva la tête vers lui et ouvrit de grands yeux parfaitement secs pour le regarder. Il ne reconnut que trop bien l'éclat vitreux du choc émotionnel.

— Ça ne marche pas, dit-elle.

Sa voix ne tremblait pas mais elle était si faible qu'elle passait à peine ses lèvres.

— Je n'arrête pas d'essayer de restructurer la scène. Je suis revenue plus tôt. Je ne suis pas sortie du tout. Kathleen a décidé de venir avec moi pour la soirée. Rien ne marche.

— Allons à la cuisine, Grace. Nous allons boire ce thé et parler un peu.

Elle accepta la main qu'il lui tendait mais ne se leva pas.

— Rien ne marche parce qu'il est trop tard pour changer ce qui s'est passé.

— Je suis désolé, Grace. Vous voulez bien venir avec moi ?

— Ils ne l'ont pas encore emmenée, si ? Je devrais la voir, avant...

— Pas maintenant.

— Je dois attendre qu'ils l'emmènent. Je sais bien que je ne peux pas l'accompagner mais je dois attendre qu'ils l'emmènent. C'est ma sœur.

Lorsqu'elle se leva, ce fut pour aller se poster dans le couloir menant au bureau.

— Laisse-la donc, conseilla Ben à Ed en le voyant s'avancer vers elle. Elle en a besoin.

Ed fourra les mains dans ses poches.

— Personne n'a besoin d'un truc pareil.

Il avait déjà vu d'autres personnes dire adieu à un être aimé de cette façon. Même après toutes les scènes de crime, toutes les victimes, toutes les enquêtes qu'il avait connues, il n'était pas capable de ne rien ressentir du tout. Mais il avait appris à juguler ses sentiments au maximum.

Grace se redressa, ses mains glacées et serrées devant elle, lorsqu'ils emportèrent le corps de Kathleen. Elle ne pleura pas. Elle chercha l'émotion au plus profond d'elle-même, sans rien trouver. Elle aurait voulu laisser déferler le chagrin, elle percevait cela comme une nécessité. Mais il semblait s'être enfui pour se recroqueviller, inaccessible, dans un petit coin de son être, la laissant seule et vide. Quand la main d'Ed se posa sur son épaule, elle ne sursauta pas, ne frémit pas. Elle prit une profonde inspiration.

— C'est le moment où vous allez me poser des questions ?

— Si vous vous en sentez capable.

— Oui. (Elle se racla la gorge. Sa voix devait redevenir forte. Des deux sœurs, elle avait toujours été la plus forte.) Je vais faire le thé, annonça-t-elle. (Une fois dans la cuisine, elle mit la bouilloire à chauffer puis s'occupa en manipulant tasses et soucoupes.) Tout est tellement bien organisé avec Kath. Il me suffit de me rappeler où ma mère range les choses et...

Elle ne termina pas sa phrase. Sa mère. Elle allait devoir appeler ses parents pour les prévenir. *Je suis désolée, maman. Tellement désolée. Je n'étais pas là. Je n'ai pas pu l'empêcher.*

Pas maintenant, se dit-elle. Elle ne pouvait pas penser à ça maintenant.

— J'imagine que vous ne voulez pas de sucre ?
— Non.

Ed était mal à l'aise ; il aurait aimé qu'elle s'assoie. Les gestes de la jeune femme étaient nets et précis mais, depuis l'instant où il l'avait retrouvée penchée sur le corps sans vie de sa sœur, elle était d'une pâleur effrayante.

— Et vous ? demanda-t-elle. Vous êtes l'inspecteur Paris, c'est ça ? Le coéquipier d'Ed ?

— Ben, répondit l'intéressé. (Il agrippa le dossier d'une chaise et la tira vers lui.) Je vais prendre deux cuillers de sucre.

Comme Ed, il avait pris note de sa pâleur mais également de sa détermination à traverser cette épreuve sans fléchir. Il se dit qu'elle n'était pas tant fragile que cassante, tel un morceau de verre qui se briserait en deux plutôt que d'éclater en morceaux.

Au moment de disposer les tasses sur la table, elle tourna la tête vers la porte de derrière.

— Il est entré par ici, n'est-ce pas ?

— On dirait bien. (Ben sortit son propre carnet et le posa à côté de sa soucoupe. Grace tenait son chagrin à l'écart et, en tant que flic, il fallait qu'il exploite cette situation.) Je suis désolé de devoir vous poser ces questions.

— Aucune importance, répondit Grace. (Elle leva sa tasse et but une gorgée. Elle perçut bien la chaleur du liquide mais aucun goût.) Je ne vais rien pouvoir vous dire, en fait. Kath était dans son bureau quand je suis partie. Elle allait travailler. Il devait être environ dix-huit heures trente. Quand nous sommes revenus, j'ai cru qu'elle était montée se coucher. Elle n'avait pas allumé la lumière du porche. *Des détails*, songea-t-elle en repoussant une nouvelle vague d'hystérie. *La police a besoin de détails, exactement comme un bon roman*. J'allais vers la cuisine quand j'ai remarqué que la porte de son bureau était entrouverte et que la lumière était allumée. Alors je suis entrée.

Elle reprit sa tasse de thé et écarta soigneusement de son esprit le souvenir de ce qui s'était passé ensuite.

Dans la mesure où Ed était présent au moment de la découverte du corps, Ben n'avait pas besoin d'insister. Ils savaient tous ce qui s'était passé ensuite. Il y reviendrait plus tard.

— Est-ce qu'elle fréquentait quelqu'un ?

— Non. (Grace se détendit un peu. Ils allaient parler d'autres choses, de choses logiques et pas du spectacle insoutenable derrière la porte du bureau.) Elle sortait d'un affreux divorce et n'était pas encore remise. Elle travaillait mais elle ne se mêlait pas aux gens. L'esprit de Kathy était concentré sur le fait de gagner assez d'argent pour retourner devant le juge et obtenir la garde de son fils. (*Kevin. Mon Dieu, Kevin*. Grace prit sa tasse à deux mains et but de nouveau.) Son mari était Jonathan Breezewood troisième du nom. Il vit à Palm Springs. Un homme issu d'une lignée ancienne et fortunée. Avec un sale caractère. (Son regard se durcit et elle tourna de nouveau la tête vers la porte de derrière.) Peut-être allez-vous découvrir qu'il a fait un petit voyage par ici.

— Vous avez des raisons de penser que l'ex-mari ait voulu assassiner votre sœur ?

À ce moment-là, elle releva les yeux vers Ed.

— Ils ne se sont pas séparés en bons termes. Il l'avait trompée pendant des années et elle venait d'embaucher un avocat et un détective privé. Il se peut qu'il l'ait découvert. Breezewood fait partie de ces noms de famille qui ne tolèrent pas d'être rattachés au moindre scandale.

Ben goûta le thé même si secrètement il avait plutôt envie d'un café.

— Savez-vous s'il l'a menacée par le passé ?

— Elle ne m'en a pas parlé mais elle avait très peur de lui. Elle ne s'était pas battue contre lui pour la garde de Kevin parce qu'elle craignait ses sautes d'humeur et l'influence de sa famille. Elle m'a raconté qu'il avait envoyé l'un de leurs jardiniers à l'hôpital après une dispute à propos d'un rosier.

— Grace, demanda Ed en posant une main sur la sienne, avez-vous remarqué qui que ce soit dans le voisinage qui vous ait mise mal à l'aise ? Quelqu'un est-il venu à la porte pour livrer, vendre ou solliciter quoi que ce soit ?

— Non. Enfin, il y a l'homme qui a livré ma malle de voyage mais il était inoffensif. Je suis restée seule avec lui dans la maison pendant un quart d'heure, vingt minutes.

— Pour quelle société travaillait-il ? s'enquit Ben.

— Je ne sais pas...

Elle se frotta l'arête du nez entre le pouce et l'index. Elle qui n'avait jamais habituellement aucun mal à se rappeler des détails avait l'impression que son esprit était envahi par le brouillard.

— « Simple & Rapide », je crois. Le mec s'appelait... Jimbo. Oui, Jimbo. Une étiquette était cousue au-dessus de la poche de sa chemise. Avec un accent typique de l'Oklahoma.

— Votre sœur était enseignante ? demanda Ben.

— Exact.

— Des problèmes avec les autres professeurs ?

— La plupart des gens qui travaillent là-bas sont des nonnes. C'est difficile d'entrer en conflit avec des nonnes.

— Ouais. Et du côté des élèves ?

— Elle ne m'a rien dit. En fait, elle ne me racontait pas grand-chose. (À cette pensée, elle sentit ses tripes se nouer de nouveau.) Le soir de mon arrivée, on a discuté et on a bu un peu trop de vin. C'est là qu'elle m'a parlé de Jonathan. Mais depuis, comme pendant l'essentiel de nos vies, elle est restée fermée. Je peux vous dire que Kathleen ne se faisait pas d'ennemis et qu'elle ne se faisait pas non plus d'amis, pas intimes en tout cas. Ces dernières années, sa vie était concentrée sur sa famille. Elle n'est pas revenue à Washington depuis assez longtemps pour tisser de nouvelles relations, pour rencontrer quelqu'un qui aurait voulu… qui aurait pu lui faire ça. C'était Jonathan, ou alors un inconnu.

Ben resta silencieux pendant quelques instants. L'individu qui était entré par effraction dans cette maison n'était pas venu voler mais violer. L'impression laissée par une tentative de cambriolage était très différente de celle qui entourait une agression sexuelle. Toutes les pièces à l'exception du bureau étaient impeccablement rangées. Et l'odeur qui flottait dans l'air était celle du viol.

Ed en était arrivé aux mêmes conclusions que son partenaire et avait poussé le raisonnement un cran plus loin. L'intrus était entré à la recherche de la femme qu'il avait tuée… ou de celle qui se trouvait assise à côté de lui.

— Grace... Y a-t-il quelqu'un qui ait une dent contre vous ? (Voyant qu'elle ne comprenait pas, il poursuivit :) Avez-vous récemment noué des liens avec quelqu'un qui voudrait vous faire du mal ?

— Non. Je n'ai pas eu le temps de m'impliquer assez pour que ça arrive. (Mais la question suffit à faire naître la panique. Était-elle la cause, la raison derrière ce crime ?) Je sors d'une tournée. Je ne connais personne capable de faire ça. Personne.

Ben reprit le fil du questionnement.

— Qui savait que vous étiez ici ?

— Mon éditeur, ma maison d'édition, mon agent publicitaire. Et quiconque aura cherché l'info. Je viens de passer dans douze villes, avec beaucoup de relais dans les médias. Si des gens avaient voulu s'en prendre à moi, ils auraient eu des dizaines d'occasions, dans mes chambres d'hôtel, dans le métro, dans mon propre appartement. C'est Kathleen qui est morte. Et je n'étais même pas là. (Elle prit quelques instants pour retrouver son calme.) Il l'a violée, n'est-ce pas ? (Puis elle secoua la tête avant qu'Ed puisse répondre.) Non, non. Je ne veux pas me concentrer là-dessus maintenant. Je n'arrive pas à me concentrer sur quoi que ce soit. (Elle se leva et alla chercher une petite bouteille de brandy dans le placard près de la fenêtre. Elle récupéra également un verre droit qu'elle remplit à demi.) Vous avez d'autres questions ?

Ed aurait voulu lui prendre la main, lui caresser les cheveux et lui dire d'arrêter de réfléchir. Mais il était flic, il devait faire son travail.

— Grace, savez-vous pourquoi votre sœur avait deux lignes téléphoniques dans son bureau ?

— Oui. (Grace avala rapidement une gorgée de brandy, attendit de ressentir la morsure brûlante de l'alcool, puis but de nouveau.) Il n'y a aucun moyen de garder ça confidentiel, si ?

— Nous ferons de notre mieux.

— Kathleen aurait détesté que ça se sache. (Tenant le verre au creux de ses mains, elle se rassit.) Elle a toujours voulu préserver sa vie privée. Écoutez, je ne crois pas que cette ligne téléphonique supplémentaire ait un lien avec tout ceci.

— Nous avons besoin de toutes les infos. (Ed attendit qu'elle boive une autre gorgée.) Cela ne lui fera plus de tort à présent, ajouta-t-il.

— Non.

Le brandy ne l'aidait pas, constata-t-elle. Mais c'était le seul remède qui lui venait à l'esprit face à la souffrance qui l'étreignait. Le brandy devrait faire l'affaire.

— Je vous ai dit qu'elle avait embauché un avocat, tout ça. Elle avait besoin d'un avocat de haut niveau, quelqu'un capable d'affronter la famille de Jonathan. Difficile de dégoter un bon défenseur avec un salaire de prof. Elle a refusé que je lui donne de l'argent. Kathy était assez fière et, pour être franche, elle m'en a toujours voulu de ma réussite... Bref. (Grace prit une profonde inspiration. Le brandy avait filé droit vers son estomac et celui-ci se rebellait. Ce qui ne l'empêcha pas de prendre une autre gorgée.) L'autre ligne était professionnelle. Elle avait un deuxième job, pour une compagnie appelée Fantasme, Inc.

Ben haussa un sourcil et prit des notes.

— Un service de téléphone rose ?

Avec un soupir, Grace se massa les paupières du bout des doigts.

— Ce serait la manière « tous publics » de décrire la chose. Du sexe au téléphone, pour le dire crûment. J'ai trouvé que c'était une idée inattendue de sa part. Je me suis même demandé comment je pourrais incorporer ça dans un roman. (Comme son estomac se tordait de nouveau, elle tendit la main pour attraper une cigarette. Voyant qu'elle avait du mal avec le briquet, Ben le lui prit, lui alluma sa cigarette puis reposa le briquet près du verre de Grace.) Merci, dit-elle.

— Allez-y doucement, conseilla-t-il.

— Ça va aller. Elle gagnait beaucoup d'argent et ça paraissait sans risque. Aucun des clients n'avait son nom ni son numéro parce que tout était centralisé par les bureaux de l'entreprise. Ensuite c'était elle qui rappelait, en PCV.

— A-t-elle mentionné quelqu'un qui se serait montré un peu trop enthousiaste ?

— Non. Et je suis certaine qu'elle l'aurait fait si c'était le cas. Elle m'a parlé de ce boulot dès le soir de mon arrivée. En fait, elle semblait trouver ça à la fois amusant et ennuyeux. Même si quelqu'un avait cherché à établir un contact direct, il n'aurait pas pu la retrouver. Comme je vous le disais, elle n'employait même pas son vrai nom. Oh, et Kath m'a dit qu'elle ne faisait que dans la sexualité classique. (Grace appuya sa paume sur la table, doigts écartés. Elles s'étaient assises à cet endroit exact durant la première soirée, au moment où le soleil se couchait.) Pas de bondage, de SM ou de violence, précisa-t-elle. Elle sélectionnait soigneusement les hommes avec qui elle parlait. Ceux qui cherchaient quelque chose de, disons, bizarre devaient aller voir ailleurs.

— Elle n'a jamais rencontré aucun de ses interlocuteurs ? voulut savoir Ed.

Ce n'était pas un fait que Grace aurait pu prouver mais elle en était certaine.

— Non, absolument pas. C'était un travail qu'elle considérait avec le même professionnalisme que son métier d'enseignante. Elle ne sortait pas faire la fête, n'avait pas de rendez-vous galants. Sa vie tournait autour de l'école et de cette maison. Vous êtes voisins, dit-elle à Ed. Vous avez déjà vu quelqu'un lui rendre visite ? Vous l'avez déjà vue s'absenter après vingt et une heures ?

— Non.

— Nous allons devoir vérifier les informations que vous nous avez données, dit Ben en se levant. Si vous vous rappelez de quoi que ce soit d'autre, appelez-nous.

— Oui, je sais. Merci. Est-ce qu'ils vont m'appeler quand… quand je pourrai aller la chercher ?

— On va essayer de faire en sorte que ça se fasse rapidement. (Ben adressa un nouveau regard à son partenaire. Il savait – et même mieux que beaucoup de gens – à quel point il pouvait être frustrant de mêler meurtre et sentiments, tout comme il savait qu'Ed allait devoir démêler les choses à son rythme et à sa façon.) Je m'occupe du rapport, dit-il. Tu veux bien terminer ici pendant ce temps ?

— Ouais.

Ed fit un signe de tête à son partenaire puis se leva à son tour pour porter les tasses jusqu'à l'évier.

— C'est un type bien, commenta Grace après le départ de Ben. C'est un bon flic ?

— L'un des meilleurs.

Elle se pinça les lèvres et tâcha de se convaincre qu'il disait vrai. Elle avait besoin d'y croire.

— Je sais qu'il est tard, mais vous accepteriez de rester encore un peu ? Je dois appeler mes parents.

— D'accord.

Il garda les mains dans ses poches car elle lui paraissait encore trop délicate pour se permettre de la toucher. Ils avaient à peine eu le temps de commencer à être amis. Et à présent il était redevenu flic. Son insigne et son arme avaient une façon toute particulière de dresser une barrière entre lui et une « civile ».

— Je ne sais pas quoi leur dire. Je ne sais pas comment je vais pouvoir dire quoi que ce soit.

— Je peux les appeler pour vous.

Grace prit une longue bouffée de cigarette. Elle avait très envie d'accepter.

— Quelqu'un se charge toujours des trucs moches à ma place. Je me dis que cette fois je dois m'en occuper seule. Mieux vaut qu'ils l'apprennent de ma bouche, si tant est que quoi que ce soit puisse rendre une telle nouvelle plus supportable.

— Je vais patienter dans le salon.

— Merci.

Grace attendit qu'il soit sorti puis rassembla son courage pour passer ce coup de téléphone.

Ed faisait les cent pas dans le salon. Il était tenté de retourner sur la scène de crime pour passer les lieux au peigne fin mais se retint. Il ne voulait pas risquer que Grace le surprenne. *Elle n'a pas besoin de ça,* se dit-il. De voir tout ça, de se souvenir de tout ça.

Son métier le confrontait régulièrement à la violence et à la mort, mais il ne s'était jamais tout à fait blindé contre les répercussions que cela causait.

Une vie avait pris fin et, le plus souvent, des dizaines d'autres s'en trouvaient affectées. C'était son travail d'examiner la situation de façon logique, de vérifier chaque détail, des plus évidents aux plus subtils, jusqu'à rassembler suffisamment de preuves pour procéder à une arrestation. Cette compilation d'informations constituait à ses yeux la partie la plus gratifiante du travail de policier. Ben était tout en fougue et en instinct ; Ed agissait avec méthode. Une affaire se construisait petit à petit en accumulant les faits de plus en plus précis. Il était préférable de contrôler ses émotions, voire de les éviter complètement. Au fil du temps, il avait appris à évoluer sur cette frontière étroite entre implication personnelle et froideur factuelle. Quand un flic se laissait emporter d'un côté ou de l'autre, il devenait inefficace.

Sa mère n'avait jamais voulu qu'il devienne policier. Elle aurait aimé qu'il rejoigne l'entreprise de construction de son oncle. « Tu as des mains fortes, lui disait-elle. Et un dos solide. Tu aurais droit au salaire syndical. »

Même maintenant, des années plus tard, elle espérait toujours le voir échanger son insigne contre un casque de chantier.

Il n'avait jamais réussi à lui faire comprendre pourquoi il ne pouvait pas, pourquoi il était décidé à faire ce métier sur la durée. Ce n'était pas une histoire d'action et de frisson. Les planques, le café froid (ou, dans son cas, le thé tiède) et les rapports en trois exemplaires n'avaient rien de palpitant. Et il ne restait certainement pas pour le salaire.

C'était une question de ressenti. Pas ce que l'on ressentait en rangeant son arme dans son étui le matin. Et encore moins quand on se trouvait obligé de la dégainer. C'était ce sentiment qui s'emparait parfois de vous le soir au moment de vous coucher et vous faisait prendre conscience que vous aviez fait quelque chose de juste. Quand Ed était d'humeur philosophique, il parlait de la loi comme de la plus grande invention de l'humanité. Mais au fond de ses tripes il savait que c'était plus primaire encore.

La conviction d'être le gentil de l'histoire. Peut-être était-ce aussi simple que ça. Peut-être.

Et puis il y avait des moments comme celui-ci, des moments où vous terminiez la journée en contemplant un corps sans vie et où vous étiez saisi par la nécessité impérieuse de participer à la recherche et à l'arrestation du coupable. À vous de faire respecter la loi en comptant sur le tribunal pour en défendre les fondements.

La justice. C'était Ben qui parlait de justice. Ed, lui, distinguait plutôt le bien du mal.

— Merci d'avoir attendu.

Il se retourna pour découvrir Grace debout sur le seuil du salon. Elle semblait encore plus pâle qu'auparavant, pour autant que ce soit possible. Ses yeux étaient immenses et sombres, ses cheveux en bataille comme si elle n'avait cessé d'y passer les doigts.

— Ça va ? demanda-t-il.

— Je crois que je viens de comprendre que quoi qu'il arrive dans ma vie, quels que soient les événements à venir, je n'aurai jamais à faire quelque chose de plus douloureux que ce coup de fil. (Elle sortit une cigarette de son paquet froissé et l'alluma.) Mes parents vont prendre le premier avion demain matin. J'ai menti en leur disant que j'avais appelé un prêtre. C'était important pour eux.

— Vous pourrez appeler quelqu'un demain.

— Il faut contacter Jonathan.

— On s'en chargera.

Grace hocha la tête. Ses mains avaient recommencé à trembler. Elle tira longuement sur sa cigarette en essayant de maîtriser les tremblements.

— Je... Je ne sais pas qui appeler pour l'organisation. Les funérailles. Je sais que Kath voudrait quelque chose de discret. (Elle sentit l'émotion enfler dans sa poitrine et remplit ses poumons de fumée.) Nous devons organiser un service religieux. Mes parents en auront besoin. La foi atténue le désespoir. Je crois avoir écrit ça un jour. (Elle tira de nouveau sur la cigarette dont l'extrémité devint rouge incandescent.) Je voudrais m'être occupée d'un maximum de choses avant leur arrivée. Il faut que je prévienne l'école.

Ed reconnut chez elle les signes d'un début d'effondrement émotionnel. Ses mouvements étaient hachés, sa voix oscillait entre tension et tremblement.

— Demain, Grace. Pourquoi ne pas vous asseoir un peu pour le momentþ?

— J'étais en colère contre elle quand je suis partie, quand je suis arrivée chez vous. Je lui en voulais, j'étais frustrée. Au diable cette histoire, me suis-je dit. Au diable Kathleen. (D'une main tremblante, elle tira une nouvelle bouffée sur sa cigarette.) Je n'arrête pas de me dire que si j'avais simplement réussi à lui parler, si j'avais eu la volonté suffisante pour insister et rester auprès d'elle pour une discussion entre quatre yeux, alors…

— C'est une erreur. C'est toujours une erreur de vouloir maîtriser des choses sur lesquelles on n'a aucun contrôle.

Il tendit la main vers elle mais elle s'esquiva en secouant la tête.

— Mais vous ne voyez pas ? J'aurais pu avoir le contrôle. Personne ne manipule les gens mieux que moi. Ce n'est qu'avec Kath que je n'arrivais pas à trouver les bons leviers. Nous étions toujours tendues quand nous étions ensemble. Je n'en savais même pas assez sur sa vie pour citer six personnes avec lesquelles elle était en contact. Si j'en avais su un peu plus, j'aurais pu identifier le responsable… (Grace laissa échapper un petit rire sans joie.) Oh, bien sûr je lui posais des questions. Kath m'envoyait balader et je n'insistais pas. C'était plus simple comme ça. Sauf que ce soir j'ai découvert qu'elle était accro aux médicaments. (Elle s'aperçut soudain qu'elle ne leur en avait pas parlé. Elle n'avait pas eu l'intention d'informer la police. Poussant un soupir tremblant, elle prit conscience qu'elle ne parlait plus à un flic mais à Ed, le voisin sympa. Il était trop tard pour faire marche arrière ; même s'il n'avait rien dit, il était trop tard pour revenir en arrière en tenant compte du fait qu'il n'était pas simplement un homme aimable au regard doux.) Il y avait trois flacons de Valium dans le tiroir de sa table de nuit. Je les ai découverts et on s'est disputées. Puis, comme je n'arrivais à rien avec elle, je suis partie. C'était plus facile comme ça. (Elle écrasa brutalement sa cigarette et en sortit immédiatement une autre du paquet.) Elle avait des ennuis, elle n'était pas bien, et j'ai trouvé plus simple de m'en aller.

— Grace, dit Ed en s'approchant pour lui prendre la cigarette des mains. C'est aussi plus simple de se rendre responsable.

Elle le dévisagea pendant une minute. Puis elle se plaqua les mains sur le visage tandis que le barrage cédait.

— Mon Dieu, elle a dû avoir si peur ! Elle était toute seule, sans personne pour l'aider. Ed, pourquoi ? Comment quelqu'un a-t-il pu lui faire ça ? Je ne peux pas arranger les choses. Je ne peux pas. (Il la prit dans ses bras et la serra gentiment contre lui. Même quand les doigts de Grace se cramponnèrent à sa chemise et s'enfoncèrent dans sa peau, il la maintint contre lui. Il lui caressa le dos sans dire un mot.) Je l'aimais. Je l'aimais vraiment. Quand je suis arrivée ici, j'étais tellement contente de la voir et pendant un petit moment j'ai cru qu'on allait pouvoir se rapprocher. Après toutes ces années. Et maintenant elle n'est plus là, quelqu'un nous l'a arrachée, et je ne peux rien y changer. Ma mère... Oh, Ed, ma mère... C'est insupportable.

Il fit la seule chose qui lui paraissait utile. Il la souleva dans ses bras et la porta jusqu'au sofa pour la bercer et l'apaiser. Il ne savait pas grand-chose de la manière de réconforter une femme, des mots ou du ton à employer. Il en savait beaucoup sur la mort, le choc et le sentiment d'incrédulité qui s'ensuivait mais il ne s'agissait pas d'une simple inconnue à qui poser des questions ou offrir des condoléances polies. C'était la femme qui l'avait appelé depuis sa fenêtre ouverte, ce matin de printemps. Il connaissait son odeur et le son de sa voix et la façon dont le moindre mouvement de ses lèvres faisait apparaître de petites fossettes. Et à présent elle pleurait contre son épaule.

— Je ne veux pas qu'elle parte, réussit-elle à dire. Je ne supporte pas de penser à ce qui lui est arrivé. À ce qui est en train de se passer.

— Alors n'y pensez pas. Ça n'apporte rien de bon. (Il la serra un peu plus fort contre lui.) Vous ne devriez pas dormir ici cette nuit. Je peux vous héberger chez moi.

— Non, si mes parents appellent… Je ne peux pas. (Elle pressa son visage contre son épaule. Elle n'arrivait plus à réfléchir. Les flots de larmes brouillaient ses pensées. Et il y avait tellement à faire. Mais l'épuisement succédait au choc et elle n'était plus capable de penser clairement.) Vous voulez bien rester ? Je vous en prie, je ne veux pas être seule. Vous voulez bien rester ?

— Bien sûr. Essayez de vous détendre. Je reste avec vous.

Il gisait sur son lit, le cœur battant, les cris résonnant toujours sous son crâne. Son bras lui faisait toujours mal à l'endroit où elle l'avait griffé. Il avait bandé la blessure pour qu'il n'y ait pas de sang sur les draps. Sa mère était tatillonne sur le linge de maison. Mais la douleur constante constituait un rappel. Un souvenir.

Bon sang, il n'aurait jamais pensé que ça serait comme ça. Son corps, son esprit, son âme si une telle chose existait, s'étaient élevés si haut, tendus si fort. Tout ce qu'il avait pu utiliser d'autre, l'alcool, les drogues, le jeûne... Rien de tout ça n'était comparable au plaisir brut qu'il venait de connaître.

Il s'était senti malade. Il s'était senti fort. Il s'était senti invincible.

Était-ce le sexe ? Ou la mise à mort ?

Avec un petit rire, il changea de place sur ses draps humides de sueur. Comment le savoir alors que c'était une première dans un cas comme dans l'autre ? Peut-être était-ce le fascinant mélange des deux. Dans tous les cas, il allait devoir trouver la réponse.

L'espace d'un bref instant, il envisagea froidement de descendre l'escalier pour assassiner l'une des domestiques dans son sommeil. Constatant que l'idée ne lui faisait pas bouillir les sangs, il l'écarta tout aussi froidement, en silence. Il allait attendre quelques jours, prendre le temps de réfléchir à tout cela logiquement. Dans tous les cas, cela ne serait guère excitant de tuer quelqu'un d'aussi peu important à ses yeux qu'une domestique.

Mais Desiree...

Il pivota de nouveau sur lui-même et se mit à pleurer. Il n'avait pas eu l'intention de lui faire du mal. Il avait voulu l'aimer, lui montrer tout ce qu'il avait à donner. Mais elle n'avait pas cessé de hurler et ses cris l'avaient rendu fou, avaient fait naître en lui une passion dont il ignorait même l'existence. Ça avait été magnifique.

Il se demanda si elle avait ressenti cette vague montante et sauvage juste avant de mourir. Il l'espérait. Il avait voulu lui donner le meilleur de lui-même.

Maintenant, elle n'était plus. Bien qu'elle soit morte de sa main, et qu'il y ait trouvé un plaisir inattendu, il pouvait la pleurer. Il n'entendrait plus jamais sa voix excitante, malicieuse et pleine de promesses.

Il fallait qu'il trouve quelqu'un d'autre. Cette simple idée fit frémir ses muscles.

Oui, une autre voix qui ne parlerait qu'à lui. Car il semblait évident qu'une telle splendeur ne pouvait pas se limiter à une fois dans une vie. Il retrouverait Desiree, quel que soit le nouveau nom qu'elle se donnerait.

Roulant sur lui-même, il regarda les premières lueurs de l'aube s'immiscer à travers sa fenêtre.

Il la retrouverait.

5

Grace se réveilla au lever du soleil. Elle n'eut pas le droit au répit d'un moment de désorientation ou de confusion momentanée. Sa sœur était morte et cette affreuse nouvelle ne cessa de résonner sous son crâne tandis qu'elle se forçait à se lever en tentant de faire face.

Kathleen n'était plus et Grace ne pouvait rien y changer. Pas plus qu'elle ne pourrait jamais corriger les lacunes de leur relation. Un fait encore plus dur à affronter à présent, à la lumière du jour, alors que la première vague de chagrin s'était transformée en une sorte de douleur sourde et sèche dans son cœur.

Elles avaient été sœurs mais jamais amies. La vérité était qu'elle n'avait jamais connu Kathleen, pas de la manière dont Grace pouvait prétendre connaître au moins une dizaine d'autres personnes. Elle n'avait jamais eu connaissance des rêves et des espoirs de sa sœur, de ses échecs et de ses désespoirs. Jamais elles n'avaient partagé de secrets excitants ou de minuscules peines. Et elle n'avait jamais insisté, pas vraiment, pas assez fort pour faire tomber la barrière.

Désormais, elle ne pourrait plus jamais savoir. Grace prit son visage entre ses mains pendant un moment, le temps de rassembler ses forces. Elle n'aurait jamais l'occasion de découvrir si ce fossé entre elles était franchissable. Il n'y avait plus qu'une chose à faire pour elle : se préoccuper des détails que la mort laissait impitoyablement dans son sillage, à la charge des vivants.

Elle repoussa la couverture qu'Ed avait étalée sur elle durant la nuit. Il faudrait qu'elle pense à le remercier. Il avait poussé loin le sens du devoir en restant avec elle jusqu'à ce qu'elle parvienne à s'endormir. À présent, il ne lui restait plus qu'à boire cinq litres de café pour être en mesure de décrocher son téléphone et passer les coups de fil qui s'imposaient.

Elle n'avait aucune envie de s'arrêter devant le bureau de sa sœur. Elle aurait voulu passer devant sans même un coup d'œil. Mais elle s'immobilisa avec l'impression d'être obligée de regarder. La porte était sans aucun doute verrouillée et les scellés de la police avaient déjà été posés. Mais son imagination de romancière lui permettait sans mal de voir au-delà du panneau de bois.

À ce moment, elle put se souvenir de ce que son esprit avait capté en dépit du choc. La table renversée, les papiers éparpillés en tous sens, le presse-papiers brisé et le téléphone, le téléphone gisant au sol et à l'envers.

Et sa sœur. À moitié nue et couverte d'ecchymoses et de sang. Au final, on ne lui avait même pas laissé sa dignité.

Kathleen était désormais une affaire, un dossier, un fait divers sur lesquels des curieux s'arrêteraient en prenant leur café ou durant un trajet en voiture. Prendre conscience que Kathleen était pour elle comme une étrangère ne rendait pas les choses plus faciles. Grace aussi aurait lu l'entrefilet en buvant une tasse de café. Les pieds posés sur la table, elle en aurait absorbé le moindre élément. Puis elle aurait découpé l'article et l'aurait mis de côté pour un futur usage possible.

Les meurtres l'avaient toujours fascinée. Après tout, c'était grâce à eux qu'elle gagnait sa vie.

Elle se détourna et continua dans le couloir. Des détails. Elle allait remplir son temps avec des détails jusqu'à ce qu'elle ait la force de faire face à ses émotions. Pour une fois dans sa vie, elle agirait de façon pragmatique. C'était le minimum qu'elle puisse faire.

Elle ne s'était pas attendue à trouver Ed dans la cuisine. Pour un homme aussi massif, il se déplaçait avec discrétion. Elle se sentit soudain étrangement gauche, gênée. Elle ne se souvenait pas d'avoir ressenti ça avec qui que ce soit auparavant.

Il était resté, pas seulement jusqu'à ce qu'elle s'endorme mais toute la nuit. Il était resté auprès d'elle. Peut-être était-ce sa gentillesse qui causait la gêne de Grace. Elle demeura figée sur le seuil à se demander comment on remerciait quelqu'un d'avoir une bonne nature.

Nu-pieds et manches retroussées, il se tenait devant la cuisinière et mélangeait une préparation qui, fâcheusement, évoquait les flocons d'avoine. Par chance, Grace captait aussi des arômes de café.

— Bonjour.

Il se retourna et, au premier coup d'œil, remarqua les cernes sous ses yeux et ses cheveux ébouriffés. Mais elle semblait plus solide que la veille au soir.

— Bonjour. J'espérais que vous dormiriez encore une ou deux heures.

— J'ai beaucoup à faire aujourd'hui. Je ne m'attendais pas à ce que vous soyez là.

Ed prit une tasse et lui servit un café. Lui non plus ne s'était pas attendu à rester sur place, mais il n'avait pas pu se résoudre à partir.

— Vous m'aviez demandé de rester.

— Je sais. (Pourquoi avait-elle de nouveau envie de pleurer ? Elle se força à déglutir puis à respirer profondément pour retrouver son calme.) Je suis navrée, reprit-elle. Vous n'avez sans doute pas dormi.

— Si, quelques heures sur le fauteuil. Les flics sont capables de dormir n'importe où. (Comme elle n'avait pas bougé, il s'approcha et lui tendit son café.) Désolé, dit-il, je ne fais pas un très bon café.

— Ce matin, je crois que je pourrais boire même de l'huile de moteur. (Elle saisit la tasse puis lui prit la main avant qu'il puisse se détourner.) Vous êtes un homme bien, Ed. Je ne sais pas ce que j'aurais fait sans vous la nuit dernière.

Comme il doutait toujours de trouver les mots, il se contenta de serrer ses doigts dans les siens.

— Vous ne voulez pas vous asseoir ? proposa-t-il. Manger un peu vous ferait du bien.

— Je ne crois pas...

Elle sursauta et se renversa du café sur la main au moment où le téléphone sonna.

— Asseyez-vous. Je m'en occupe. (Ed la guida vers une chaise avant de décrocher le combiné. Il écouta quelques instants, lança un bref regard à Grace, puis éteignit le feu sous la casserole.)

MlleþMcCabe n'a aucun commentaire à faire pour le moment, dit-il.

Après avoir raccroché, il servit plusieurs cuillerées de flocons d'avoine dans un bol.

— Il ne leur faut pas longtemps pour réagir, hein ?

— Non. Grace, vous risquez de recevoir des appels tout au long de la journée. La presse sait que vous êtes la sœur de Kathleen et que vous séjournez ici.

Grace hocha la tête. Elle tâcherait de s'y préparer.

— « L'auteur de romans policiers découvre le corps de sa sœur. » Oui, ça ferait une belle une de journal. (Son regard se posa sur le téléphone.) Je peux m'occuper de la presse, Ed.

— Il serait peut-être préférable que vous vous installiez à l'hôtel pendant quelques jours.

Elle secoua la tête. Elle n'y avait pas réfléchi mais sa décision fut immédiate.

— Non. Je dois rester ici. Ne vous inquiétez pas, je sais comment fonctionnent les journalistes. (Elle parvint à sourire avant qu'il puisse chercher à la contredire. Il déposa le bol devant elle puis lui tendit une cuiller.)

— Vous ne vous attendez pas à ce que je mange ça, si ?

— Mais si. Vous allez avoir besoin d'un peu plus qu'un bol de spaghetti froids.

Elle se pencha pour humer le contenu du bol.

— L'odeur me rappelle l'école primaire. (Mais comme elle se sentait redevable envers lui, Grace plongea sa cuiller dans la bouillie.) Il faudra que j'aille au commissariat signer une déclaration ?

— Quand vous serez prête. Le fait que je me sois trouvé sur place simplifie les choses.

Elle hocha la tête puis réussit à avaler sa première cuillerée. Ça n'avait pas le même goût que la préparation de sa mère. Il avait ajouté quelque chose, du miel, du sucre brun peut-être. Mais les flocons d'avoine restaient des flocons d'avoine.

— Ed, vous voulez bien répondre honnêtement à une question ?

— Si je peux.

— Est-ce que vous pensez... Je veux dire, en vous basant sur votre expérience professionnelle, est-ce que vous pensez que la personne, que celui qui a fait ça a choisi cette maison au hasard ?

Il avait déjà réexaminé la pièce durant la nuit, dès qu'il avait eu la certitude que Grace était réellement endormie. Il n'y avait pas grand-chose de valeur mais il avait néanmoins noté la présence d'une machine à écrire électronique neuve à laquelle personne n'avait touché. Et il se souvenait d'avoir vu autour du cou de Kathleen, avant qu'on l'emporte dans sa housse plastifiée, un petit collier en or qu'il n'aurait pas été difficile de revendre pour cinquante ou soixante dollars.

Il pouvait répondre de deux manières : par un mensonge rassurant ou en disant la vérité. Ce furent les yeux de Grace qui le décidèrent. Elle connaissait déjà la vérité.

— Non.

Grace hocha la tête avant de plonger le regard dans son café.

— Je dois appeler Notre-Dame de l'Espoir. J'espère que la mère supérieure pourra recommander un prêtre et une église. Quand est-ce qu'ils me laisseront reprendre Kathleen, d'après vous ?

— Je vais passer quelques coups de fil. J'aimerais vous aider.

Il aurait voulu faire plus mais se contenta de recouvrir sa main de la sienne, même si le geste lui parut maladroit.

Elle baissa les yeux vers ses doigts. Elle aurait facilement pu y nicher les deux siennes. Il y avait de la force dans cette main, le genre capable de défendre sans étouffer. Elle releva la tête vers son visage. On y lisait la même force. Et la fiabilité. Cette idée fit naître un début de sourire sur ses lèvres. Il y avait si peu de choses auxquelles on pouvait se fier dans la vie.

— Je sais, dit-elle en lui touchant doucement la joue. Et vous l'avez déjà fait. C'est à moi maintenant de m'occuper des prochaines étapes.

Il n'avait pas envie de la quitter. D'aussi loin qu'il s'en souvienne, il n'avait jamais ressenti cela envers une femme. Raison pour laquelle il jugea préférable de prendre immédiatement congé.

— Je vais vous noter le numéro du commissariat. Appelez-moi quand vous serez prête à vous y rendre.

— D'accord. Merci pour tout. Très sincèrement.

— On a organisé des patrouilles régulières devant chez vous mais je me sentirais plus tranquille si vous ne séjourniez pas seule ici.

Elle avait vécu seule pendant trop longtemps pour se considérer comme vulnérable.

— Mes parents seront bientôt là.

Il griffonna un numéro sur une serviette en papier puis se leva.

— Je ne suis pas loin en cas de besoin.

Grace attendit que la porte se soit refermée derrière lui puis se leva à son tour pour décrocher le téléphone.

— Personne n'a rien vu, personne n'a rien entendu.

Ben s'appuya contre le flanc de sa voiture et sortit une cigarette. Ils avaient passé la matinée à faire du porte-à-porte, sans résultat. Rien. Il avait décidé de faire une pause en laissant courir son regard sur le voisinage, avec ses maisons fatiguées et ses minuscules jardins.

Où sont les commères ? se demanda-t-il. Où étaient les gens qui observaient toutes les allées et venues depuis un interstice entre leurs rideaux ? Il avait grandi dans un quartier guère différent de celui-ci. Et, tel qu'il s'en souvenait, il suffisait qu'un nouveau lampadaire soit livré chez quelqu'un pour que la nouvelle se répande à travers toute la rue avant même que le propriétaire ait eu le temps de le brancher. Apparemment, la vie de Kathleen Breezewood était tellement insipide que personne ne s'y était intéressé.

— D'après les infos obtenues, Breezewood ne recevait jamais personne, elle arrivait presque invariablement chez elle entre seize heures trente et dix-huit heures. Elle évitait tout contact avec les autres. La nuit dernière, tout était calme. À l'exception du chien du numéro 634 qui s'est mis à aboyer comme un fou vers vingt et une heures trente. Ce qui serait logique si le type s'est garé à un pâté de maisons de là pour passer par leur jardin. Ça pourrait être une bonne idée d'aller questionner les gens de la rue d'à côté pour voir si quelqu'un a remarqué une voiture inconnue ou un type à pied.

Jetant un coup d'œil vers son équipier, il vit qu'Ed fixait un point précis de la rue. Les rideaux étaient toujours tirés chez Kathleen Breezewood. L'endroit paraissait vide mais Grace s'y trouvait toujours.

— Ed ?

— Ouais ?

— Tu veux faire un break pendant que j'interroge les gens de la maison suivante ?

— Je déteste l'idée qu'elle reste toute seule dans cette baraque, expliqua Ed.

— Alors va lui tenir compagnie, proposa Ben en projetant son mégot de cigarette sur le bitume. Je peux m'occuper de la suite tout seul.

Ed hésita. Il était sur le point de décider d'aller voir comment se portait Grace quand un taxi les dépassa. Il ralentit puis s'arrêta trois maisons plus loin. Un homme et une femme sortirent chacun d'un côté du taxi. Tandis que l'homme payait le chauffeur et récupérait un unique sac de voyage, la femme se dirigea vers l'entrée. Même de loin, Ed put constater sa ressemblance avec Grace au niveau de la silhouette, du teint de peau, de la couleur des cheveux. Puis Grace en personne apparut sur le palier. Les sanglots de la femme arrivèrent jusqu'à eux tandis que Grace la serrait dans ses bras.

— Papa...

Ed vit Grace tendre la main et agripper celle de son père. Tous trois restèrent ainsi un moment, quitte à manifester publiquement leur chagrin.

— C'est dur, murmura Ben.

Ed se détourna et plongea les mains dans les poches.

— Viens, dit-il. Peut-être qu'on aura de la chance.

Il frappa lui-même à la porte en résistant à son envie de se retourner pour voir ce que faisait Grace. L'observer à cet instant aurait constitué une intrusion. Et son métier était déjà suffisamment intrusif comme ça.

— Lowenstein se renseigne sur l'ex-mari, lui glissa Ben. Elle devrait avoir des éléments à nous donner à notre retour.

— D'accord.

Ed se massa la nuque. Il avait le cou encore raide d'avoir dormi sur un fauteuil.

— J'ai du mal à imaginer ce mec prenant l'avion jusqu'ici avant de se glisser par la porte de derrière pour tuer sa femme.

— On a déjà connu des trucs plus étranges. Tu te souviens du…

Ben s'interrompit en voyant la porte s'entrouvrir. Il aperçut une tignasse de cheveux blancs et une main noueuse ornée de bagues en verroterie.

— Nous sommes de la police, madame, dit-il en levant son insigne. Accepteriez-vous de répondre à quelques questions ?

— Entrez, entrez. Je vous attendais, répondit une voix que l'âge et l'excitation rendaient chevrotante. Boris, Lillian, poussez-vous un peu ! Oui, nous avons de la visite. Entrez, entrez, répéta-t-elle avec une pointe d'agacement. (Elle se baissa avec force craquements pour s'emparer d'un gros chat apathique.) Allons, Esmeralda, n'aie pas peur. Ce sont des policiers. Vous pouvez vous asseoir, asseyez-vous donc. (La femme se fraya un chemin au milieu des chats – Ben en dénombra cinq – jusque dans une petite pièce poussiéreuse décorée de rideaux en dentelle et de napperons jaunis par l'âge.) Ce matin encore je disais à Esmeralda qu'on devrait s'attendre à avoir de la visite. Asseyez-vous, vraiment, asseyez-vous. (Elle agita une main en direction du sofa recouvert de tant de poils de chats qu'il paraissait vivant.) C'est à propos de cette femme, bien sûr. Cette pauvre femme plus bas dans la rue.

— Oui, madame.

Ed étouffa un éternuement en s'asseyant sur l'extrême rebord des coussins. Un chat roux se tapit à ses pieds et siffla.

— Tiens-toi bien, Bruno ! (La femme sourit d'une manière qui fit danser les rides sur son visage.) Bon, nous voilà bien installés. Je suis Mme Kleppinger. Ida Kleppinger. Mais vous le savez sans doute déjà. (Avec des gestes cérémonieux, elle posa une paire de lunettes sur son nez et se tourna vers eux en plissant les yeux.) Mais dites, vous êtes le jeune homme qui habite à deux maisons d'ici. Vous avez racheté celle des Fowler, c'est ça ? Des gens affreux. Figurez-vous qu'ils n'aimaient pas les chats. Toujours à se plaindre que leurs poubelles se retrouvaient éparpillées partout. Moi je leur avais dit que s'ils posaient correctement les couvercles mes bébés n'iraient jamais s'embêter avec leurs ordures. Ce ne sont pas des sauvages, vous savez. Mes bébés, je veux dire. On est bien contents qu'ils soient partis, ça c'est sûr. Hein, Esmeralda ?

Ed se racla la gorge et tâcha de ne pas inspirer trop profondément. Il apparaissait clairement que des litières pour chat avaient été réparties un peu partout dans la maison.

— Oui madame. Nous aimerions vous poser des questions.

— À propos de cette pauvre Mme Breezewood, oui, oui. On a entendu la nouvelle à la radio ce matin, hein, mes chéris ? Je n'ai pas de téléviseur. J'ai toujours considéré que ces machines vous rendaient stériles. Il l'a étranglée, c'est ça ?

— Nous nous demandions si vous aviez remarqué quelque chose la nuit dernière ?

Ben tenta de ne pas sursauter quand un chat bondit sur ses genoux et se mit à lui pétrir les cuisses, dangereusement près de son bas-ventre.

— On dirait que Boris vous aime bien. C'est bon signe. (La vieille femme s'appuya contre le dossier de son fauteuil et caressa son chat.) On méditait hier soir. J'étais repartie jusqu'au XVIIIeþsiècle. J'ai été l'une des dames de compagnie de la reine, vous savez ? Une époque bien difficile.

— Hmm... (Ils avaient assez perdu de temps. Ben se leva et dut se bagarrer pour faire lâcher prise au chat.) Eh bien, merci de nous avoir reçus.

— Mais de rien. À vrai dire, je n'ai pas été surprise de l'apprendre. Je m'y attendais.

Ed, plus qu'inquiet à l'idée de voir Boris se déchaîner sur ses chaussures, tourna vivement la tête vers elle.

— Ah oui ?

— Oui, absolument. La pauvre petite n'avait aucune chance. Les péchés du passé vous rattrapent toujours.

— Les péchés du passé ? (De nouveau intéressé, Ben hésita avant de demander :) Vous connaissiez bien Mme Breezewood ?

— Intimement. Nous avons survécu à la bataille de Vicksburg ensemble. Un moment terrible. En fait, j'entends encore les tirs de canons. Mais son aura…

Mme Kleppinger secoua tristement la tête.

— Elle était condamnée, j'en ai peur. Elle a été assassinée par un groupe de maraudeurs yankees.

Bien qu'habituellement très patient, Ed commençait à s'agacer.

— Madame, nous sommes surtout intéressés par ce qui est arrivé à Mme Breezewood hier soir.

— Oui, bien sûr, dit-elle. (Ses lunettes glissèrent sur son nez, si bien qu'elle se retrouva à les regarder de ses grands yeux myopes.) Une femme si triste. Sexuellement refoulée, je n'en doute pas. J'ai pensé qu'elle serait peut-être plus joyeuse une fois sa sœur arrivée, mais ça n'a pas paru être le cas. Je la vois partir travailler chaque matin pendant que j'arrose mes gardénias. Tendue. Cette femme était tendue, une vraie boule de nerfs, exactement comme dans mon souvenir de Vicksburg. Et puis il y a cette voiture qui l'a suivie, un matin.

Ben se rassit, et tant pis pour les chats.

— Quelle voiture ?

— Oh, l'un de ces modèles noirs coûteux, très gros et très discret. Je ne m'y serais pas intéressée mais pendant que j'arrosais mes gardénias… Il faut faire attention avec les gardénias. C'est fragile. Bref, pendant que j'arrosais, j'ai vu la voiture passer dans la rue derrière celle de Mme Breezewood et j'ai été prise de terribles palpitations. (Elle agita une main devant son visage comme pour tenter de se rafraîchir. La verroterie qui décorait ses doigts était trop terne pour scintiller dans la lumière.) Mon cœur s'est mis à battre la chamade, au point que j'ai dû m'asseoir. Comme à Vicksburg... et pendant la Révolution, évidemment. Je n'avais plus en tête que cette pauvre Lucilla. C'était son nom autrefois, Lucilla Greensborough. Pauvre Lucilla, ça va recommencer. Je n'y pouvais rien, bien sûr, expliqua-t-elle en reprenant les caresses sur le dos de son chat. Après tout, le destin c'est le destin.

— Vous avez pu voir qui conduisait la voiture ?

— Mon Dieu, non. Mes yeux ne sont plus ce qu'ils étaient.

— Avez-vous pris note de la plaque minéralogique ?

— Mon cher, je verrais à peine un éléphant dans la cour du voisin. (Elle repoussa ses lunettes vers le haut de son nez, obligeant ses yeux à accommoder.) J'ai encore mes ressentis, mes sensations. Cette voiture s'accompagnait de mauvaises sensations. La mort. Ah oui, je n'ai pas été surprise du tout d'entendre la nouvelle à la radio ce matin.

— Madame Kleppinger, vous souvenez-vous de la date à laquelle vous avez remarqué cette voiture ?

— Le temps ne signifie rien. Tout est cyclique. La mort est un événement tout à fait naturel et très temporaire. Elle reviendra et peut-être que cette fois, enfin, elle sera heureuse.

Ben referma la porte d'entrée derrière lui et remplit ses poumons.

— Bon sang, quelle odeur !

Il tâta précautionneusement le haut de sa cuisse.

— J'ai bien cru que ce petit saligaud m'avait griffé jusqu'au sang. Et il n'est sûrement pas à jour de ses vaccins, en plus. (En retournant vers la voiture, il tenta vainement de se débarrasser des poils de chat qui s'accrochaient à ses vêtements.) Qu'est-ce que tu penses de cette dame ?

— Elle a perdu quelques cases depuis Vicksburg. Elle a peut-être vu une voiture. (En jetant un regard en arrière, il constata que plusieurs des fenêtres de la maison de Kleppinger offraient une vue dégagée sur la rue.) Une voiture aurait éventuellement pu être en train de suivre celle de Breezewood. Dans tous les cas, ça nous fait une belle jambe.

— D'accord avec toi, dit Ben en s'installant derrière le volant. Tu veux aller voir une minute ? demanda-t-il avec un geste du menton vers la maison plus bas dans la rue. Ou bien on retourne au commissariat ?

— Allons-y. Elle a sûrement besoin d'être tranquille avec ses parents.

Grace avait servi et resservi sa mère en thé assaisonné d'alcool. Elle avait tenu la main de son père. Elle avait de nouveau éclaté en sanglots, jusqu'à n'avoir même plus assez d'énergie pour pleurer. Parce qu'ils en avaient besoin, Grace avait menti. Dans sa version de l'histoire, Kathleen avait largement progressé dans l'établissement de sa nouvelle vie. Elle ne fit aucune mention des somnifères ou de l'amertume sous-jacente de Kathleen. Si celle-ci l'ignorait, Grace avait conscience que ses parents avaient fondé de grands espoirs sur leur fille aînée.

Ils avaient toujours considéré Kathleen comme l'enfant la plus stable, la plus fiable, tout en étant capable de sourire aux facéties de Grace. Ils avaient pris plaisir à la créativité de Grace sans pouvoir vraiment la comprendre. Kathleen, avec son mariage conventionnel, son beau mari et son charmant bambin, était facile à comprendre.

Le divorce les avait secoués, c'est vrai. Mais ils étaient des parents aimants et avaient pu aménager suffisamment leurs convictions pour l'accepter, tout en gardant l'espoir qu'avec le temps, leur fille finirait par se réconcilier avec sa petite famille.

Ils devaient désormais accepter que ce ne serait jamais le cas. Ils devaient faire face au fait que leur fille aînée, celle dans laquelle ils avaient placé leurs premiers espoirs, était morte. C'était suffisamment dur comme ça, avait estimé Grace.

Elle ne mentionna donc pas les sautes d'humeur, le Valium ou le ressentiment qui, elle l'avait découvert, dévorait Kathleen de l'intérieur.

— Tu dis qu'elle était heureuse ici, Gracie ?

Louise McCabe s'était recroquevillée contre son mari et déchirait en petits morceaux le mouchoir en papier serré entre ses doigts crispés.

— Oui maman.

Grace n'aurait pas su dire combien de fois elle avait répondu à cette question durant l'heure écoulée. Mais elle continuait à apaiser sa mère. Elle ne l'avait jamais vue aussi désemparée. Toute sa vie, Louise McCabe avait été une femme forte qui prenait les décisions et les appliquait. Et son père avait toujours été présent. C'était lui qui glissait un billet de cinq dollars dans les mains tendues de ses filles ou nettoyait quand le chien s'était oublié sur le tapis.

En le regardant, à présent, elle prit soudain conscience pour la toute première fois qu'il avait vieilli. Ses cheveux étaient plus clairsemés qu'à l'époque où elle était enfant. Sa peau avait bronzé sous l'effet du temps qu'il passait dehors. Son visage s'était arrondi. C'était un homme dans la fleur de l'âge, songea-t-elle, vigoureux et en bonne santé. Mais à cet instant il avait les épaules tombantes et la lueur qui pétillait habituellement dans son regard s'était éteinte.

Elle aurait voulu serrer contre elle ces deux personnes qui avaient fait en sorte que tout se passe bien pour elle. Elle aurait voulu remonter la grande horloge du temps afin de les ramener tous dans la maison de banlieue de leur jeunesse, avec leur chien hirsute.

— Nous voulions qu'elle vienne passer quelque temps à Phoenix, reprit Louise en se tapotant les yeux avec les restes de son mouchoir. Mitch lui en avait parlé. Elle écoutait toujours son père. Mais pas cette fois. Nous étions tellement contents de savoir que tu lui rendais visite. Avec tous les ennuis qu'elle a eus… Pauvre petit Kevin… Le pauvre, le pauvre, répéta-t-elle en fermant les paupières.

— Quand pourra-t-on la voir, Gracie ?

Celle-ci serra la main de son père dans la sienne tout en le dévisageant avec intensité. Il balayait la pièce du regard en essayant, pensa-t-elle, de mémoriser tout ce qui restait de sa fille aînée. Il y avait si peu de chose dans cette maison : quelques livres, un vase de fausses fleurs en soie. Elle garda sa main dans la sienne avec l'espoir qu'il ne verrait pas combien la pièce était froide.

— Peut-être ce soir. J'ai demandé au père Donaldson de passer cet après-midi. Il vient de notre ancienne paroisse. Pourquoi tu ne montes pas dans la chambre, maman, afin d'être reposée quand il arrivera ? Tu te sentiras mieux en lui parlant.

— Grace a raison, Lou. (Il avait vu. Comme Grace, son père remarquait les détails. La seule vraie trace de vie dans la pièce tenait à la veste que Grace avait négligemment jetée sur un dossier de chaise. Un détail qui lui donnait encore plus envie de pleurer que tout le reste même s'il aurait été incapable de dire pourquoi.) Je t'accompagne, dit-il à sa femme.

Elle s'appuya lourdement sur lui, silhouette svelte à la chevelure noire et au dos solide. En les regardant partir, Grace prit conscience que, dans leur deuil, il l'avait placée elle à la tête de la famille. Elle espérait avoir la force de remplir ce rôle.

Elle avait tellement pleuré que son esprit était embrumé, encombré par les démarches qu'elle avait déjà faites et celles qui restaient à régler. Elle savait que lorsque le chagrin refluerait, ses parents trouveraient du réconfort dans leur foi.

Pour Grace, c'était la première fois que s'imposait le fait que la vie n'était pas toujours un jeu auquel on jouait avec le sourire et un cerveau plein d'astuce. L'optimisme ne faisait pas systématiquement office de bouclier face au pire de ce qu'elle avait à offrir. Et l'acceptation ne suffisait pas toujours.

Jamais auparavant elle n'avait eu à subir un impact émotionnel aussi puissant, ni personnellement ni professionnellement. Elle n'avait jamais estimé avoir mené une existence protégée et n'avait jamais eu beaucoup de patience envers ceux qui se plaignaient de leur sort. Aux gens de savoir façonner leur propre fortune. Quand la route devenait difficile, il suffisait de partir un peu en roue libre le temps de trouver le meilleur moyen de s'en sortir, avait-elle toujours pensé.

Quand elle avait décidé d'écrire, elle s'était assise à son bureau et mise au travail. Il était vrai qu'elle avait un talent naturel, une imagination fluide et une capacité à travailler, mais elle était également habitée par l'idée que si elle voulait quelque chose avec assez de détermination, elle l'obtiendrait. Elle n'avait pas eu à se serrer la ceinture ni rencontré l'angoisse de la page blanche. Ni doutes ni tourments d'artiste. Elle avait pris ses économies et déménagé à New York. Un boulot à mi-temps avait payé le loyer pendant qu'elle bouclait son premier roman en quatre-vingt-dix jours intenses et haletants.

Quand elle avait décidé de tomber amoureuse, elle l'avait fait avec le même genre de verve et d'énergie. Il n'y avait eu ni regrets ni hésitations. Elle s'était nourrie de ce sentiment pendant tout le temps qu'il avait duré et quand cela s'était terminé, elle avait tourné la page sans larmes, sans récriminations.

Elle avait presque trente ans et n'avait jamais eu le cœur brisé ni ses rêves piétinés. Elle avait sans doute été secouée une fois ou deux mais avait toujours réussi à retrouver son équilibre pour reprendre sa trajectoire. À présent, pour la première fois dans le tourbillon de sa vie, elle se heurtait à un mur sans pouvoir l'escalader ou bien y ouvrir une brèche. La mort de sa sœur n'était pas quelque chose qu'elle pouvait changer en se laissant porter par les événements. Impossible de considérer le meurtre de Kathleen comme l'une des petites surprises que réservait l'existence.

Elle avait envie de hurler, de balancer quelque chose à travers la pièce, d'exploser de rage. Au moment de débarrasser les tasses, elle constata que ses mains tremblaient. Si elle avait été seule, elle se serait abandonnée à ses pulsions. Elle se serait même probablement complu dans son malheur. Au lieu de quoi elle se força à reprendre son calme. Ses parents avaient besoin d'elle. Pour la première fois, ils avaient besoin d'elle. Et elle refusait de les décevoir.

Quand la sonnette retentit, elle posa les tasses et alla ouvrir. Si le père Donaldson arrivait plus tôt que prévu, elle en profiterait pour discuter de l'organisation des funérailles avec lui. Mais lorsqu'elle ouvrit la porte, ce fut pour découvrir non un prêtre, mais Jonathan Breezewood troisième du nom.

— Grace, dit-il avec un hochement de tête mais sans lui tendre la main. Puis-je entrer ? (Elle dut réprimer une envie de lui claquer la porte au nez. Il ne s'était pas préoccupé de Kathleen quand elle était en vie, pourquoi serait-ce différent à présent qu'elle était morte ? Sans un mot, elle fit un pas de côté.) Je me suis mis en route dès l'instant où j'ai été informé.

— Il y a du café dans la cuisine.

Elle repartit dans le couloir en lui tournant le dos. Sentant sa main sur son épaule, et surtout parce qu'elle ne voulait pas montrer la moindre faiblesse devant lui, elle s'arrêta devant le bureau de Kathleen.

— Ici ?

— Oui. (Elle le dévisagea assez longtemps pour voir quelque chose passer sur ses traits. Chagrin, dégoût, regret. Elle était trop lasse pour s'en soucier vraiment.) Tu n'es pas venu avec Kevin.

— Non, répondit-il sans détourner les yeux de la porte. Non, j'ai jugé préférable qu'il reste auprès de mes parents.

Comme elle ne pouvait qu'acquiescer, Grace resta silencieuse. C'était un enfant, trop jeune pour devoir affronter des funérailles ou les lamentations du deuil.

— Mes parents se reposent à l'étage, dit-elle.

— Ils vont bien ?

— Non. (Son instinct la poussait à s'éloigner de la porte fermée. Elle repartit vers le salon.) Je n'étais pas sûre que tu viendrais, Jonathan.

— Kathleen était ma femme, la mère de mon fils.

— Oui. Mais ce n'était apparemment pas suffisant pour garantir ta fidélité.

Il l'observa avec des yeux très calmes. Il était indéniablement bel homme, avec des traits nets, une épaisse chevelure d'un blond californien, un corps bien entretenu. Mais c'était son regard que Grace avait toujours trouvé si déplaisant. Calme, toujours calme, à la limite de la froideur.

— Non, en effet. Je ne doute pas que Kathleen t'a raconté sa version de notre mariage. Il ne serait guère approprié que je te donne à présent la mienne. Je suis venu pour que tu m'expliques ce qui s'est passé.

Luttant pour garder son sang-froid, Grace leur versa du café. Elle n'avait rien avalé d'autre de la journée.

— Kathleen a été assassinée. Violée et étranglée dans son bureau la nuit dernière.

Jonathan accepta la tasse qu'elle lui tendait et s'assit avec lenteur.

— Tu étais là quand... quand ça s'est produit ?

— Non, j'étais sortie. Je suis revenue peu après vingt-trois heures et je l'ai trouvée.

— Je vois. (Ce qu'il ressentait - s'il ressentait effectivement quelque chose - n'était pas audible dans ces deux petits mots.) La police a-t-elle une idée de qui a fait ça ? demanda-t-il.

— Pas pour le moment. Mais n'hésite pas à aller leur parler. Les inspecteurs Jackson et Paris sont chargés de l'affaire.

Il hocha de nouveau la tête. Avec les contacts dont il disposait, il pourrait obtenir dans l'heure des copies des rapports de police sans avoir à s'adresser directement aux inspecteurs.

— Vous avez prévu une date pour les funérailles ?

— Après-demain. Onze heures. Il y aura une messe à St. Michael, l'église à laquelle nous allions autrefois. Et demain soir une veillée funèbre, parce que c'est important pour mes parents. Établissement Pumphrey. L'adresse est dans l'annuaire.

— Je serais heureux de pouvoir vous assister pour l'organisation ou les dépenses associées.

— Non.

— Dans ce cas... (Il se leva sans avoir goûté son café.) Je séjourne à l'hôtel Washington si tu as besoin de me contacter.

— Je ne le ferai pas.

Il haussa un sourcil en entendant le venin dans la voix de Grace. Elles avaient beau être sœurs, il n'avait jamais perçu la moindre ressemblance entre Kathleen et Grace.

— Tu n'as jamais pu me voir en peinture, n'est-ce pas ?

— Pas vraiment. Mais peu importe ce que nous pensons l'un de l'autre désormais. Je voudrais simplement te dire une chose. (Elle extirpa la dernière cigarette de son paquet et l'alluma sans trembler. Le mépris qu'elle avait pour lui lui conférait une force envers laquelle elle ne pouvait qu'être reconnaissante.) Kevin est mon neveu. J'ai bien l'intention de lui rendre visite à chaque fois que je serai en Californie.

— Naturellement.

— De même que mes parents. (Elle pinça les lèvres quelques instants.) Kevin est tout ce qui leur reste de Kathleen. Ils vont avoir besoin de rester en contact avec lui.

— Cela va sans dire. J'ai toujours estimé que ma relation avec tes parents était des plus raisonnables.

— Tu te considères comme un homme raisonnable ? Tu trouves raisonnable de séparer Kevin de sa mère ? demanda-t-elle d'une voix qui sourdait l'amertume.

Elle s'en trouva elle-même surprise. L'espace d'une seconde, elle avait parlé comme Kathleen.

Il ne répondit pas tout de suite. Malgré l'absence d'expression sur ses traits, elle eut l'impression d'entendre s'animer les rouages de son esprit. Lorsqu'il prit la parole, ce fut d'une voix dénuée de sentiment.

— Oui. Je connais la sortie.

Elle le maudit. Pivotant sur elle-même pour s'effondrer contre le plan de travail, elle le maudit jusqu'à se vider de toute son énergie.

Ed plongea son visage dans un lavabo rempli d'eau froide et retint son souffle. Cinq secondes, puis dix. Il sentit la fatigue qui se dissipait. Une journée de travail de dix heures n'avait rien d'exceptionnel. Une journée de dix heures après avoir dormi deux heures non plus. Mais l'inquiétude, si. Il était en train de se rendre compte que cela sapait son énergie plus sûrement qu'un grand verre de gin.

Qu'était-il censé dire à Grace ? Il releva la tête et l'eau s'écoula le long de sa barbe. Ils n'avaient pas trouvé la moindre piste. Rien de rien. Grace était assez intelligente pour savoir que si la piste refroidissait durant les vingt-quatre premières heures, elle se transformerait très vite en impasse.

Ils avaient une vieille femme un peu folle qui avait peut-être vu une voiture ayant possiblement, un jour incertain, suivi la voiture de la sœur. Ils avaient les aboiements d'un chien. Kathleen Breezewood n'avait ni amis proches ni collaborateurs, personne de plus intime que Grace elle-même.

Si celle-ci leur avait raconté tout ce qu'elle savait, la piste conduisait à un suspect inconnu. Quelqu'un qui aurait aperçu Kathleen sur le trajet vers son travail, au marché, dans son jardin. La ville connaissait son lot de violence, provoquée ou non. À ce stade, cela donnait l'impression que Kathleen n'était qu'une victime malchanceuse de plus.

Ils avaient questionné deux types dans la matinée. Deux brutes en liberté conditionnelle dont les avocats avaient obtenu la sortie de prison après des agressions distinctes contre des femmes. Rassembler les preuves et effectuer une arrestation dans les règles ne garantissaient pas une condamnation, pas plus que la loi ne garantissait la justice. Ils n'avaient pas de quoi inculper l'un ou l'autre et – même si Ed savait que tôt ou tard ils violeraient sans doute une autre femme – ils n'avaient pas tué Kathleen Breezewood.

Tout ça était insuffisant. Il prit une serviette dans un placard. Les portes en treillis qu'il avait sélectionnées pour ce placard étaient posées contre un mur au rez-de-chaussée, attendant d'être poncées. Ed avait prévu de se pencher dessus pendant une heure ou deux ce soir-là afin de pouvoir les installer durant son jour de congé. Mais il avait l'intuition que cette fois, travailler de ses mains n'apaiserait pas son esprit.

Il pressa la serviette contre son visage et projeta d'appeler Grace. Pour lui dire quoi ? Il s'était assuré qu'elle soit informée de la mise à sa disposition du corps de Kathleen dans la matinée. Le rapport du médecin légiste l'attendait sur son bureau lorsqu'il était passé au commissariat vers dix-huit heures.

Inutile de donner les détails à Grace. Agression sexuelle, mort par strangulation. Décès survenu entre vingt et une heures et vingt-deux heures. Café et Valium présents dans le système digestif de la victime, sans grand-chose d'autre. Groupe sanguin O positif. Ce qui signifiait que l'auteur du crime était A positif. Kathleen ne l'avait pas laissé s'en tirer indemne.

Elle lui avait arraché de la peau et des poils en même temps que du sang. Ils savaient donc qu'il était blanc et jeune. Moins de trente ans.

Ils avaient relevé des empreintes partielles sur le cordon de téléphone, ce qui indiquait à Ed soit que le tueur était stupide, soit que le meurtre n'était pas prémédité. Mais les empreintes n'étaient utiles que quand on pouvait établir une correspondance. Jusqu'à maintenant, l'ordinateur n'avait rien trouvé.

S'ils appréhendaient le coupable, ils disposeraient de suffisamment de preuves pour aller au procès. Peut-être assez pour le faire condamner. S'ils lui mettaient la main dessus.

Ce n'était pas suffisant.

Il déposa la serviette sur le rebord du lavabo. Était-il sur les nerfs parce que le meurtre avait été commis dans la maison voisine de la sienne ? Parce qu'il connaissait la victime de vue ? Parce qu'il s'était laissé aller à fantasmer un peu sur la sœur de la femme assassinée ?

Avec un petit rire, il chassa les mèches humides qui retombaient devant son visage et descendit l'escalier.

Non, il doutait que ses sentiments pour Grace – quels qu'ils puissent être – aient un quelconque rapport avec ce que lui soufflait son instinct. Le fait que cette histoire dissimulait quelque chose de plus sombre encore que le meurtre.

Cela s'était certes produit tout près de chez lui mais il avait déjà perdu des gens bien plus proches que Kathleen Breezewood. Des collègues, des gens dont il connaissait la famille. Leur mort l'avait plongé dans la colère et la frustration, mais pas dans cette espèce de nervosité.

Bon sang, il se sentirait vraiment mieux si Grace voulait bien quitter cette maison.

Il se rendit dans la cuisine. Il était toujours plus à l'aise dans cette pièce qu'il avait rebâtie et réaménagée de ses propres mains. L'esprit préoccupé, il saisit un panier de fruits avec l'intention d'en faire une salade. Il s'y attaqua avec l'efficacité d'un homme habitué à se débrouiller seul – et bien – pendant l'essentiel de sa vie.

Beaucoup des hommes qu'il connaissait se satisfaisaient de manger un truc en boîte ou des plats tout prêts au-dessus de l'évier. Pour Ed, c'était sans doute l'acte le plus déprimant qui soit de la vie de célibataire. Le four à micro-ondes avait encore fait empirer les choses depuis qu'on pouvait s'acheter un repas complet dans une boîte, le réchauffer en cinq minutes et le manger sans se servir ni d'une casserole ni d'une assiette. Bien conçu, pratique et tristement solitaire.

Il mangeait souvent seul, avec un livre pour compagnon, mais il faisait plus que surveiller son cholestérol et la quantité de glucides qu'il ingérait. C'était une question d'attitude, avait-il décidé depuis longtemps. De vraies assiettes sur une vraie table faisaient toute la différence entre un repas avec soi pour compagnie et un repas pathétique de solitude.

Il mit des carottes et du céleri dans sa centrifugeuse et les laissa tournoyer à l'intérieur. Il fut surpris en entendant quelqu'un frapper à la porte de derrière. Ben passait parfois mais il n'était pas du genre à frapper. L'intimité entre coéquipiers ressemblait à celle qui se développait entre conjoints.

Ed éteignit la machine puis s'essuya les mains dans un torchon avant d'ouvrir la porte.

— Salut, lui dit Grace avec un sourire mais sans sortir les mains de ses poches. J'ai vu de la lumière alors j'ai sauté par-dessus la clôture.

— Entrez donc.

— J'espère ne pas vous déranger. Je ne voudrais pas être estampillée « voisine pénible ». (En arrivant dans la cuisine, elle se sentit à l'aise et en sécurité pour la première fois depuis des heures. Elle s'était convaincue qu'elle était là pour lui poser les questions qui devaient l'être mais avait conscience de chercher aussi une forme de réconfort.) J'interromps votre dîner... Pardon, je m'en vais.

— Grace, asseyez-vous.

Elle hocha la tête, reconnaissante, et se promit de ne pas éclater en sanglots ni de laisser cours à sa colère.

— Mes parents sont partis à l'église. Je ne m'étais pas rendu compte de ce que je ressentirais en me retrouvant toute seule chez Kathleen. (Elle s'assit et parut hésiter entre poser ses mains sur ses cuisses ou sur la table, optant finalement pour ses cuisses.) Je voudrais vous remercier d'avoir accéléré la procédure, la paperasserie, tout ça. Je ne sais pas si mes parents auraient pu tenir un jour de plus sans... eh bien, sans voir Kath. (Elle remit ses mains sur la table.) Ne me laissez pas vous retarder pour dîner, d'accord ?

Il s'aperçut qu'il aurait été ravi de rester là plusieurs heures à simplement la contempler. Constatant qu'il était en train de la regarder fixement, il tourna son attention vers la salade.

— Vous avez faim ?

Elle fit non de la tête et parvint presque à sourire une deuxième fois.

— Nous avons mangé avant leur départ. Je me suis dit que le seul moyen de faire en sorte qu'ils avalent quelque chose était de donner l'exemple. C'est étonnant comme un événement de ce genre peut inverser les rôles. Qu'est-ce que c'est ? demanda-t-elle en désignant le verre qu'Ed avait posé sur la table.

— Du jus de carotte. Vous en voulez ?

— Vous buvez des carottes ? (Ce n'était pas très important en soi, mais suffisant pour lui tirer une sorte de rire.) Vous auriez de la bière, plutôt ? demanda-t-elle.

— Bien sûr.

Il en sortit une du réfrigérateur, se souvint de prendre aussi un verre et déposa les deux devant elle. Et lorsqu'il tira un cendrier d'un tiroir du meuble de cuisine, elle le gratifia d'un regard de profonde gratitude.

— C'est super sympa, Ed.

— Pas de problème. Vous aurez besoin d'aide demain ?

— Je pense que je m'en sortirai. (Sans prêter attention au verre, elle but sa bière directement au goulot.) Je suis désolée mais je me sens obligée de vous demander si vous avez découvert quoi que ce soit.

— Non. Nous en sommes encore à l'étape préliminaire, Grace. Ça prend du temps.

Elle hocha la tête mais elle savait aussi bien que lui que le temps jouait contre eux.

— Jonathan est en ville. Vous allez l'interroger ?

— Oui.

— Je veux dire, vous en personne, précisa-t-elle.

Elle sortit une cigarette tandis qu'il s'asseyait en face d'elle.

— Je suis certaine qu'il y a plein de bons flics dans votre commissariat mais est-ce que vous pouvez vous en charger ?

— D'accord.

— Il cache quelque chose, Ed.

Voyant qu'il ne disait rien, elle reprit sa bière. Il ne servirait à rien de devenir hystérique, de lancer les accusations qui avaient mijoté sous son crâne toute la journée durant. Ed était certes gentil et à l'écoute, mais il ne prendrait rien au sérieux de tout ce qu'elle pourrait dire sous le coup de l'émotion.

Et la vérité était qu'elle cherchait à se convaincre que Jonathan était responsable. Ce serait simple, tangible. Il était tellement plus difficile de détester un étranger.

— Écoutez, j'ai bien conscience de ne pas être en pleine possession de mes moyens. Et je sais que j'ai l'air d'être partiale envers Jonathan. (Elle inspira profondément. Sa voix lui semblait calme et raisonnable. Elle n'entendait pas – contrairement à Ed – l'écho de désespoir qu'elle charriait.) Mais il cache quelque chose, assura-t-elle. C'est plus qu'une intuition, Ed. Vous avez été formé à observer les gens, chez moi c'est inné. J'étais à peine née que je cataloguais déjà les gens. Je ne peux m'en empêcher.

— Notre vision se trouble quand on a le nez collé sur quelque chose, Grace.

Elle se hérissa, poussée par le stress des dernières vingt-quatre heures. Elle sentit enfler la colère et la maîtrisa de justesse.

— Très bien. C'est pour ça que je vous demande de lui parler. Vous pourrez juger par vous-même. Et après vous me direz.

Ed mangeait lentement sa salade. Plus longtemps il attendrait, songea-t-il, plus ce serait difficile.

— Grace, je ne peux pas vous donner d'informations à propos de l'enquête, rien de spécifique, rien de plus que ce que les services de police décideront de faire connaître à la presse.

— Je ne suis pas une foutue journaliste, je suis sa sœur ! Si Jonathan a quelque chose à voir avec ce qui est arrivé à Kathleen, n'ai-je pas le droit de le savoir ?

Il garda ses yeux braqués sur les siens, très calme et soudain distant.

— Possible. Mais je n'ai pas le droit de vous dire quoi que ce soit tant que ce n'est pas officiel.

— Je vois. (Avec des gestes lents et maîtrisés qu'elle ne faisait que lorsqu'elle contrôlait délibérément son ressentiment, Grace écrasa sa cigarette.) Ma sœur a été violée et assassinée. J'ai découvert son corps. Je suis la seule qui reste pour réconforter mes parents. Mais l'inspecteur dit que l'enquête est confidentielle.

Elle se leva, consciente d'être au bord d'une nouvelle explosion de sanglots.

— Grace…

— Non, épargnez-moi vos platitudes. Sinon, je vous en voudrai. (Elle se força à retrouver un peu de tranquillité et le dévisagea.) Vous avez une sœur, Ed ?

— Ouais.

— Réfléchissez-y, dit-elle en retournant jusqu'à la sortie. Et vous me direz quelle importance vous accorderiez aux procédures des services de police si vous deviez l'enterrer.

Quand la porte se referma, Ed repoussa son assiette et se saisit de la bière de Grace. Il termina la bouteille en deux longues gorgées.

6

Jerald n'aurait pas vraiment su dire pourquoi il avait envoyé des fleurs pour les funérailles. Sans doute en partie parce qu'il lui semblait nécessaire de reconnaître et saluer le rôle unique et très particulier que Desiree avait joué dans sa vie. Il se disait également que ce geste lui permettrait peut-être de tourner la page, de cesser de rêver d'elle.

Il cherchait déjà quelqu'un d'autre, passant des heures à tendre l'oreille à la recherche de la voix qui le ferait vibrer d'excitation. Il n'avait jamais douté qu'il la trouverait, qu'il la reconnaîtrait en une seule phrase, en un seul mot. La voix le mènerait à la femme. Et la femme le mènerait à la splendeur.

Il était important d'être patient, le timing était crucial, mais il n'était pas sûr de savoir combien de temps il pourrait attendre. La pratique avait été tellement spéciale, unique en son genre. En faire de nouveau l'expérience serait, eh bien, peut-être comme de mourir.

Il en perdait le sommeil. Même sa mère l'avait constaté, elle qui ne remarquait pas grand-chose entre deux comités et cocktails mondains. Bien entendu, elle avait accepté l'excuse qu'il lui avait servie, affirmant qu'il étudiait jusqu'à des heures tardives. Elle lui avait tapoté la joue et l'avait gentiment réprimandé en lui disant de ne pas travailler si dur. Quelle idiote ! Mais il ne lui en voulait pas.

Ses préoccupations avaient toujours fourni à Jerald les latitudes dont il avait besoin pour ses propres activités. En retour, il lui avait offert l'illusion d'un fils idéal. Il n'écoutait jamais de musique trop fort et restait à l'écart des fêtes et des beuveries. De telles choses étaient tellement puériles, de toute manière.

Il aurait pu ne voir dans l'école qu'une perte de temps mais il s'assurait de conserver une bonne, voire une excellente moyenne. Le moyen le plus simple d'empêcher les gens de vous ennuyer consistait à leur donner ce qu'ils voulaient. Ou en tout cas de le leur faire croire.

Il était méticuleux, presque tatillon, quant à l'entretien de sa chambre et son hygiène personnelle. De cette façon, il avait obtenu que les domestiques restent en dehors de son espace privé. Sa mère y voyait une forme légère, et même attachante, d'excentricité. Et cela lui garantissait que personne ne trouverait sa réserve secrète de drogues.

Plus important encore : aucun domestique, aucun membre de la famille et aucun ami ne touchait jamais à son ordinateur.

Il avait une aptitude naturelle pour les machines. Elles étaient tellement meilleures, tellement plus claires et logiques que les gens. Il avait quinze ans à l'époque où il avait trouvé le moyen de puiser dans le compte bancaire de sa mère. Cela avait été si simple de prendre ce dont il avait besoin, et tellement plus satisfaisant que de le demander. Il s'était également servi dans d'autres comptes, mais s'était rapidement lassé de l'argent.

C'est à ce moment qu'il avait découvert les joies du piratage de téléphone et à quel point c'était excitant d'écouter d'autres personnes. Il se sentait comme un fantôme. Au départ, il était tombé par accident sur la ligne de chez Fantasme. Mais cela n'avait pas tardé à monopoliser tout son temps.

Il ne pouvait pas s'arrêter. Pas avant d'avoir trouvé la prochaine, pas avant d'être tombé sur la voix qui apaiserait les martèlements sous son crâne. Mais il devait se montrer prudent.

Sa mère était certes une idiote, mais son père… Si son père remarquait quoi que ce soit, il poserait des questions. En y pensant, Jerald ressentit le besoin de prendre une pilule, puis une deuxième. Il avait beau préférer les amphétamines aux barbituriques, il voulait dormir cette nuit, d'un sommeil sans rêves. Il savait très bien à quel point son père était malin.

Celui-ci avait employé son talent au tribunal pendant des années avant d'opérer une transition quasiment sans heurt vers la politique. Du Congrès au Sénat, Charlton P. Hayden s'était construit une réputation de pouvoir et d'intelligence. Son image était celle d'un homme riche et privilégié mais sensible aux besoins du peuple, qui se battait pour des causes perdues et l'emportait. Un parangon de vertu sans la moindre ombre pour ternir sa réputation. Non, son père avait toujours été un homme très prudent, très déterminé, très intelligent.

Jerald n'en doutait pas : à la fin de cette année de campagne, une fois les votes comptabilisés et les derniers confettis nettoyés, son père serait le plus jeune et le plus glamour des présidents à fouler le Bureau ovale depuis Kennedy.

Charlton P. Hayden n'apprécierait pas d'apprendre que son fils unique, son futur héritier, avait étranglé une femme et attendait l'occasion de recommencer.

Mais Jerald se savait très futé. Personne n'apprendrait jamais que le fils du candidat le plus en vue au poste de président des États-Unis avait pris goût au meurtre. S'il était capable de le dissimuler à son père, il pourrait le dissimuler au reste du monde.

Alors il avait envoyé les fleurs et restait assis dans l'obscurité, tard dans la nuit, en attendant la voix et les mots qu'il lui fallait.

— Merci d'être venue, ma sœur.

Grace savait qu'il était ridicule de se sentir mal à l'aise en serrant la main d'une nonne. Mais impossible de ne pas se remémorer le nombre de fois que l'une d'elles lui avait cinglé le bout des doigts à l'aide d'une règle. Et elle n'arrivait pas tout à fait à s'habituer au fait qu'elles ne portaient plus leur tenue religieuse. La nonne, qui s'était présentée comme sœur Alice, arborait un simple petit crucifix d'argent avec un tailleur noir classique et des chaussures basses. Mais il n'y avait ni robe ni voile.

— Toutes nos prières vous accompagnent, votre famille et vous, mademoiselle McCabe. Durant les quelques mois où j'ai côtoyé Kathleen, j'en suis venue à respecter son dévouement et son talent en tant que professeur.

« Respect. » Dans l'heure écoulée, elle avait entendu plusieurs fois ce mot censé être réconfortant. Personne ne parlait d'affection ou d'amitié.

— Merci, ma sœur, répondit Grace.

Plusieurs membres de la faculté ainsi qu'une poignée d'élèves étaient présents dans l'église. Sans eux, les bancs auraient été quasiment vides. *Kathleen n'avait personne,* songea Grace en se postant au fond de la salle. *Personne qui ne soit venu par devoir ou par compassion.*

Il y avait des fleurs. Elle contempla les paniers et les couronnes disposés dans la nef et se demanda si elle était la seule à juger leurs couleurs obscènes dans ces circonstances. La plupart provenaient de Californie. Quelques glaïeuls et une petite carte étaient apparemment suffisants pour les gens qui avaient autrefois fait partie de la vie de Kathleen. Ou plutôt de Mme Jonathan Breezewood.

Grace détestait l'odeur de ces fleurs, de même que le cercueil blanc laqué dont elle avait refusé de s'approcher. Elle détestait la musique qui résonnait discrètement dans l'allée centrale et sut alors qu'elle ne pourrait plus jamais entendre un orgue sans penser à la mort.

On avait là tous les éléments traditionnels que les morts attendaient des vivants. Ou bien était-ce ce que les vivants attendaient des morts ?

Elle n'était sûre de rien si ce n'est que lorsque son heure viendrait, il n'y aurait pas de cérémonie, pas d'hymne funèbre, pas d'amis et de parents contemplant d'un œil larmoyant ce qui resterait d'elle.

— Grace ?

Elle se retourna en espérant que rien sur son visage ne trahissait ses pensées.

— Jonathan. Tu es venu.

— Bien sûr.

À l'inverse de Grace, il fit courir son regard le long de l'allée jusqu'au cercueil blanc et à son ex-femme.

— Tu continues de prendre soin de ton image, à ce que je vois.

Il remarqua les têtes qui se tournaient en entendant les propos de Grace mais se contenta de jeter un coup d'œil à sa montre.

— J'ai bien peur de ne pouvoir rester que pour la cérémonie. J'ai rendez-vous dans une heure pour m'entretenir avec l'inspecteur Jackson. Puis je devrai retourner à l'aéroport.

— Trop aimable de ta part d'avoir pu faire entrer les funérailles de ton épouse dans ton planning. Ça ne te dérange pas d'être un tel hypocrite, Jonathan ? Kathleen n'était rien pour toi, moins que rien, même.

— Je ne crois pas que ce soit le lieu ou le moment pour avoir cette conversation.

— Tu te trompes. (Elle l'attrapa par le bras avant qu'il puisse s'éloigner.) Il n'y aura jamais meilleur moment ou meilleur endroit, dit-elle.

— Si tu insistes, Grace, tu vas apprendre des choses que tu n'aurais pas voulu entendre.

— Je n'ai même pas commencé à insister. Ça me rend malade de te voir ici à jouer les maris endeuillés après ce que tu lui as fait subir.

Ce furent les murmures qui décidèrent Jonathan à réagir. Les murmures et les regards presque coupables par-dessus les épaules des uns et des autres. Agrippant à son tour le bras de Grace, il l'attira à l'extérieur.

— Je préfère que les histoires de famille se règlent en privé.

— Nous ne formons pas une famille.

— Non, et il serait ridicule de prétendre qu'il y a jamais eu d'affection entre nous. Tu ne t'es jamais donné la peine de masquer ton mépris à mon égard.

— Je ne crois pas aux vernis de circonstance, surtout pour les sentiments. Kathleen n'aurait jamais dû t'épouser.

— Sur ce point nous sommes tout à fait d'accord. Kathleen n'aurait jamais dû épouser qui que ce soit. C'était une mère tout juste passable et une épouse lamentable.

— Comment oses-tu ? Comment oses-tu te tenir ici, maintenant, et parler de cette façon ? Tu l'humiliais, tu lui jetais tes infidélités à la figure.

— Il aurait été préférable que je le fasse dans son dos ?

Avec un petit rire, il tourna son attention sur l'orme situé derrière Grace, un arbre planté en même temps que la construction de l'église elle-même.

— Tu crois qu'elle s'en souciait ? demanda-t-il. Tu es encore plus bête que je ne le pensais.

— Elle t'aimait. (La voix de Grace était à présent pleine de colère. Parce que cela lui faisait mal, plus mal qu'elle n'aurait pu l'imaginer, de se retrouver ainsi sur les marches où elle s'était si souvent postée avec sa sœur. Durant la procession du mois de mai en l'honneur de la Vierge, vêtues de leurs robes blanches à volants. Ou pour le dimanche de Pâques, avec leurs charlottes jaunes et leurs ballerines vernies. Elles avaient monté et descendu ces marches un nombre incalculable de fois étant enfants… et à présent elle s'y retrouvait seule. Les notes de l'orgue, basses et lugubres, lui parvenaient à travers les grandes portes de l'église.) Toi et Kevin étiez toute sa vie !

— Tu te trompes dans les grandes largeurs, Grace. Laisse-moi te parler vraiment de ta sœur. Elle n'avait d'affection pour personne. Elle n'avait aucune passion, elle en était incapable. Et je ne parle pas que de passion physique mais aussi d'émotion. Mes liaisons ne lui ont jamais posé de problème tant qu'elles restaient discrètes, tant qu'elles n'interféraient pas avec la seule et unique chose ayant de l'importance à ses yeux : être une Breezewood.

— Arrête.

— Non, tu vas m'écouter.

Il la rattrapa alors qu'elle se précipitait vers l'intérieur.

— Elle n'était pas seulement ambivalente vis-à-vis du sexe, dit-il, mais envers tout ce qui ne correspondait pas à ses plans. Elle désirait un enfant, un Breezewood, et une fois Kevin arrivé, elle a considéré son devoir comme accompli. Pour elle, c'était un symbole plutôt qu'un enfant.

Cela sonnait terriblement juste et résonnait avec les pensées que Grace elle-même avait eues au fil des années. Elle s'en sentit honteuse.

— Ce n'est pas vrai. Elle aimait Kevin.

— Autant qu'elle en était capable. Dis-moi, Grace, l'avais-tu déjà vue accomplir un acte d'affection spontané ? Envers toi ou tes parents ?

— Kathy n'était pas démonstrative. Ça ne veut pas dire qu'elle ne ressentait rien.

— Elle était froide. (Grace s'inclina vivement en arrière comme si elle avait été giflée. Elle n'était pas surprise de l'entendre dire ça ; mais elle était surprise de constater qu'elle-même avait secrètement entretenu cette opinion pendant la majeure partie de son existence.) Et le pire est que je ne crois pas qu'elle aurait pu s'en empêcher. Durant l'essentiel de notre mariage, chacun de nous a mené sa vie indépendamment parce que c'était pratique pour nous deux.

Cette fois c'était pire que de la honte. Grace eut l'impression qu'elle allait être malade. Parce qu'elle l'avait vu, elle l'avait vu mais qu'elle avait refusé d'y croire. Elle remarqua la façon dont il lissa ses cheveux après qu'une petite brise eut dérangé sa coiffure. C'était le geste d'un homme qui cherchait à gommer toute imperfection. Kathleen était peut-être responsable mais elle n'était pas la seule.

— Et puis ça a cessé d'être pratique pour toi.

— C'est exact. Quand je lui ai demandé le divorce, elle a manifesté la première émotion que j'aie pu voir depuis des années. Elle a refusé, m'a menacé et même supplié. Ce n'était cependant pas moi qu'elle craignait de perdre, c'était la position sociale à laquelle elle s'était habituée. Quand elle a vu que j'avais pris ma décision, elle est partie. Elle n'a accepté aucune forme d'accord. Elle a passé trois mois sans donner signe de vie avant de me contacter pour réclamer Kevin. Pendant trois mois, elle n'avait ni vu ni parlé à son fils.

— Elle souffrait.

— C'est possible. À ce stade, je m'en fichais. Je lui ai dit que je ne la laisserais pas déraciner Kevin mais que nous pourrions conclure un arrangement pour qu'elle l'ait avec elle durant les vacances scolaires.

— Elle s'apprêtait à t'affronter devant les tribunaux pour le récupérer. Elle avait peur de toi et de ta famille mais elle allait se battre pour Kevin.

— J'en avais conscience.

— Tu savais ? demanda lentement Grace. Tu savais ce qu'elle préparait ?

— Je savais qu'elle avait embauché un avocat et un détective.

— Et qu'aurais-tu fait pour l'empêcher d'obtenir la garde ?

— Tout ce qui se serait avéré nécessaire, répondit-il avec un nouveau regard à sa montre. Je crois que nous retardons la cérémonie, Grace.

Il ouvrit la porte donnant sur le vestibule et retourna dans l'église.

En s'arrêtant au feu rouge, Ben sortit de son sac en papier un donut recouvert de sucre glace. Le temps s'était suffisamment réchauffé pour baisser les vitres à mi-hauteur, si bien que le morceau que diffusait la radio de musique d'ascenseur de la voiture d'à-côté venait se mêler aux accords de B.B. King que Ben s'était choisis.

— Comment peut-on écouter des trucs pareils ?

Tournant la tête vers la voiture en question, il constata qu'il s'agissait d'une Volvo et leva les yeux au ciel.

— Je me dis que c'est un complot terroriste. Ils s'emparent de la bande FM, la saturent de musique à la noix et enquillent les morceaux jusqu'à ce que l'esprit des Américains moyens ne soit plus qu'une bouillie informe. Et en attendant qu'on tombe dans le coma à coup de Barry Manilow, eux écoutent les Stones. (Il prit une autre bouchée de donut puis monta d'un cran le volume de B.B. King.) C'est ça leur véritable arme de destruction massive, termina-t-il.

— Tu devrais écrire au Pentagone, suggéra Ed.

Ben traversa le carrefour et tourna à droite dans la rue suivante.

— Trop tard, assura-t-il. Ils sont sans doute déjà en train de fredonner des ballades des Carpenters. Nos ennemis nous ramollissent, Ed, ils nous ramollissent en attendant qu'on moisisse sur place. (Comme son partenaire ne répondait rien, Ben baissa de nouveau le volume de la radio. S'il ne parvenait pas à changer les idées d'Ed, autant aller droit au but.) Les funérailles ont lieu aujourd'hui, hein ?

— Ouais.

— Quand on aura terminé, tu pourras prendre deux, trois heures de temps perso.

— Elle ne voudra pas me voir à moins que j'aie quelque chose de neuf à lui annoncer.

— On aura peut-être quelque chose. (Ben gardait l'œil sur le défilé des numéros de la rue étroite où ils s'étaient engagés.) Quand est-ce qu'elle rentre à New York ? demanda-t-il.

— Je ne sais pas, répondit Ed. Dans un jour ou deux, j'imagine.

Il avait fait de son mieux pour ne pas y penser.

— C'est sérieux pour toi avec cette romancière ?

— Je n'ai pas eu le temps d'y réfléchir.

Ben gara brusquement la voiture le long du trottoir.

— T'as intérêt à réfléchir vite, dit-il.

Il regarda par-dessus la tête d'Ed vers le minuscule petit magasin niché au milieu d'une demi-douzaine d'autres. Il avait pu s'agir autrefois d'une boutique à la mode ou d'un atelier de loisirs créatifs. À présent, c'était Fantasme, Inc.

— Ça n'a pas l'air d'un lieu de perdition, fit Ed.

— Et tu t'y connais en la matière, répondit Ben en léchant, l'air absent, son doigt maculé de sucre glace.

— J'ai vu l'intégrale de *Deux flics à Miami*.

— Bon. Pour une boîte qui maintient des profits stables et réguliers, ils n'ont pas l'air d'investir beaucoup dans leur image, commenta Ben.

Ed attendit que deux voitures soient passées avant d'ouvrir sa portière et de sortir côté rue.

— J'imagine qu'ils ne reçoivent pas beaucoup de visites de courtoisie de leurs clients.

À l'intérieur, le bureau sans fioritures faisait la taille d'une chambre à coucher ordinaire. Les murs étaient blancs et le sol couvert d'une moquette de qualité industrielle. On y trouvait deux sièges dépareillés qui auraient pu provenir d'une brocante. Le mètre carré devait coûter cher car les deux postes de travail occupaient quasiment toute la largeur de la pièce. Ben les identifia comme des bureaux de fabrication militaire, à la fois solides et banals. L'ordinateur, par contre, était haut de gamme.

Une femme installée derrière l'un des moniteurs cessa de taper sur son clavier en les voyant entrer. Ses longs cheveux bruns ramenés en arrière encadraient un joli visage rond. La veste de son tailleur était posée sur le dossier de son siège. Elle arborait trois chaînettes en or par-dessus un chemisier de soie blanc. Elle se leva avec un demi-sourire à leur intention

— Bonjour. Je peux vous aider ?

— Nous aimerions parler au propriétaire. Nous sommes de la police, précisa Ben en montrant son insigne.

Elle tendit la main pour prendre la carte officielle de Ben, l'examina et la lui rendit.

— Je suis la propriétaire. Que puis-je pour vous ?

Ben rangea son insigne. Il n'était pas certain de ce à quoi il s'était attendu, mais sûrement pas à une jeune femme propre sur elle qui donnait l'impression de revenir d'une excursion avec les Scouts.

— Nous aimerions vous parler à propos d'une de vos employées, mademoiselle... ?

— Mme Cawfield. Eileen Cawfield. C'est à propos de Kathleen Breezewood, c'est ça ?

— Exactement.

— Je vous en prie, inspecteur Paris, asseyez-vous.

Elle jeta un coup d'œil vers Ed.

— Jackson, dit-il en guise de présentation.

— Asseyez-vous. Voulez-vous un café ?

— Non merci, répondit Ed avant que Ben puisse accepter. Vous savez que Kathleen Breezewood a été assassinée.

— Je l'ai lu dans le journal. C'est affreux. (Elle reprit place derrière son bureau, ses mains jointes posées sur un grand sous-main.) Je ne l'ai rencontrée qu'une seule fois, lorsqu'elle est venue pour son entretien d'embauche, mais je me sens très proche de tous mes employés. Elle avait beaucoup de succès. Desiree – excusez-moi, nous avons l'habitude de les appeler par leur pseudonyme – Kathleen était l'une des plus demandées. Elle avait une voix si apaisante. C'est très important dans notre métier.

— Kathleen s'est-elle plainte à propos de certains de ceux qui l'appelaient ? Quelqu'un qui l'aurait mise mal à l'aise ou menacée ?

— Non. Kathleen avait des règles bien spécifiques quant au type d'appels qu'elle acceptait. C'était une femme très conservatrice et nous le respections. Nous avons une ou deux recrues qui se chargent des fantasmes... plus inhabituels. Excusez-moi, dit-elle lorsque son téléphone sonna. (Avec l'efficacité d'une standardiste expérimentée, elle avait déjà un stylo entre les doigts.) Fantasme Inc. ? Oui, bien sûr. Je vais vérifier si Louisa est disponible. J'aurai besoin d'un numéro de carte bancaire. Oui ? Et la date d'expiration. Et le numéro auquel on peut vous joindre. Si Louisa n'est pas disponible, avez-vous une autre préférence ? Oui, je m'en occupe. Merci. (Elle raccrocha avec un sourire d'excuse à l'intention d'Ed et Ben.) Je n'en ai que pour une minute. C'est un client régulier ; ça simplifie les choses. (Elle pianota brièvement sur son clavier puis reprit son téléphone.) Louisa ? Oui, c'est Eileen. Je vais bien, merci. M. Dunnigan aimerait te parler. Oui, le numéro habituel. Tu l'as ? C'est ça. De rien. À plus tard. (Elle reposa le téléphone et joignit de nouveau les mains devant elle.) Navrée pour cette interruption.

— Vous en avez beaucoup de ce genre ? s'enquit Ben. Des gens qui rappellent, des clients réguliers ?

— Oh oui. Il y a beaucoup de gens qui se sentent seuls et sexuellement frustrés. Et à notre époque, beaucoup préfèrent le côté sûr et anonyme d'un appel téléphonique à l'aspect compliqué des bars et boîtes pour célibataires. (Elle s'appuya contre le dossier de son siège, les jambes croisées sous le bureau.) Nous sommes tous conscients des risques d'attraper des maladies sexuellement transmissibles. Le style de vie insouciant des années 1960 et 1970 est loin derrière nous. Les fantasmes au téléphone proposent une des solutions possibles.

— Ouais.

Ed se dit que ce petit discours aurait sans doute fait son effet sur les ondes ou dans une émission de télé. À vrai dire, il n'était pas foncièrement en désaccord avec elle. Mais il s'intéressait plus au meurtre de Kathleen Breezewood qu'à la philosophie ou aux mœurs du moment.

— Kathleen avait-elle beaucoup de clients réguliers ?

— Comme je vous le disais, elle était populaire. Plusieurs clients ont appelé pour lui parler ces derniers jours. Ils ont été très déçus d'apprendre qu'elle ne travaillait plus avec nous.

— Y a-t-il quelqu'un qui aurait logiquement dû l'appeler mais ne l'a pas fait ?

Eileen marqua un temps d'arrêt pour réfléchir puis se tourna de nouveau vers son ordinateur.

— Non. J'ai bien conscience que vous voudrez questionner toutes les personnes ayant un lien avec Kathleen. Mais rappelez-vous que les hommes qui nous téléphonent n'ont entendu parler que de Desiree. Elle était une voix sans visage, ou en tout cas uniquement dotée du visage qu'ils imaginaient pour elle. Nous prenons beaucoup de précautions, pour des raisons à la fois légales et professionnelles. Les femmes n'ont pas de nom de famille, elles ne sont pas autorisées à communiquer leurs numéros de téléphone privés aux clients ni à les rencontrer. L'anonymat fait partie de l'illusion et constitue une forme de protection. Le seul moyen pour les clients de contacter nos employées passe par le numéro de téléphone du bureau.

— Qui a accès à vos fichiers ?

— Moi-même, mon mari et sa sœur. C'est une affaire familiale, expliqua-t-elle tandis que le téléphone sonnait de nouveau. Ma belle-sœur travaille pour financer ses années d'université et s'occupe du standard téléphonique le soir. Un instant.

Elle géra l'appel de la même manière que le précédent. Ed jeta un coup d'œil à sa montre. Midi vingt-cinq. De toute évidence, le sexe téléphonique avait de nombreux adeptes au moment de la pause déjeuner. Puis il se demanda si les funérailles étaient terminées et si Grace était seule chez elle.

— Navrée, dit-elle. Avant que vous posiez la question : nos fichiers sont confidentiels. Aucun de nous n'évoque nos clients ou nos employées auprès de tierces personnes. Il s'agit d'une profession sérieuse mais pas du genre dont on parle autour d'un verre. Nous prenons grand soin de nous assurer que tout est géré de manière correcte et conforme à la loi. Nos employées ne sont pas des prostituées. Elles ne vendent pas leur corps mais leur conversation. Elles sont soigneusement sélectionnées et si elles enfreignent les règles, elles sont licenciées. Nous avons conscience qu'il existe des entreprises similaires à la nôtre qui laisseraient un jeune ado appeler et reporter la communication sur la facture téléphonique de ses parents. À mes yeux, c'est triste et irresponsable. Nos services sont réservés aux adultes et les termes du contrat sont clairement établis avant un quelconque paiement.

— Nous sommes de la Criminelle, pas de la brigade de mœurs, madame Cawfield, lui répondit Ben. Par ailleurs, nous avons déjà vérifié la légitimité de votre entreprise et vous êtes dans votre droit. Pour l'heure, seule Kathleen Breezewood nous intéresse. Et avoir la liste de ses clients nous serait très utile.

— Je ne peux pas vous la fournir. Pour des raisons évidentes, ma liste de clients est confidentielle, inspecteur Paris.

— Et le meurtre ne l'est pas, madame Cawfield. Pour des raisons tout aussi évidentes.

— Je comprends votre position. Et vous allez devoir respecter la mienne.

— Nous pouvons obtenir un mandat, lui rappela Ed. Ce ne sera qu'une question de temps.

— Vous aurez effectivement besoin d'un mandat, inspecteur Jackson. Jusqu'à ce que vous m'en présentiez un, je suis dans l'obligation de protéger mes clients. Et je vous le répète : aucun d'eux n'aurait pu la localiser à moins d'accéder à cet ordinateur et d'avoir piraté notre programme.

— Nous allons devoir nous entretenir avec votre mari et votre belle-sœur.

— Bien sûr. Tant que la confidentialité due à nos clients est respectée, nous sommes tous désireux de coopérer.

— Madame Cawfield, savez-vous où se trouvait votre mari dans la nuit du 10 au 11 avril ?

Ed lui lança un regard paisible, stylo tenu audessus de son calepin, prêt à noter. Ben vit les doigts de la jeune femme se crisper.

— J'imagine que vous êtes obligé de poser la question, mais je trouve ça de mauvais goût.

— Ouais, répondit Ben en croisant les jambes. Le meurtre non plus n'a pas très bon goût.

Eileen s'humecta les lèvres.

— Allen joue au baseball. Il avait un match le 10 au soir. Et c'était lui le lanceur durant les neuf manches ; j'y étais. La partie s'est terminée vers vingt et une heures, peut-être un peu avant. Après quoi nous sommes allés manger une pizza avec plusieurs autres couples. Nous étions de retour à la maison un peu après vingt-trois heures.

— S'il s'avère que nous avons besoin des noms de ceux qui vous accompagnaient, vous pourrez nous les fournir ?

— Bien sûr. Je suis horriblement désolée de ce qui est arrivé à Kathleen mais mon entreprise n'y est en rien mêlée. Maintenant, si vous voulez bien m'excuser, j'ai un autre appel à prendre.

— Merci pour votre disponibilité.

Ed ressortit et attendit que Ben le rejoigne sur le trottoir.

— Si ce qu'elle dit est vrai, et je crois que c'est le cas, aucun des clients n'a pu obtenir l'adresse de Kathleen depuis ce bureau.

— Peut-être que Kathleen n'a pas respecté les règles, répondit Ben en sortant une cigarette. Peut-être qu'elle a donné ses coordonnées, son vrai nom. Si elle a rencontré l'un de ces hommes, il a pu la suivre et décider qu'il voulait faire plus que lui parler.

— Possible. (Mais Ed avait du mal à imaginer son ancienne voisine comme une femme enfreignant les règles.) Je me demande ce que dirait Tess de la possibilité qu'un homme ayant l'habitude d'utiliser sa carte de crédit pour du sexe téléphonique commette un viol suivi d'un meurtre.

— Elle n'est pas impliquée dans cette enquête, Ed.

— Je me posais seulement la question. (Au ton de son partenaire, il comprit qu'il valait mieux laisser filer. Ben avait déjà dû faire face à l'implication de sa femme dans une enquête criminelle. Ça lui avait suffi.) À mon avis, reprit-il, il est plus probable que quelqu'un soit entré par effraction, qu'il soit tombé sur elle et qu'il ait perdu la boule.

— Mes tripes me disent que ça ne tient pas debout.

— Non, admit Ed en ouvrant la portière. Les miennes disent la même chose.

— Il va falloir qu'on retourne parler à Grace.

— Je sais.

Il fallait qu'il se remette en quête. Cela faisait trop longtemps. Dès la fin de son dernier cours, il rentra chez lui pour s'enfermer dans sa chambre. Il aurait voulu sécher carrément les cours ce jour-là mais savait que son père serait impliqué si son absence était remarquée. Il avait donc répondu présent, jeune élève tranquille, brillant et bien élevé qui s'adressait aux professeurs d'une voix claire. Le fait était qu'il se fondait si bien dans le décor qu'aucun d'entre eux ne l'aurait remarqué s'il n'était pas le fils d'un Président potentiel.

Jerald n'aimait pas attirer l'attention. Il n'aimait pas que les gens le regardent car s'ils s'arrêtaient trop longtemps sur lui, ils risquaient de percevoir certains de ses secrets.

Il était rare qu'il prenne le risque d'effectuer une écoute sur la ligne de Fantasme, Inc durant la journée. Il préférait l'obscurité ; son imagination fonctionnait beaucoup mieux dans le noir. Mais depuis Desiree, il était comme obsédé. Il enfila ses écouteurs et alluma son terminal. Puis il s'installa sur son siège en guettant la bonne voix.

Il connaissait celle d'Eileen. Elle ne l'intéressait pas. Trop professionnelle. L'autre, celle qui travaillait en soirée, ne convenait pas non plus. Trop jeune, trop proprette. Ni l'une ni l'autre n'avaient jamais contenu la moindre promesse.

Il ferma les yeux et attendit. Sans pouvoir dire pourquoi, il avait la certitude absolue qu'il ne tarderait pas à trouver celle qu'il cherchait.

Et ce fut le cas. Elle s'appelait Roxanne.

7

Les hyacinthes. Grace était assise sur les marches du perron de la maison de sa sœur et contemplait les hyacinthes roses et blanches qui s'étaient ouvertes. Par chance, leur parfum était trop diffus pour porter jusqu'à elle. Elle avait eu sa dose de senteurs florales pour la journée. Les hyacinthes étaient aussi différentes par leur aspect : solides et pleines d'espoir au bord du béton craquelé. Elles n'évoquaient ni cercueils blancs ni pleurs endeuillés.

Grace n'avait pas pu rester plus longtemps assise auprès de ses parents. Tout en se détestant pour cela, elle les avait laissés blottis l'un contre l'autre face à un défilé constant de tasses de thé et s'était enfuie. Elle avait besoin d'air, de soleil, de solitude. Il fallait qu'elle cesse de pleurer sa sœur, ne serait-ce que pour une heure.

Elle regardait les voitures qui passaient occasionnellement dans la rue. Quelques enfants du voisinage profitaient du temps qui s'était réchauffé et des jours plus longs pour faire du vélo ou du skateboard sur les trottoirs inégaux. Leurs cris et leurs appels étaient ceux de l'été qui s'annonçait. De temps à autre, l'un d'eux tournait vers la maison un regard rond de curiosité. L'information s'était diffusée, songea Grace, et les parents avaient ordonné à leurs fils et leurs filles de se tenir à l'écart. Si la maison restait désertée suffisamment longtemps, ces mêmes enfants se défieraient mutuellement de marcher jusqu'au porche pour toucher l'interdit. Les plus courageux iraient peut-être jusqu'aux fenêtres pour regarder à l'intérieur.

La maison hantée. La maison du meurtre. Et les gamins repartiraient, paumes moites et cœurs battants, pour se vanter de leur bravoure à leurs amis moins hardis. Elle aurait fait exactement la même chose étant enfant.

Un meurtre avait quelque chose de tellement fascinant, quasi irrésistible.

D'ores et déjà, Grace le savait, le meurtre de Kathleen alimentait les conversations dans chacune des petites demeures de la rue. On avait sans doute acheté et installé de nouveaux verrous. Et l'on vérifiait soigneusement portes et fenêtres le soir venu. Puis il se passerait quelques semaines et, le temps aidant, les gens oublieraient. Après tout, ce n'était pas à eux que c'était arrivé.

Mais elle, elle n'oublierait pas. Grace frotta les cernes qu'elle avait sous les yeux. Elle ne pourrait pas oublier.

Quand elle reconnut la voiture d'Ed à l'approche, elle poussa un profond soupir. Elle n'avait pas eu conscience que c'était lui qu'elle attendait mais n'avait aucun mal à l'admettre à présent. Elle se leva et traversa la pelouse pour rejoindre son véhicule à l'instant même où il en sortait.

— Vous travaillez tard, inspecteur.

— Ça fait partie du job. (Il fit tinter ses clés et ouvrit le coffre. Tout le maquillage de Grace avait disparu, à l'exception de quelques traces de mascara.) Vous allez bien ? demanda-t-il.

— Jusqu'ici je tiens bon. (Elle tourna la tête vers la maison. Sa mère venait d'allumer la lumière dans la cuisine.) J'emmène mes parents à l'aéroport demain matin. Ça ne ferait de bien à personne qu'ils restent ici plus longtemps. Je les ai convaincus de rentrer. Ils se soutiennent mutuellement pour ne pas s'effondrer. (Elle frotta ses paumes sur les cuisses de son pantalon de tailleur puis, ne voyant rien de mieux à faire, mit les mains dans ses poches.) En fait, je n'avais jamais vraiment compris à quel point ils étaient mariés, vraiment mariés l'un à l'autre, jusqu'à ces deux derniers jours.

— C'est le genre de situation où il fait bon avoir quelqu'un.

— Je crois qu'ils vont se remettre. Ils… ils ont accepté ce qui s'est passé.

— Et vous ?

Grace leva les yeux vers lui puis détourna de nouveau le regard. La réponse s'y lisait. L'acceptation était encore loin.

— Ils vont passer quelques jours chez eux puis prendront un avion pour la Côte Ouest afin d'aller voir Kevin, le fils de ma sœur.

— Vous les accompagnez ?

— Non. J'y ai réfléchi mais… Pas maintenant. Je ne sais pas, les funérailles semblent les avoir remis d'aplomb.

— Pas vous ?

— J'ai détesté. La première chose que je ferai en rentrant à New York sera de me renseigner sur la crémation, raconta-t-elle en se passant les deux mains dans les cheveux. Mince, c'est dérangé de dire un truc pareil.

— Pas du tout. Les funérailles nous forcent à faire face à notre mort inéluctable. C'est leur but, non ?

— J'ai passé la journée à essayer de comprendre quel but ça pouvait bien avoir. Je crois que je préfère la façon dont s'y prenaient les Vikings. Lancés sur les flots dans un bateau en feu. Ça, c'est une belle façon de partir. Je n'aime pas penser à ma sœur enfermée dans une boîte... (Elle se reprit et se tourna vers lui. Mieux valait penser aux enfants qui jouaient de l'autre côté de la rue et aux fleurs qui venaient à peine de s'ouvrir, vraiment.) Désolée. Je suis sortie pour éviter de trop ressasser. J'ai dit à mes parents que j'allais marcher un peu. Je ne suis pas allée bien loin.

— Vous avez envie de marcher ?

Grace secoua la tête et lui toucha le bras. Une bonne nature. Elle avait vu juste en le qualifiant ainsi un peu plus tôt.

— Vous êtes un chic type. Je voulais m'excuser de m'être emportée l'autre soir.

— Pas grave. Votre raisonnement tenait debout.

Sur le trottoir d'en face, une mère appela ses enfants depuis le porche de sa demeure. S'ensuivirent d'âpres négociations pour gagner un quart d'heure supplémentaire à jouer dehors.

— Je ne regrette pas ce que je vous ai dit mais la manière dont je l'ai fait. Je passe parfois de longs moments sans être au contact des gens et ensuite je me montre systématiquement tyrannique. (Elle reporta son attention sur les enfants. Elle se souvenait d'avoir joué de cette façon, d'avoir couru à toute vitesse pour battre le coucher de soleil. Elle et Kathleen avaient passé des heures à jouer ensemble dans une rue qui n'était guère différente de celle-ci.) Alors, on est toujours amis ?

— Bien sûr.

Il prit la main qu'elle lui tendait et la tint au creux de la sienne.

C'était exactement ce dont elle avait besoin. Mais elle n'en avait pas eu conscience jusqu'à cet instant.

— Est-ce que ça veut dire qu'on peut aller dîner ou faire un truc ensemble avant que je reparte ?

Il ne lui lâcha pas la main mais resserra ses doigts autour des siens.

— Quand repartez-vous ?

— Je ne sais pas trop. Encore plein de détails à régler. Sans doute la semaine prochaine. (Sans réfléchir, elle leva spontanément leurs mains jointes pour les plaquer contre sa joue. Ce contact lui fit du bien. Elle avait conscience d'avoir besoin de contact humain autant que de longues périodes en tête à tête avec elle-même. À cet instant précis, elle n'avait aucune envie de solitude.) Vous allez parfois à New York ?

— Pas jusqu'à présent. Vous êtes en train d'attraper froid, murmura-t-il en effleurant la peau de Grace du dos de la main. Vous n'auriez pas dû sortir sans manteau.

Elle sourit et lui lâcha la main. Il s'attarda quelques instants de plus sur sa joue. Grace avait toujours agi instinctivement, accepté les difficultés en même temps que les bons moments. Avant qu'il puisse abaisser son bras, elle enroula les siens autour de sa taille.

— Tu veux bien ? souffla-t-elle. J'ai besoin d'une preuve que je suis toujours en vie.

Elle leva la tête et posa doucement sa bouche sur ses lèvres.

Solide. Ce fut la première pensée qui lui traversa l'esprit. C'était solide, c'était tangible. La bouche d'Ed était chaude contre la sienne et s'offrait à elle. Il ne se montra pas insistant, ne tenta pas de la peloter ou de l'impressionner avec sa technique. Il se contenta de lui rendre son baiser. Son épaisse barbe avait quelque chose de confortable. Et la façon dont il raffermit sa prise sur sa peau fit naître l'excitation en elle. Confort et excitation. Quel soulagement de constater qu'elle avait toujours envie et besoin des deux. Elle était toujours vivante, c'était certain. Et la sensation était merveilleuse.

Elle l'avait pris par surprise mais il retomba vite sur ses pattes. Cela faisait un moment qu'il avait envie de la tenir ainsi contre lui, de faire courir ses doigts dans ses cheveux. Comme le froid du crépuscule se refermait sur eux, il l'attira plus près pour la réchauffer. Il sentit son propre pouls s'accélérer tandis que Grace s'abandonnait contre lui.

Elle s'écarta doucement, surprise par sa propre réaction. Il la laissa faire mais l'idée follement romantique de la soulever de terre pour l'emmener jusqu'à chez lui ne quitta pas son esprit.

— Merci, réussit-elle à articuler.

— Avec plaisir.

Elle rit, surprise d'être aussi nerveuse et ravie d'avoir été ainsi émue.

— Je ferais mieux de te laisser tranquille. Je sais que tu travailles aussi la nuit. La lumière à tes fenêtres, expliqua-t-elle en le voyant hausser un sourcil.

— Je suis en train de refaire la salle de bains. J'ai presque terminé le papier peint.

Jetant un coup d'œil, elle aperçut quatre énormes seaux de colle.

— Ça doit être une sacrée salle de bains.

— La colle était en promo.

— Ma mère t'adorerait, commenta-t-elle avec un sourire. Je vais rentrer, je ne veux pas qu'ils s'inquiètent. On se voit plus tard.

— Demain. Je te ferai à dîner.

— D'accord. (Elle repartit en coupant à travers la pelouse puis s'arrêta pour le regarder par-dessus son épaule.) Mais mollo sur le jus de carotte !

De son vrai nom, Roxanne s'appelait Mary. Elle avait toujours eu une pointe de ressentiment envers le manque d'imagination de ses parents. S'ils lui avaient donné un nom plus exotique, plus sophistiqué ou plus frivole, se demandait-elle, serait-elle devenue quelqu'un de différent ?

Mary Grice avait vingt-huit ans. Elle était célibataire et trop lourde de presque trente-cinq kilos. Elle avait commencé à prendre du gras dès l'adolescence et n'avait eu aucun mal à blâmer également ses parents. « Les gènes du gras », avait l'habitude de dire sa mère. Ce qui n'était pas faux. Mais la vérité était surtout que toute la famille Grice entretenait depuis toujours une grande histoire d'amour avec la nourriture. Manger était une expérience religieuse et les Grice – maman, papa et Mary –, la congrégation la plus dévote qui soit.

Mary avait grandi dans une maison où les placards et le réfrigérateur étaient remplis à ras bord de chips, de sauces onctueuses et de bouteilles de sirop au chocolat. Très tôt, elle avait maîtrisé l'art d'assembler pain, viande et fromage pour façonner des sandwichs d'une ampleur gastronomique avant de faire passer le tout avec un demi-litre de lait chocolaté tout en gardant une petite place pour une boîte de biscuits crémeux en dessert.

Sa peau s'était rebellée durant l'adolescence au point de ressembler à l'une de ces pizzas qu'elle appréciait tant, si bien qu'à présent, à presque trente ans, son épiderme restait constellé de cratères. Elle avait pris l'habitude de se tartiner la peau avec un fond de teint aussi épais qu'une pâte à crêpe et, lorsque le temps était chaud et que ses glandes sudoripares s'activaient, son maquillage se fendillait et s'écoulait le long de ses traits comme le visage d'une poupée de plastique en train de fondre.

Elle avait traversé les années de lycée et d'université sans sortir avec personne. Sa personnalité était telle qu'elle n'avait même pas su atteindre la position d'amie ou de confidente. De nouveau, la nourriture était venue à son secours. À chaque fois qu'elle se sentait blessée ou que sa libido se manifestait, Mary dévorait un cheeseburger ou une assiette entière de brownies au caramel.

À vingt ans, elle avait perdu son cou de vue. Il avait purement et simplement disparu au cœur d'un amas de plis graisseux. Ses cheveux longs et raides étaient maintenus en arrière par une barrette.

Il y avait trop de miroirs dans les salons de beauté. De temps en temps, sur un coup de tête, elle s'appliquait elle-même une teinture : roux de sirène, noir corbeau et même, une fois, un blond lumineux à la Jean Harlow. Chaque changement lui donnait l'impression d'être quelqu'un d'autre. N'importe qui, tant qu'elle n'était plus elle-même.

Quand son médecin l'avait mise en garde contre les risques de tension artérielle et l'affaiblissement de son cœur, elle avait modifié sa balance afin d'afficher cinq kilos de moins. Elle avait tant profité de cette illusion qu'elle n'avait pas tardé à en prendre cinq de plus en considérant qu'elle était de retour à la normale.

Puis elle avait inventé Roxanne.

Roxanne était sensuelle. Roxanne, Dieu la bénisse, était une traînée. Roxanne s'habillait en 36. Roxanne était capable de faire fondre un iceberg en quelques secondes, pourvu que cet iceberg soit de sexe masculin. Ni inhibitions, ni morale, ni minauderies. Telle était Roxanne.

Roxanne aimait le sexe : n'importe où, n'importe quand, de n'importe quelle manière. Si un homme avait envie de parler de sexe, de manière directe, crue et salace, Roxanne était la fille qu'il lui fallait.

Mary s'était rendue chez Fantasme sur un coup de tête. Elle n'avait pas besoin de revenus supplémentaires. À l'université, elle avait passé beaucoup de temps à étudier entre deux grandes assiettes de rosbif et de cheddar à tartiner. Elle avait obtenu son diplôme d'économie et travaillait désormais pour l'un des plus gros courtiers du pays. Pour l'essentiel de ses clients, elle n'était qu'une voix au téléphone. C'était de là que l'idée lui était venue.

Peut-être la nature avait-elle décidé de faire l'une de ses petites blagues en lui offrant une belle voix douce aux accents sucrés. Sa voix avait tendance à se faire chuchotante quand l'excitation montait, si bien qu'elle projetait l'image d'une femme menue et délicate issue de la bonne société. La perspective de s'en servir pour faire plus que vendre des obligations non imposables ou des SICAV avait été trop tentante pour ne pas y céder.

Mary se voyait comme une prostituée téléphonique. Elle savait qu'Eileen considérait son entreprise comme un service social mais Mary aimait l'idée d'être une prostituée, une travailleuse du sexe pleine d'entrain et de passion pour son travail. Toutes ses frustrations, tous ses désirs, tous les rêves humides qui trempaient ses draps pouvaient trouver leur apaisement en sept minutes de conversation.

Dans son esprit, elle avait couché avec tous les hommes à qui elle avait parlé. En réalité, elle n'avait jamais eu de relations sexuelles. Les conversations qu'elle entretenait avec ces hommes sans visages constituaient la soupape de sécurité, la Cocotte-Minute de ses propres désirs. Elle satisfaisait les fantasmes de ses clients pour un dollar de la minute et recevait en retour bien plus que l'argent en question.

La journée, elle suivait les cours de Bourse, vendait des bons du trésor et achetait des actions. La nuit venue, elle échangeait son tailleur XXL pour ses sous-vêtements les plus sexy et devenait Roxanne.

Et elle adorait ça.

Mary, ou Roxanne, était l'une des rares employées de Fantasme, Inc. à prendre des appels sept soirs par semaine. Si l'une des autres femmes jugeait un homme trop passionné ou ses goûts trop bizarres, Roxanne était toujours prête à prendre le relais. L'argent qu'elle gagnait était réinvesti dans de la lingerie en soie rouge, de l'encens parfumé à la vanille et de la nourriture. Surtout de la nourriture. Entre deux appels, Mary engloutissait une boîte familiale de chips accompagnée d'un pot de crème goût oignon.

Elle connaissait très bien la voix et les goûts de Lawrence. Sans être l'un de ses clients les plus coquins, il aimait bien être surpris à l'occasion par des visions de cuir et de menottes. Il avait été honnête avec elle à propos de son apparence. Qui aurait volontairement prétendu avoir des dents de lapin et un astigmatisme ? Elle l'avait au téléphone trois fois par semaine. Une séance accélérée de trois minutes et deux normales de sept minutes. Lawrence était comptable si bien qu'ils partageaient, en plus du sexe, une certaine complicité dans le domaine professionnel.

La chambre de Roxanne était décorée de multiples bougies aux flammes vacillantes. Des bougies rouges. Elle aimait créer pour elle-même une atmosphère intime, étendue sur son grand lit double avec une bouteille de deux litres de Coca-Cola. Elle s'était offert de coûteux oreillers en satin contre lesquels elle calait à cet instant son dos. Tout en parlant, elle entortillait le fil du téléphone entre ses doigts.

— Tu sais que j'adore parler avec toi, Lawrence. Rien que l'idée d'entendre ta voix m'excite. Je porte une nouvelle chemise de nuit. Rouge. Et presque transparente. (Elle rit et se blottit contre les oreillers. À cet instant, elle était une belle plante d'à peine quarante-huit kilos aux jambes interminables.) Tu es tellement coquin, Lawrence. Si c'est ce que tu veux que je fasse, c'est ce que je fais faire tout de suite, en m'imaginant que c'est toi. D'accord, alors écoute. Écoute bien, je vais tout te raconter...

Il avait conscience de précipiter les choses mais bon sang, il fallait qu'il voie si cela pouvait se reproduire. Roxanne semblait si belle rien qu'au son de sa voix. À la seconde où il l'avait entendue, il avait su. Ses bras s'étaient couverts de chair de poule et un désir lancinant s'était brutalement éveillé au creux de son bas-ventre.

Il fallait que ce soit elle la suivante. Elle l'attendait. Contrairement à Desiree, elle n'avait pas cherché à l'allumer, n'avait rien promis. On passait au niveau supérieur. Roxanne parlait de choses que l'imagination de Jerald n'avait jamais envisagées. Elle voulait qu'il lui fasse mal. Comment aurait-il pu résister ?

Mais il devait se montrer prudent.

Ce quartier n'était pas aussi calme que le précédent. La circulation dans la rue était dense et des piétons allaient et venaient sur le trottoir. Mais peut-être était-ce encore mieux ainsi. On risquait de le voir, de le reconnaître. Ce qui ajoutait à l'excitation de la situation.

L'appartement de Roxanne se trouvait en face de Wisconsin Avenue. Jerald s'était garé à deux pâtés de maisons de là. Durant le trajet à pied, il s'était forcé à marcher lentement, moins par prudence que par désir de profiter de chaque aspect de l'ambiance nocturne. Il y avait des nuages et une petite brise. Si le visage de Jerald demeurait impassible, il avait les mains chaudes et moites. Il referma ses doigts sur la corde qu'il avait prise dans la buanderie. Roxanne apprécierait qu'il se souvienne de ce qu'elle aimait et de comment elle l'aimait.

Il était censé se trouver à la bibliothèque pour faire des recherches en vue d'un devoir sur la Seconde Guerre mondiale. Il avait rédigé le devoir la semaine précédente mais sa mère ne verrait pas la différence. Elle s'était envolée pour le Michigan afin de participer à la campagne de son père.

Une fois les cours terminés, on s'attendrait à ce qu'il les rejoigne pour deux mois d'été frénétiques et étouffants consacrés à la politique. Il n'avait pas encore décidé de la manière dont il éviterait cela mais ne doutait pas d'y parvenir. Il restait six semaines avant la cérémonie de remise des diplômes.

Putain de lycée privé guindé, songea-t-il sans toutefois s'emporter vraiment.

Une fois à l'université, il deviendrait indépendant. Il n'aurait pas à inventer des excuses à base de bibliothèque, de réunions de club d'élèves ou de films à voir pour s'absenter deux heures en soirée.

Quand son père aurait remporté l'élection, il devrait composer avec les types du Secret Service. Jerald était déjà impatient de jouer au plus malin avec ces espèces de robots en costard-cravate.

En s'avançant au milieu des bosquets, il sortit un tube de cocaïne qu'il sniffa rapidement. Immédiatement, il sentit son esprit se cristalliser sur une pensée très précise. Roxanne.

Souriant, il fit discrètement le tour de l'immeuble. Il ne prit pas la peine d'observer les alentours mais découpa soigneusement le carreau de la fenêtre donnant sur le salon de Roxanne.

Personne ne pourrait l'arrêter à présent. Il était trop puissant. Et Roxanne l'attendait.

Il se blessa sur le tranchant du verre en passant la main pour désengager le loquet mais se contenta de sucer la blessure avant de soulever le battant vitré. À l'intérieur, il faisait sombre. Son cœur commençait à marteler un peu trop vite dans sa poitrine. Jerald se hissa à l'intérieur sans se soucier de refermer la fenêtre derrière lui.

Elle devait déjà l'attendre, attendre qu'il vienne lui faire mal, la faire hurler et transpirer. Elle devait attendre qu'il vienne lui offrir l'ultime orgasme.

Elle ne l'entendit pas arriver. Elle avait déjà guidé Lawrence vers son plaisir et s'apprêtait à jouir à son tour.

Il la vit, allongée paupières closes sur des coussins en satin, sa peau moite et luisante dans la lumière des bougies. Fermant les yeux, il écouta sa voix. Lorsqu'il les rouvrit, la grosse dondon pleine de plis graisseux avait laissé place à une rouquine svelte aux jambes superbes. Souriant, Jerald s'approcha du lit.

— Le moment est venu, Roxanne.

Elle ouvrit brusquement les paupières. L'esprit encore embrumé par ses propres fantasmes, elle le regarda sans comprendre. Ses seins plantureux oscillaient en rythme avec son souffle.

— Qui êtes-vous ?

— Tu me connais.

Sans cesser de sourire, il s'assit à califourchon au-dessus d'elle.

— Qu'est-ce que vous voulez ? Qu'est-ce que vous faites chez moi ?

— Je suis venu t'offrir ce que tu demandes. Et plus encore.

Des deux mains, il arracha le fin tissu qui lui recouvrait la poitrine. Elle poussa un cri aigu et le repoussa. Le combiné du téléphone retomba sur le matelas tandis qu'elle tentait de s'échapper du lit.

— Lawrence, Lawrence, il y a un homme dans ma chambre. Appelle la police. Appelle quelqu'un !

— Ça va te plaire, Roxanne.

Elle faisait trois fois son poids mais elle était gauche. Elle le frappa de nouveau, laissant sur sa poitrine des bleus qu'il ne sentit même pas. Elle hurlait à présent, absolument terrorisée. Son cœur, trop faible pour supporter la masse énorme de son corps, battait de manière anarchique. Son visage devint rouge tomate quand il la frappa.

— Ça va te plaire, répéta-t-il comme elle retombait sur les oreillers. (Par réflexe, elle leva les mains pour protéger son visage d'un nouveau coup.) Jamais plus tu ne connaîtras une expérience pareille, promit Jerald.

— Ne me faites pas de mal !

Des larmes s'échappaient de ses yeux en laissant des coulures le long de son maquillage. Son souffle se fit sifflant lorsqu'il lui plaqua les mains sur le couvre-lit et les ligota à l'aide d'une corde.

— Exactement comme tu aimes. Je m'en souviens. Je t'ai entendue le raconter. (Il plongea en elle avec un sourire de dément sur le visage.) Je veux que ça te plaise, Roxanne ! Je veux que ce soit ce qu'il y a de mieux.

Elle pleurait à chaudes larmes, de profonds sanglots qui secouaient tout son être, procurant à Jerald un plaisir à lui donner le tournis tandis qu'il allait et venait sur elle. Il sentit la jouissance enfler, grandir, s'envoler. Et sut que le moment était venu.

Baissant vers elle ses yeux mi-clos, il lui sourit. Puis il enroula le fil du téléphone autour de son cou et tira de toutes ses forces.

À la première sonnerie, Ed tâtonna pour saisir le téléphone. À la deuxième, il était tout à fait réveillé. De l'autre côté de la pièce, l'animateur David Letterman amusait son public de fin de soirée à la télé. Ed tendit et détendit son bras ankylosé, tourna son regard vers l'écran de télévision et se racla la gorge.

— Ouais. Ici Jackson.

— Enfile ton pantalon, mon pote. On a un macchabée.

— Où ça ?

— Wisconsin Avenue. Je passe te prendre. (Ben resta silencieux un instant avant d'ajouter :) Si tu avais une femme dans ta vie, tu ne t'endormirais pas devant Letterman.

Ed lui raccrocha au nez et se dirigea vers la salle de bains pour plonger son visage dans l'eau froide.

Quinze minutes plus tard, il était installé sur le siège passager de la voiture de Ben.

— Je savais que c'était trop beau pour être vrai, lança celui-ci en mordant dans une barre chocolatée. Ça faisait une semaine qu'on n'avait pas reçu un appel en pleine nuit.

— Qui a signalé le corps ?

— Deux flics de base. Ils ont reçu un coup de fil indiquant qu'il se passait un truc dans l'appartement d'une femme seule au rez-de-chaussée d'un immeuble. En allant voir, ils ont trouvé un carreau cassé et une fenêtre ouverte. Une fois à l'intérieur, ils sont tombés sur l'occupante. Elle ne vivra plus jamais seule.

— Cambriolage ?

— Aucune idée. Ils ne m'ont rien dit de plus. Le flic qui a signalé le crime est un débutant. Le standard m'a dit qu'il avait déjà eu du mal à ne pas rendre le contenu de son estomac... Au fait, avant que j'oublie : Tess dit que tu la négliges. Pourquoi tu ne viendrais pas prendre un verre chez nous un soir ? Amène la romancière.

Ed lui décocha un regard à peine surpris.

— C'est moi que Tess veut voir, ou bien la romancière ?

Ben sourit en avalant la dernière bouchée de sa friandise.

— Les deux. Tu sais qu'elle t'adore. Si je n'étais pas mille fois plus beau que toi, tu aurais même pu avoir ta chance... Nous y voilà. On dirait que nos collègues veulent s'assurer que tout le voisinage soit au courant de la présence d'un cadavre ici.

Il se gara derrière deux voitures de patrouille. Les gyrophares tournoyaient en clignotant sur les toits des deux véhicules dont les radios crachaient des salves de voix inintelligibles. Ben monta sur le trottoir et adressa un signe de tête au premier flic.

— Appartement 101, inspecteur, dit celui-ci. Apparemment, l'agresseur s'est introduit sur place par la fenêtre du salon. La victime était dans son lit. Les premiers agents sur place sont à l'intérieur.

— L'équipe médico-légale ?

— En chemin, inspecteur.

Ben estima que le jeune flic devait avoir vingt-deux ans à tout casser. Les recrues semblaient rajeunir d'année en année.

Ed dans son sillage, il pénétra dans l'immeuble et entra dans l'appartement 101. Deux policiers se trouvaient dans le salon. Le premier mâchait un chewing-gum, l'autre transpirait nerveusement.

— Inspecteurs Jackson et Paris, annonça Ed d'une voix tranquille. Allez prendre un peu d'air.

— Oui, inspecteur.

— Tu te souviens de ton premier corps ? demanda Ben à Ed tandis qu'ils s'avançaient vers la chambre.

— Ouais. Je suis allé me soûler immédiatement après avoir terminé mon service.

Ed ne renvoya pas la question à Ben. Il était déjà au courant que le premier corps face auquel s'était retrouvé son partenaire n'était autre que son frère.

Ils entrèrent dans la chambre, posèrent les yeux sur Mary puis échangèrent un regard. « Merde » fut tout ce que dit Ben.

— On dirait qu'on a un nouveau tueur en série sur les bras. Ça ne va pas plaire au capitaine.

Ed avait raison.

Le lendemain à huit heures, les deux inspecteurs se présentèrent dans le bureau du capitaine Harris. Assis à son bureau, leur supérieur parcourait leur rapport derrière de nouvelles lunettes de vue (qu'il honnissait). Le régime qu'il suivait lui avait fait perdre une poignée de kilos sans améliorer son humeur. Il pianotait du bout des doigts sur son bureau.

Appuyé contre le mur, Ben songeait qu'il aurait aimé avoir le temps et l'énergie de faire l'amour à sa femme ce matin-là. Ed s'était assis, jambes étendues devant lui, et trempait un sachet de thé dans une tasse d'eau chaude.

— On n'a pas encore reçu l'expertise médico-légale, finit par dire Harris. Mais je doute que les résultats nous surprennent.

— Le type s'est coupé en passant par la fenêtre, lui dit Ed avant de prendre une gorgée de thé. Je pense que le sang sera le même que celui de l'homicide de Kathleen Breezewood.

— Nous avons fait en sorte que la presse ne parle ni du viol ni de la méthode employée pour tuer la victime, continua Ben. Peu probable qu'on ait affaire à un imitateur. Notre deuxième victime ne s'est pas beaucoup défendue. Soit il s'est montré plus malin, soit elle avait trop peur pour résister. Elle n'avait rien d'une frêle créature mais il a réussi à lui attacher les mains sans même déranger le verre posé sur la table de nuit.

— D'après les documents que nous avons retrouvés, elle était courtière. Nous allons vérifier tout ça ce matin et voir si on peut établir un lien.

Tout en buvant son thé, Ed remarqua que Ben allumait sa troisième cigarette de la journée.

— C'est une femme qui a signalé les bruits dans l'appartement au standard. Elle n'a pas laissé son nom.

— Lowenstein et Renockie pourront se charger d'interroger les voisins.

L'air agacé, Harris sortit d'un flacon deux pilules à base de pamplemousse qu'il avala avec un verre d'eau tiède posé à portée de main.

— Jusqu'à nouvel ordre, nous recherchons un seul et même homme. Tâchons de régler cette histoire avant que ça dégénère. Paris, votre femme nous a été d'une grande aide l'année dernière. Elle a un avis sur cette situation ?

— Non.

Ben laissa échapper un nuage de fumée sans dire un mot de plus.

Harris but le reste de son eau ; son estomac émit un gargouillis. La presse salivait déjà et il n'avait pas pris un seul vrai bon repas depuis un mois.

— Je veux un rapport complémentaire d'ici seize heures.

— C'est facile pour lui de nous demander ça, grommela Ben en refermant derrière lui la porte du bureau de Harris. Tu veux que je te dise, il était déjà suffisamment chiant avant de commencer son régime !

— Malgré l'opinion populaire, être gros ne rend pas jovial. Un poids excessif épuise le corps, est source de gêne physique et tend à accentuer la mauvaise humeur. Le fait de faire un régime en rajoute une couche. Une diète adaptée, de l'exercice physique et un sommeil en quantité suffisante rendent heureux.

— Merde.

— T'as raison. Déféquer fait aussi du bien.

À ce moment, Lowenstein se glissa entre eux deux en passant les bras autour de leurs tailles.

— La prochaine tournée est pour moi !

— Il a fallu que tu attendes que je me marie pour te montrer tactile ! se plaignit Ben.

— Mon mari a eu une augmentation ! Trois mille dollars de plus par an. Croyez-moi, dès que les enfants auront fini les cours, on fonce au Mexique !

— Tu nous ferais pas un petit prêt d'ici à ce que la paie tombe ? lui demanda Ed.

— Aucune chance. Le rapport médico-légal est arrivé. Phil et moi allons interroger le voisinage. Peut-être que j'arriverai à caser une petite heure de shopping pendant ma pause déjeuner. Ça fait trois ans que je n'ai pas porté de bikini.

— Arrête, tu vas m'exciter.

Ben la lâcha pour aller chercher le dossier sur son bureau.

— Dommage pour toi, Paris. Dans six semaines, je passerai la frontière pour aller boire des margaritas et manger des fajitas.

— N'oublie pas de te faire vacciner, lui lança Ed, assis sur le coin du bureau de Ben.

— J'ai un estomac en acier trempé, répliqua-t-elle. Allez, Renockie, en route.

Ben ouvrit le dossier.

— À ton avis, elle ressemble à quoi en bikini ? demanda-t-il.

— Superbe, forcément. Qu'est-ce que ça dit ?

— Le sang sur le verre brisé est de groupe A positif. Et regarde ça : des empreintes digitales sur le montant de la fenêtre.

Il sortit le dossier Breezewood pour comparer.

— Qu'est-ce que t'en penses ?

— Que c'est le même type.

— Ouais, ça correspond, confirma Ben en disposant les images côte à côte. Ne nous reste plus qu'à le trouver.

Grace déposa son sac à main sur le sofa avant de s'y asseoir lourdement. Elle ne se souvenait pas d'avoir jamais été aussi fatiguée, pas même après un marathon d'écriture de quatorze heures, une nuit blanche à faire la fête ou une tournée de douze villes en autant de jours.

Entre l'instant où elle avait appelé ses parents à Phoenix et celui où elle les avait escortés jusqu'à leur avion de retour, elle avait employé chaque bribe de son énergie à les soutenir et les faire avancer. Heureusement qu'ils étaient présents l'un pour l'autre car elle n'avait plus rien à donner.

Elle aurait voulu rentrer chez elle, retrouver New York, son vacarme et son rythme trépidant. Elle aurait voulu préparer sa malle, fermer portes et fenêtres et quitter cette maison pour prendre le premier vol. Mais cela serait revenu à laisser Kathleen derrière elle. Il restait encore cent petits détails à régler. L'assurance, le propriétaire, la banque, tous les objets personnels que Kathleen avait laissés derrière elle.

Grace aurait pu en rassembler le plus gros et en faire don à l'Église mais il y avait forcément des articles qu'il faudrait envoyer à Kevin ou à ses parents. Des souvenirs intimes de Kathleen. Non, elle ne s'imaginait pas encore capable de faire le tri parmi les vêtements et les bijoux de sa sœur.

Elle démarrerait donc par la paperasserie, en commençant par les funérailles pour remonter progressivement le temps. Il y avait toutes ces cartes de condoléances. Sa mère voudrait sans doute les conserver, les ranger quelque part dans une boîte à chaussures. Ce serait peut-être le point de départ le plus simple : la plupart des expéditeurs devaient lui être inconnus. Une fois qu'elle aurait brisé la glace, elle pourrait faire face aux affaires plus intimes de sa sœur.

Mais pour commencer, elle allait s'octroyer une décharge de caféine.

Grace monta la cafetière dans sa chambre. Elle posa un regard presque mélancolique sur son ordinateur. Cela faisait une éternité qu'elle ne l'avait pas allumé. Si elle prenait du retard sur sa date de remise, ce qui semblait de plus en plus probable, son éditeur ne lui en tiendrait sans doute pas rigueur. Elle avait déjà reçu une demi-douzaine d'appels de New York pour lui transmettre condoléances et offres de soutien. Cela compensait presque la photo d'elle trouvée dans le journal du jour des funérailles de Kathleen.

Enterrement de la sœur d'une romancière célèbre

G. B. McCabe se rend aux funérailles de sa sœur brutalement assassinée

Elle n'avait même pas voulu lire le texte de l'article.

Les gros titres n'ont pas d'importance, se remémora-t-elle. Elle s'y était attendue. Le sensationnalisme faisait partie du jeu. Et ça avait toujours été un jeu pour elle, jusqu'à ces derniers jours.

Grace termina sa tasse de café et s'en servit une autre avant d'attraper l'enveloppe en papier kraft pleine de cartes de condoléances. Elle envisagea un moment de se contenter de les envoyer à sa mère. Au lieu de quoi elle s'assit sur le lit et entreprit de les lire. Certaines nécessiteraient peut-être une réponse par écrit. Mieux valait qu'elle s'en charge maintenant plutôt que de demander à sa mère d'y faire face ensuite.

L'une des cartes avait été envoyée de la part de tous les élèves de l'école de Kathleen. En l'examinant, Grace envisagea de faire un don financier pour créer une bourse au nom de Kathleen. Elle mit la carte de côté en attendant de pouvoir discuter de cette idée avec son avocat.

Elle reconnut quelques noms californiens : les familles riches et puissantes que Kathleen avait fréquentées. *Jonathan n'aura qu'à s'occuper de leur répondre,* se dit-elle en les laissant retomber en tas.

Un mot signé par une ancienne voisine lui fit remonter les larmes aux yeux. Les deux sœurs avaient vécu à côté de Mme Bracklemen pendant quinze ans. Elle était déjà âgée à l'époque, aux yeux de Grace en tout cas. Une voisine qui avait toujours des cookies dans le four ou des chutes de tissus à donner pour fabriquer des marionnettes. Grace mit également cette carte de côté.

Quand son regard se posa sur la suivante, elle se figea, se frotta les yeux, puis contempla fixement la carte. Celle-ci provenait de chez un fleuriste, avec les mots *In Memoriam* imprimés de l'autre côté d'une couronne de roses rouges. Quelqu'un avait ajouté une courte phrase à la main :

Desiree, je n'oublierai jamais.

Alors que son esprit demeurait comme bloqué sur cette phrase, la carte lui échappa des mains et tomba à ses pieds.

« Desiree ». Le mot parut grandir jusqu'à s'étaler en travers de la carte tout entière.

« Moi, c'est Desiree », avait tranquillement annoncé Kathleen durant leur première soirée.

Moi c'est Desiree.

Les yeux baissés vers la carte, Grace se mit à trembler.

— Mon Dieu… Oh, mon Dieu !

Jerald resta patiemment assis durant son cours de littérature tandis que son professeur insistait d'une voix monocorde sur les subtilités et le symbolisme des vers de *Macbeth*. Jerald avait toujours aimé cette pièce. Il l'avait lue à plusieurs reprises et n'avait pas besoin que M. Brenner la lui explique. C'était une histoire de meurtre et de folie. Et, bien entendu, de pouvoir.

Il avait grandi auprès du pouvoir. Son père était l'homme le plus puissant du monde. Et Jerald savait tout ce qu'il y avait à savoir sur le meurtre et la folie.

M. Brenner aurait eu une attaque si Jerald s'était levé pour lui expliquer ce que l'on ressentait au moment de mettre fin à une vie. S'il avait décrit les sons que cela faisait ou l'expression sur le visage d'une personne en train de s'éteindre. Les yeux. Le plus incroyable était leurs yeux.

Il avait décidé qu'il aimait tuer, de la même façon que George Lowell, son voisin de table, aimait le baseball. C'était, d'une certaine manière, le sport ultime. Et jusqu'à présent, il avait tout d'un champion.

Certes, Roxanne n'avait pas eu la même importance à ses yeux que Desiree. Il avait apprécié ce court instant où l'orgasme et la mort n'avaient fait qu'un, mais Desiree… Desiree revêtait une bien plus grande signification pour lui.

Si seulement il avait pu retrouver cela. Si seulement il avait pu la faire revenir. Il serait injuste qu'il ne puisse pas revivre ce déferlement d'amour et de plaisir libérateur.

C'était une question d'attente, conclut Jerald. Comme pour Macbeth avec Duncan : il avait connu la montée des émotions, la terreur et la destinée. Roxanne avait plutôt constitué une expérimentation. De la même façon qu'en chimie on tentait de reproduire des réactions pour prouver une théorie.

Il allait devoir recommencer. Une nouvelle mise en pratique. Une nouvelle chance de retrouver la perfection. Son père l'aurait très bien compris. Son père qui ne se contentait jamais d'autre chose que de la perfection. Et, après tout, Jerald était bien le fils de son père.

L'addiction faisait partie de la vie de Jerald. Et le meurtre n'était qu'un vice de plus. Mais la prochaine fois il prendrait le temps de mieux connaître la femme. Il voulait ressentir ce lien avec elle.

M. Brenner poursuivait son exposé, évoquant la folie de lady Macbeth. Jerald se massa la poitrine du bout des doigts en se demandant d'où venait cette douleur qu'il ressentait.

8

Grace avait déjà visité des commissariats par le passé. Ces lieux l'avaient toujours fascinée. Que ce soit dans les petites villes ou les métropoles, au nord ou au sud, ils avaient tous une certaine ambiance, une atmosphère de chaos sous contrôle.

Celui-ci n'échappait pas à la règle. Le sol était recouvert d'un linoléum terne émaillé de nombreux plis et bulles d'air. Les murs beiges – à moins qu'il s'agisse d'un blanc altéré par le temps – étaient émaillés d'affiches punaisées ici et là. Invitations à signaler les crimes, avec un numéro de téléphone et une incitation à agir en bon citoyen. Numéros d'urgence pour les drogues, le suicide, les femmes et les enfants battus. Avis de recherche pour les enfants disparus. Les stores vénitiens auraient eu besoin d'un coup de chiffon et un panneau « En panne » était placardé sur le distributeur de friandises.

Au sein de la brigade criminelle, les flics en civil étaient soit au téléphone soit penchés sur leurs claviers. Quelqu'un farfouillait dans un réfrigérateur cabossé. Grace huma des arômes de café et une odeur qui ressemblait à celle du thon.

— Je peux vous aider ?

La voix la fit sursauter et elle prit conscience qu'elle était à bout de nerfs. Le flic était jeune, environ vingt-cinq ans, avec des cheveux bruns et une fossette au menton. Grace détendit ses doigts crispés sur le fermoir de son sac à main.

— Je suis venue voir l'inspecteur Jackson.

— Il n'est pas présent. (Il avait eu besoin de quelques instants pour la reconnaître. Il ne lisait pas beaucoup mais il avait vu sa photo dans le journal du matin.) Mademoiselle McCabe ?

— Oui.

— Vous pouvez l'attendre si vous voulez, ou je peux aller voir si le capitaine est disponible.

Le capitaine ? Elle ne le connaissait pas plus que ce jeune policier à fossette. C'était Ed dont elle avait besoin.

— Je préfère patienter.

Les mains déjà occupées par deux canettes de boisson et un gros dossier, il lui désigna du menton un siège dans le coin de la salle. Grace s'assit et attendit, les deux mains serrées autour de son sac.

Elle vit arriver une femme. Blonde et vêtue d'un élégant tailleur clair, elle n'avait pas l'air de quelqu'un ayant rapport avec la police criminelle. Une femme d'affaires ou la jeune épouse d'un politicien, imagina Grace sans toutefois avoir l'énergie d'aller plus loin et d'inventer une histoire à rattacher à ce visage inconnu. Elle reporta son regard vers le hall d'entrée.

— Salut Tess, lança le jeune flic depuis son bureau. Il était temps que quelqu'un apporte une touche de classe par ici.

Elle sourit et s'approcha de lui.

— Ben n'est pas là ?

— Il est sorti jouer les inspecteurs.

— J'avais une heure devant moi, je me suis dit qu'il pourrait peut-être avancer un peu sa pause déjeuner.

— Moi je suis dispo.

— Désolée. Mon mari est un flic jaloux et armé. Dis-lui simplement que je suis passée.

— Tu vas t'impliquer dans l'affaire ? Dresser le portrait psychologique du tueur ?

Elle hésita. C'était quelque chose qu'elle avait envisagé ; elle l'avait même mentionné informellement à Ben. Le refus très ferme de ce dernier et la quantité de travail qu'elle avait déjà à gérer faisaient qu'elle n'avait pas insisté.

— Je ne crois pas. Dis à Ben que je passerai chez le traiteur chinois et que je serai à la maison à dix-huit heures. Plutôt dix-huit heures trente, corrigea-t-elle.

— Certains hommes ont vraiment de la veine.

— Ça aussi, tu peux lui dire.

Au moment de repartir, Tess remarqua la présence de Grace. Les photos dans les journaux et sur la couverture de ses livres lui permirent d'immédiatement la reconnaître. Elle identifia également l'expression d'épuisement et de chagrin sur ses traits. En tant que médecin, il lui sembla quasi impossible de s'en aller sans rien dire. Elle traversa la pièce et attendit que Grace lève la tête.

— Mademoiselle McCabe ? (*Faites que ce ne soit pas une fan,* songea Grace. Pas ici, pas maintenant. Tess perçut son mouvement de recul et lui tendit la main.) Je m'appelle Tess. Tess Paris, la femme de Ben.

— Oh. Bonjour.

— Vous attendez Ed ?

— Oui.

— On dirait que nous sommes toutes les deux tombées au mauvais moment. Vous voulez un café ?

Grace hésita, s'apprêtant à refuser. Mais à cet instant une femme en pleurs fut escortée, presque portée même, à l'intérieur de la salle.

— Mon fils est un gentil garçon. Un gentil garçon. Il ne faisait que se défendre. Vous ne pouvez pas le garder ici !

Grace regarda les policiers installer la femme sur une chaise tandis qu'une enquêtrice se penchait vers elle pour lui parler d'une voix claire et apaisante. Du sang tachait les vêtements des deux femmes.

— Oui, je veux bien, s'empressa Grace de répondre.

Tess sortit rapidement dans le couloir. Elle chercha quelques pièces dans son portefeuille et les inséra dans le distributeur de boissons.

— Avec du lait ?

— Non, sans rien.

— Bon choix. En général, la machine met du lait partout sauf dans le gobelet. (Elle tendit le premier café à Grace. Son métier lui avait appris à écouter sans juger ni intervenir. Et cela faisait aussi partie de sa personnalité. En remarquant les légers tremblements qui agitaient les doigts de Grace, Tess se dit qu'elle se devait de l'aider.) Vous ne voudriez pas aller marcher un peu ? C'est une belle journée.

— D'accord.

Tess franchit la porte la première et s'appuya contre la rampe d'escalier. Elle sourit en songeant que c'était à cet endroit même qu'elle avait rencontré Ben pour la première fois, sous la pluie.

— Le printemps est la plus belle saison pour Washington, dit-elle. Vous comptez rester longtemps ?

— Je ne sais pas, dit Grace. (Le soleil brillait, presque trop même. Elle n'y avait pas prêté attention durant le trajet aller.) J'ai du mal à prendre des décisions, avoua-t-elle.

— Ça n'a rien d'inhabituel. Après une perte, la plupart d'entre nous ressentons un sentiment de flottement pendant quelque temps.

— Est-ce habituel de ressentir de la culpabilité ?

— À quel propos ?

— Quant au fait de ne pas avoir su l'empêcher.

Tess but une gorgée de café en observant des jonquilles qui oscillaient sous le vent.

— Vous auriez pu ?

Grace repensa à la carte qu'elle transportait dans son sac.

— Je ne sais pas… Je ne sais vraiment pas, souffla-t-elle. (Elle s'assit sur les marches en laissant échapper un petit rire.) Ça ressemble à une séance de thérapie. Ne nous manque plus qu'un canapé.

— Parfois, ça aide de parler à quelqu'un qui n'est pas impliqué.

Grace tourna la tête en se protégeant les yeux de sa main.

— Ed m'avait dit que vous étiez belle.

— Ed est très gentil, répondit Tess avec un sourire.

— Vous trouvez vous aussi, hein ? (Grace se détourna et serra de nouveau son sac entre ses doigts.) Vous savez, j'ai toujours été capable de prendre les choses telles qu'elles viennent. Et je suis encore meilleure quand il s'agit de faire en sorte qu'elles aillent dans mon sens. Je déteste ce qui arrive. Je déteste me sentir perdue. Je déteste ne pas être capable de décider si je dois tourner à gauche ou à droite. J'ai l'impression de ne plus être moi-même.

— Les personnes fortes sont souvent celles qui ont le plus de mal face à la perte et au deuil. (Captant un bruit de freins, Tess jeta un coup d'œil vers le parking en songeant que c'était peut-être Ed au volant.) Si vous restez encore quelque temps en ville et avez besoin de parler, faites-moi signe, ajouta-t-elle.

— Merci.

Grace posa son café par terre et se releva lentement. En voyant approcher Ed, elle essuya sur son jean ses paumes soudain moites.

— Grace ?

— J'ai quelque chose à te montrer, dit-elle.

Ben prit Tess par la main et se dirigea vers le bâtiment.

— Non, attendez un instant, s'il vous plaît, lança-t-elle à l'intention du couple. (Avec un profond soupir, Grace ouvrit son sac à main.) J'ai trouvé ceci ce matin parmi les courriers et les cartes de condoléances, expliqua-t-elle.

Elle sortit l'enveloppe blanche et neutre dans laquelle elle avait rangé la carte et la tendit à Ed. Celui-ci sortit la carte et la tourna de manière à ce que Ben puisse la lire en même temps que lui.

— Est-ce que cela revêt une signification particulière pour vous, Grace ?

— Oui. (Elle referma son sac en se demandant pourquoi elle se sentait aussi nauséeuse. Elle n'avait rien mangé.) C'était le nom que Kathleen utilisait chez Fantasme. Kathleen était Desiree. C'était sa couverture, si vous voulez. Afin que personne ne sache qui elle était ni où elle vivait. Mais quelqu'un l'a su. Et il l'a tuée.

— Venez à l'intérieur, Grace.

— Il faut que je m'asseye...

Tess écarta gentiment Ed et incita Grace à placer la tête entre ses genoux.

— Je vous l'amène dans une minute, lança-t-elle par-dessus son épaule.

Ben entrouvrit la porte et posa une main sur l'épaule d'Ed.

— Viens, dit-il. On ferait mieux de montrer ça tout de suite au capitaine. Tess va s'occuper d'elle, ajouta-t-il en voyant qu'Ed ne bougeait pas d'un poil.

— Respirez profondément, murmura Tess en massant les épaules de la jeune femme tout en tâtant son pouls de sa main libre.

Grace luttait pied à pied contre la faiblesse qui l'envahissait.

— Bon sang, j'en ai marre de tout ça !

— Alors vous feriez mieux de manger plutôt que de vous nourrir exclusivement de café. Vous avez aussi besoin de repos. Sans quoi ce genre de chose va se reproduire.

Grace garda la tête baissée mais se tourna afin de croiser le regard de Tess. Elle y lut à la fois de la compassion et de la compréhension, auxquelles s'ajoutait un solide bon sens. Exactement ce dont elle avait besoin.

— Compris. (Lorsqu'elle se redressa, elle était toujours pâle mais son pouls avait gagné en force.) Ce salopard a tué ma sœur. Peu importe le temps que ça prendra, je le ferai payer pour ça. (Elle repoussa ses cheveux des deux mains et inspira profondément.) Je crois que le monde s'est remis à l'endroit, dit-elle.

— Vous êtes prête à y aller ?

Grace hocha la tête et se leva.

— Je suis prête.

Quelques instants plus tard, elle se retrouva assise dans le bureau du capitaine Harris. Très lentement, sa capacité à s'exprimer de façon cohérente à peine retrouvée, elle raconta l'histoire de l'implication de Kathleen au sein de Fantasme, Inc.

— Au début, j'ai eu peur qu'elle se retrouve à discuter avec un type louche qui pourrait lui causer des ennuis. Mais elle m'a expliqué le système, le fait que personne en dehors des bureaux de la société n'avait son numéro. Et qu'elle n'utilisait même pas son vrai nom. Desiree. C'est celui-ci qu'elle m'a dit employer durant ces appels. Je ne m'en souvenais plus jusqu'à ce que je voie cette carte. À l'exception de ses employeurs et des hommes à qui elle parlait, personne ne la connaissait sous ce nom.

Derrière elle, Ben jonglait discrètement avec son briquet. Il n'avait pas aimé la façon dont Tess l'avait regardé avant de retourner à son cabinet. Elle allait sans doute lui reparler de cette histoire.

— Est-il possible que votre sœur ait parlé à quelqu'un d'autre de ce deuxième job et de ce faux nom ?

— Je dirais que non, répondit Grace en acceptant la cigarette qu'il lui tendait. Kathy était très secrète. Si elle avait eu une amie intime, elle lui en aurait peut-être parlé. Mais ce n'était pas le cas.

Elle inspira la fumée au fond de ses poumons avant de la souffler.

— Elle vous en a parlé, cela dit, lui rappela Ed qui la vouvoyait de nouveau face au capitaine.

— Oui, c'est vrai. (Grace marqua un temps d'arrêt. Elle devait garder l'esprit clair.) Quand j'y repense, je me dis que la seule raison pour laquelle elle m'a mise au courant est qu'elle-même se sentait un peu nerveuse. Elle l'a fait sans vraiment réfléchir et je sais qu'elle l'a regretté ensuite. Je lui ai demandé des détails à deux reprises et elle n'a rien voulu dire de plus. C'était ses affaires et ça ne concernait personne d'autre. Kath était très ferme quand il s'agissait de protéger sa vie privée. (Les rouages de son esprit s'étaient remis à tourner à plein régime. Elle ferma les yeux et se concentra.) Jonathan. Il aurait pu être au courant.

— L'ex-mari ? s'enquit Harris.

— Oui. J'ai échangé quelques mots avec lui pendant les funérailles et il a admis qu'il savait que Kathy avait embauché un avocat et un détective. S'il savait cela, il est probable qu'il était aussi au courant du reste. Je lui ai demandé jusqu'où il serait allé pour empêcher Kath d'obtenir la garde de Kevin et il m'a répondu qu'il aurait fait tout ce qui se serait avéré nécessaire.

— Grace, dit Ed en lui tendant un gobelet de thé en polystyrène. Breezewood était en Californie la nuit où votre sœur a été assassinée.

— Les hommes comme Jonathan ne tuent pas. Ils embauchent d'autres individus pour le faire. Il la haïssait. Il a un mobile.

Ed prit la cigarette qui s'était consumée entre les doigts de Grace et l'écrasa dans le cendrier.

— Nous lui avons déjà parlé, dit-il. Il s'est montré très coopératif.

— Je n'en doute pas.

— Il a admis avoir fait appel à une agence pour garder un œil sur votre sœur. Pour la surveiller, Grace, poursuivit-il en voyant son regard s'assombrir. Il connaissait son désir de l'assigner en justice pour la garde.

— Alors pourquoi l'avez-vous laissé repartir en Californie ?

— Nous n'avions aucune raison de le retenir.

— Ma sœur est morte. Ça n'est pas une assez bonne raison ?

Harris se pencha vers elle, mains jointes devant lui.

— Nous n'avons aucune preuve que votre ex-beau-frère soit impliqué dans le meurtre de votre sœur. Et il n'y a absolument rien qui le relie au deuxième meurtre.

— Un deuxième meurtre ? (Se forçant à respirer avec lenteur et régularité, elle se tourna vers Ed.) Il y a en a eu un autre ?

— La nuit dernière.

Elle refusait de laisser la faiblesse l'envahir de nouveau. Avec des gestes posés, elle se força à boire un peu du thé qu'Ed lui avait servi. Il était important de conserver une voix calme, raisonnable même. Le temps de l'hystérie était révolu.

— La même chose ? La même chose que pour Kathy ?

— Oui. Nous devons trouver le lien entre les deux, Grace. Connaissiez-vous une Mary Grice ?

Grace réfléchit. Elle avait une excellente mémoire.

— Non. Vous pensez que Kath la connaissait ?

— Ce nom n'apparaissait pas dans le carnet d'adresses de votre sœur, répondit Ben.

— Alors c'est peu probable. Kathy était très organisée pour ce genre de choses. Pour tout, en fait.

À cet instant, le jeune flic que Grace avait croisé en arrivant passa la tête dans l'embrasure de la porte.

— Capitaine, nous avons des infos fiscales à propos de Mary Grice. (Il décocha un coup d'œil à Grace avant de tendre le document imprimé à Harris.) Ça comprend la liste de ses employeurs pour l'année passée.

Harris examina le rapport et s'arrêta sur un nom. Grace sortit une nouvelle cigarette de son paquet. Les rouages de son cerveau s'étaient remis en route.

— Elle travaillait aussi pour Fantasme, c'est ça ? Le voici, le lien. (Elle actionna son briquet et se sentit plus forte qu'elle ne l'avait été depuis des jours.) C'est la seule explication plausible, ajouta-t-elle.

Harris la dévisagea de ses yeux étrécis.

— Cette enquête est confidentielle, mademoiselle McCabe.

— Vous croyez que j'irais parler à la presse ? s'étonna-t-elle en soufflant un nuage de fumée. Ce serait bien mal me connaître, capitaine. La seule chose qui m'intéresse est de voir le meurtrier de ma sœur payer pour son crime. Si vous voulez bien m'excuser...

Ed la rattrapa alors qu'elle ressortait dans le hall.

— Où vas-tu ?

— Parler aux propriétaires ou aux gérants de Fantasme, Inc.

— Sûrement pas.

Elle s'immobilisa le temps de le fusiller du regard.

— Ne me dis pas ce que je dois faire ou non ! lança-t-elle avant de faire volte-face. (Elle fut alors plus surprise qu'ennuyée lorsqu'il l'agrippa, la fit pivoter sur elle-même et la poussa à l'intérieur d'un bureau vide.) Je parie qu'au foot tu étais capable de renverser la défense adverse à toi tout seul, dit-elle.

— Assieds-toi, Grace.

Plutôt que d'obtempérer, elle écrasa sa cigarette dans un gobelet vide.

— Tu sais ce que j'ai remarqué ? Je ne m'en rends compte que maintenant, mais ça fait un moment que ça dure. Tu aimes donner des ordres, Jackson. Mais moi, je ne suis pas du genre à obéir. (Elle était calme, presque trop, mais elle se sentait dans son bon droit.) Tu es bien plus grand que moi, reprit-elle, mais je te jure que si tu ne t'écartes pas de mon chemin, je te mets à terre.

Il n'en doutait pas, mais ce n'était pas le moment de la mettre au défi.

— Cette affaire est du ressort de la police.

— Il s'agit de ma sœur. C'est mon affaire. Et j'ai enfin trouvé quelque chose d'autre à faire que de contempler le plafond en me demandant pourquoi...

Sa voix avait vacillé avant de se reprendre. Ed était absolument persuadé que s'il tentait de la réconforter, elle refuserait sèchement.

— Les choses obéissent à certaines règles, Grace. Tu n'es pas obligée de les apprécier mais elles sont là.

— Je me fous des règles.

— Très bien. Alors peut-être qu'aujourd'hui nous trouverons une nouvelle femme assassinée, et encore une autre demain. (Constatant que l'argument avait fait mouche, il insista :) Tu écris d'excellents romans policiers mais là, nous sommes dans le réel. Ben et moi allons faire notre boulot et toi, tu vas rentrer chez toi. Je peux t'imposer une mesure d'éloignement légale si nécessaire. (Il marqua une pause tandis qu'elle le défiait du regard, mi-amusée, mi-furieuse.) Ou bien je pourrais te mettre en détention préventive. Ça te plairait, j'en suis sûr.

— Salaud.

Elle avait craché ce mot avec colère mais Ed savait qu'il avait obtenu gain de cause.

— Rentre chez toi. Repose-toi. Mieux, va chez moi, dit-il en sortant les clés de sa poche. Si tu ne prends pas soin de toi, tu vas finir par t'évanouir. Ce qui ne ferait de bien à personne.

— Je ne vais pas rester assise à ne rien faire.

— Non. Tu vas manger, tu vas dormir et tu vas attendre que je revienne. Et si je suis en mesure de te dire quoi que ce soit, je le ferai.

Par réflexe, elle rattrapa les clés qu'il venait de lui lancer.

— Et s'il tue quelqu'un d'autre ?

C'était la question qu'il se posait depuis deux heures du matin.

— On va le trouver, Grace.

Elle hocha la tête car elle avait toujours été convaincue que le bien triomphait du mal.

— Quand vous l'aurez arrêté, je veux le voir. Face à face.

— On en parlera. Tu veux que quelqu'un te reconduise chez toi ?

— Je suis encore capable de conduire une voiture, répondit-elle en rangeant les clés d'Ed dans son sac. J'attendrai, Jackson. Mais je ne suis pas une femme très patiente.

Comme elle s'apprêtait à passer devant lui, il lui prit le menton entre ses doigts. Son visage avait repris des couleurs, pour la première fois depuis des jours. Bizarrement, ça ne le rassurait pas vraiment.

— Dors un peu, marmonna-t-il en lui ouvrant la porte.

Lorsqu'ils passèrent la porte des étroits bureaux de Fantasme, Eileen était au téléphone. Elle releva les yeux vers eux sans paraître surprise et termina de donner des instructions à son opératrice. Même lorsque Ben laissa tomber un mandat sur son bureau, elle poursuivit comme si de rien n'était. Après avoir raccroché, elle prit le document et le lut avec soin.

— Tout me semble en ordre.

— Vous avez perdu une nouvelle employée cette nuit, madame Cawfield.

Elle croisa son regard avant de reporter son attention sur le mandat.

— Je sais.

— Alors vous savez également que vous constituez le lien entre les deux meurtres. Votre entreprise est la seule connexion existante entre Mary et Kathleen.

— Je comprends que vous pensiez cela. (Elle reprit le document et fit défiler les pages entre ses doigts.) Mais je ne peux croire que ce soit le cas, dit-elle. Comme je vous l'ai déjà dit, nous ne donnons pas dans le porno bas de gamme au téléphone. Mon entreprise est organisée et gérée avec soin. (Même si son ton demeurait calme et raisonnable, Ed vit passer dans ses yeux une lueur paniquée.) J'ai un diplôme de gestion de l'université de Smith. Mon mari est avocat. Il ne s'agit pas d'une affaire clandestine. Nous proposons un service. Des conversations. Si je pensais qu'il était possible que je sois responsable de la mort de deux femmes…

— Madame Cawfield, une seule personne est responsable. L'homme qui les a tuées. (Elle gratifia Ed d'un regard plein de gratitude et il en profita pour tourner la situation à son avantage.) Une femme a téléphoné pour signaler du bruit chez Mary Grice hier soir. Ce n'était pas une voisine, madame Cawfield.

— Non. Je peux vous en prendre une ? demanda-t-elle en voyant Ben sortir une cigarette. J'ai arrêté il y a deux ans… (Elle eut un léger sourire comme il la lui allumait.) C'est en tout cas ce que pense mon mari. La santé est importante à ses yeux. Prolonger l'existence, améliorer son style de vie. J'aurais du mal à vous dire à quel point j'en suis venue à détester les pousses de luzerne.

— Le coup de fil, Eileen, lui rappela Ben.

Elle tira sur la cigarette puis laissa nerveusement échapper un petit nuage de fumée.

— Mary était au téléphone avec un client quand… quand elle a été agressée. Il l'a entendue crier, puis ce qui ressemblait à des bruits de lutte.

Bref, il a rappelé ici. Ma belle-sœur ne savait pas quoi faire, donc elle m'a téléphoné. Dès qu'elle m'a expliqué la situation, j'ai prévenu la police. (Le combiné à côté d'elle se mit à sonner mais elle n'y prêta pas attention.) Comme vous le voyez, le client lui-même n'aurait pas pu appeler les forces de l'ordre. Il n'aurait pas pu leur dire où aller ni qui avait des ennuis. Cela fait partie de nos mesures de protection.

— Il nous faut le nom de ce client, madame Cawfield.

Elle opina du chef et éteignit proprement sa cigarette.

— Je dois vous demander d'être aussi discrets que possible. Ce n'est pas seulement une question de perte de clientèle, même si ça semble inévitable. C'est plutôt que je déteste l'idée de trahir la confidentialité promise à nos clients.

Ben jeta un coup d'œil au téléphone qui s'était remis à sonner.

— C'est le genre de chose qui perd toute importance face à un meurtre, dit-il.

Sans un mot, Eileen se tourna vers son ordinateur.

— C'est le modèle le plus perfectionné, expliqua-t-elle tandis que l'imprimante bourdonnait. Je voulais le meilleur équipement disponible.

Elle décrocha le téléphone et répondit au client à l'autre bout du fil. Puis, après avoir raccroché, elle pivota sur son siège et récupéra les documents imprimés qu'elle tendit à Ed.

— L'homme qui discutait avec Mary la nuit dernière s'appelle Lawrence Markowitz. Je n'ai évidemment pas son adresse, seulement un numéro de téléphone et celui de sa carte American Express.

— On s'occupe du reste, répondit Ed.

— Je l'espère. J'espère que vous réglerez cette histoire au plus tôt.

Alors qu'ils tournaient les talons, le téléphone se remit à sonner.

Il ne fallut pas longtemps pour retrouver la trace de Lawrence K. Markotwitz. C'était un expert-comptable de trente-sept ans, divorcé et travaillant en tant qu'indépendant depuis son domicile de Potomac dans le Maryland.

— Bon sang, regarde-moi ces maisons ! (Ben ralentit nettement l'allure et passa la tête par la fenêtre de sa portière.) Tu sais combien coûtent les baraques dans le coin ? Quatre ou cinq cent mille dollars. Même les jardiniers gagnent plus que nous par ici.

Ed mordit dans une graine de tournesol.

— Je préfère ma maison. Elle a plus de caractère.

— Plus de caractère ? reprit Ben avec un reniflement moqueur en ramenant sa tête dans l'habitacle. Rien que la taxe d'habitation de la baraque là-bas coûte plus que ton emprunt immobilier !

— La valeur financière d'une maison n'en fait pas un foyer.

— Ouais, tu devrais imprimer ça et le faire encadrer. Regarde-moi cet endroit ! Ça doit bien faire quatre mille ou quatre mille cinq cents mètres carrés.

Ed jeta un coup d'œil sans toutefois se laisser impressionner par la taille des lieux ; l'architecture était trop moderne à son goût.

— Je ne pensais pas que tu t'intéressais à l'immobilier, commenta-t-il.

— Non. Enfin, pas jusqu'à maintenant, répondit Ben comme ils passaient devant une haie d'azalées rose pâle. Je me dis que la Doc et moi finirons par avoir envie d'un lieu à nous. Elle saurait gérer une maison comme celle-ci, murmura-t-il. Moi pas. Il y a sans doute un règlement de quartier sur l'importance de trier ses ordures par couleur. Que des médecins, avocats, experts-comptables.

Et petites-filles de sénateur, songea-t-il en repensant à l'élégance sans ostentation de sa femme.

— Et d'herbes folles.

— J'aime bien les herbes folles. Nous y voilà.

Il arrêta la voiture devant une maison à étage en forme de H dotée de portes-fenêtres.

— Ça paie bien d'optimiser la fiscalité de ses clients.

— Les comptables, c'est comme les flics, rétorqua Ed en rangeant son sachet de graines. On finit toujours par avoir besoin d'eux.

Ben s'engagea dans la voie d'accès pentue de la maison et serra le frein à main. Il aurait préféré coincer deux grosses pierres derrière les pneus mais il n'y avait pas un caillou visible aux alentours. Trois portes s'offraient à eux. Ils optèrent pour celle qui s'ouvrait en façade. Une femme d'âge mûr vêtue d'une robe grise et d'un tablier blanc vint leur ouvrir.

— Nous aimerions voir M. Markowitz, dit Ed. Pour une affaire policière, ajouta-t-il en présentant son insigne.

— M. Markowitz est dans son bureau. Je vais vous y emmener.

L'entrée donnait sur une grande pièce décorée dans des teintes noires et blanches. Ed jugea l'installation trop austère mais trouva les fenêtres de toit intéressantes. Il faudrait qu'il fasse faire un devis pour le même genre de choses chez lui.

Ils tournèrent à droite, dans la barre centrale du H. Dans une pièce éclairée par des lampes en forme de globes terrestres se trouvaient plusieurs chaises longues en cuir. Une femme était assise derrière un bureau d'ébène.

— Mademoiselle Bass, ces messieurs souhaitent voir M. Markowitz.

— Vous avez rendez-vous ?

La femme derrière son bureau semblait déjà stressée. Sa coiffure en désordre donnait l'impression qu'elle avait tenté de s'arracher les cheveux. Elle coinça un crayon derrière son oreille et fouilla parmi les papiers étalés sur le bureau à la recherche de son agenda. Le téléphone posé à côté d'elle sonnait régulièrement.

— Je suis navrée mais M. Markowitz est très pris. Il n'est pas en mesure de recevoir de nouveaux clients. (Ben sortit son insigne et lui mit sous le nez.) Oh. Je vais voir s'il est disponible... (Elle se racla la gorge puis dégagea l'intercom enseveli sous les dossiers.) Monsieur Markowitz... (Ben comme Ed entendirent les grésillements grincheux qui suivirent l'interruption.) Je suis navrée, monsieur Markowitz. Oui monsieur, mais il y a ici deux hommes... Non monsieur, je n'ai pas encore sorti le compte berlinois. Monsieur Markowitz... Monsieur Markowitz, ils sont de la police. (Elle avait prononcé ce mot en baissant d'un ton, comme s'il s'agissait d'un secret.) Oui, monsieur, j'en suis certaine. Non, monsieur. Très bien. (Elle souffla pour chasser de ses yeux les mèches de sa frange.) M. Markowitz va vous recevoir. C'est cette porte-ci.

Son devoir accompli, elle décrocha le téléphone.

Lawrence Markowitz et associés ?

S'il avait des associés, ceux-ci étaient invisibles. Markowitz était seul dans son bureau. Malingre et atteint de calvitie, il avait de grandes dents et d'épaisses lunettes. Son bureau, du même noir que celui de sa secrétaire, était encore plus grand. Des piles de dossiers s'y accumulaient, ainsi que deux téléphones, au moins une dizaine de crayons soigneusement taillés et deux calculatrices dont les rouleaux de papier retombaient jusqu'au sol. Il y avait un distributeur d'eau dans un coin. Suspendue face à la fenêtre se trouvait une cage à oiseaux habitée par un grand perroquet vert.

Les deux policiers présentèrent leurs insignes.

— Monsieur Markowitz ?

— Oui, que puis-je faire pour vous ? (Le comptable passa une main sur ce qui lui restait de cheveux et s'humecta les lèvres. Il n'avait pas menti à Roxanne à propos de ses dents de lapin.) J'ai bien peur d'être submergé de travail en ce moment. Vous savez quel jour nous sommes, n'est-ce pas ? Le 14 avril. Tout le monde attend la dernière minute pour faire sa déclaration en espérant ensuite un miracle. Je ne demande qu'un peu de considération, d'organisation. Je ne peux pas constituer un dossier d'extension de délai pour tout le monde... Des lapins, il faudrait que je sorte des lapins de mon chapeau !

— Je comprends, monsieur, dit Ben. (Puis il prit conscience de ce que ça signifiait pour lui :) Le 14 avril ? Déjà ?

— J'ai fait ma déclaration le mois dernier, annonça tranquillement Ed.

— M'étonne pas de ta part.

— Je suis navré, messieurs, mais les nouvelles lois en la matière mettent tout le monde en panique. Si je travaille sans discontinuer pendant les vingt-quatre heures à venir, j'ai peut-être une chance de terminer à temps.

Markowitz avait les doigts tendus à deux centimètres au-dessus de sa calculatrice.

— À mort le fisc ! lança le perroquet depuis son perchoir.

— Ouais.

Ben se passa lui aussi les doigts dans les cheveux en essayant de ne pas s'attarder sur sa déclaration en retard.

— Monsieur Markowitz, nous ne sommes pas venus pour des histoires de taxes. Vous prenez combien de l'heure, cela dit ?

— Notre visite concerne Mary Grice, intervint Ed. Vous la connaissiez sous le nom de Roxanne.

Par réflexe, Markowitz appuya sur la touche d'annulation de la calculatrice puis saisit l'un de ses crayons.

— J'ai bien peur de ne pas savoir de quoi vous parlez.

— Monsieur Markowitz, Mary Grice a été assassinée hier soir. (Ed attendit un instant et comprit que le comptable avait trouvé le temps de lire l'édition du matin.) Nous avons des raisons de penser que vous étiez en ligne avec elle au moment de l'agression.

— Je ne connais personne de ce nom.

— Vous connaissiez Roxanne, ajouta Ben.

La peau déjà pâle de Markowitz se teinta de reflets verdâtres.

— Je ne vois pas ce que Roxanne a à voir avec Mary Grice.

— Elles n'étaient qu'une seule et même femme, répondit Ben.

Il vit Markowitz déglutir avec difficulté.

Le comptable avait su. Sans pouvoir dire pourquoi, il avait compris rien qu'en lisant les titres du journal. Mais cela n'avait pas rendu la chose réelle. La présence de deux flics dans son bureau en plein milieu de la journée, par contre, rendait l'histoire bien réelle. Et très personnelle.

— Je gère certains des plus gros comptes de la région métropolitaine. Plusieurs de mes clients appartiennent au Congrès, au Sénat. Je ne peux pas me permettre d'avoir des ennuis.

— Nous pourrions vous assigner à comparaître, lui assura Ed. Mais si vous coopérez, nous pourrons peut-être faire en sorte que tout ceci reste entre nous.

Markowitz retira ses lunettes pour se frotter les yeux. Il avait l'air de ne rien voir sans ses verres.

— C'est la pression, dit-il. Pendant des mois, votre vie ne tourne plus qu'autour de questions d'optimisation et de montages fiscaux. Vous n'imaginez pas… Personne ne veut payer, vous savez. Difficile de les blâmer. La plupart de mes clients ont des revenus de plusieurs centaines de milliers de dollars. Ils n'ont pas envie d'en donner trente-cinq pour cent ou plus au gouvernement. Ils attendent de moi que je leur trouve un moyen d'y échapper.

— Pas facile, commenta Ben en décidant d'essayer l'une des chaises longues. Mais nous ne cherchons pas à connaître les raisons qui vous ont poussé à faire appel à Fantasme, monsieur Markowitz. Nous aimerions que vous nous disiez exactement ce qui s'est passé hier soir pendant que vous parliez avec Mary.

— Roxanne, corrigea Markowitz. Je préfère penser à elle en tant que Roxanne. Elle avait une voix merveilleuse et elle était si, disons, aventureuse. Je n'ai pas beaucoup de temps à consacrer aux femmes depuis mon divorce. Mais de l'eau a coulé sous les ponts depuis... Bref, j'avais développé un rapport très fort avec Roxanne. Trois fois par semaine. Après lui avoir parlé, j'étais capable de me remettre au travail et faire face à mes dizaines de dossiers.

— La nuit dernière, monsieur Markowitz, lui rappela Ed.

— Oui, la nuit dernière. Eh bien, cela ne faisait pas très longtemps que nous parlions. Je commençais tout juste à me laisser aller. À me détendre, vous voyez. (Il sortit un mouchoir en tissu et se tamponna le visage.) D'un seul coup, elle s'est mise à parler à quelqu'un d'autre. Comme s'il y avait quelqu'un dans la chambre avec elle. Elle a dit des choses comme « Qui êtes-vous ? » et « Que faites-vous ici ? ». Au début j'ai cru qu'elle s'adressait encore à moi alors j'ai répondu en blaguant. Puis elle a crié. J'ai failli lâcher le combiné. Elle m'a dit « Lawrence, Lawrence, aide-moi. Appelle la police. Appelle quelqu'un ». (Il se mit à tousser comme si le fait de répéter ces mots lui irritait la gorge.) Je lui ai répondu, poursuivit-il. C'était tellement inattendu. Je crois que je lui ai dit de se calmer. Puis j'ai entendu une autre voix.

— Une voix d'homme ? s'enquit Ed sans cesser d'écrire dans son calepin.

— Oui, je crois. Une voix différente, en tout cas. Il a dit, enfin je crois qu'il a dit : « ça va te plaire ». Il l'a appelée par son nom.

— Roxanne ? demanda Ben.

— Oui, c'est ça. Je l'ai entendu dire Roxanne. Et j'ai entendu... (Il se couvrit le visage à l'aide de son mouchoir et resta brièvement silencieux.) Il faut que vous compreniez que je suis un homme tout à fait ordinaire. Je fais de mon mieux pour éviter le stress et les complications dans ma vie. J'ai des soucis d'hypoglycémie.

Ed le gratifia d'un hochement de tête de commisération.

— Dites-nous simplement ce que vous avez entendu.

— J'ai entendu des bruits affreux. Des halètements, des chocs répétés. Les cris de Roxanne s'étaient changés en bruits étranglés et glougloutants. J'ai raccroché. Je ne savais pas quoi faire, alors j'ai raccroché. (Lorsqu'il abaissa son mouchoir, il avait le teint gris.) Je me suis dit que c'était peut-être du chiqué. J'ai essayé de me convaincre que ça l'était. Mais tous ces bruits résonnaient encore à mes oreilles. Roxanne qui pleurait en le suppliant de ne pas lui faire de mal. Et cette autre voix qui répondait qu'elle voulait qu'il lui fasse mal, que jamais plus elle ne vivrait une expérience pareille. Je crois qu'il a dit qu'il l'avait entendue exprimer son envie qu'on lui fasse mal. Je n'en suis pas sûr. Le son était très étouffé. Excusez-moi... (Il se dirigea vers le distributeur d'eau et remplit un verre en carton tandis que de grosses bulles bouillonnaient à la surface du réservoir. Après avoir vidé son gobelet d'un trait, il se resservit.) Je ne savais pas quoi faire. Je suis resté assis là à réfléchir. J'ai essayé de me remettre au travail, d'oublier tout ça. Comme je vous le disais, je me répétais que tout ça n'était sans doute qu'une plaisanterie. Mais ça ne ressemblait pas à une plaisanterie. (Il but son deuxième verre d'eau.) Plus je réfléchissais et plus l'hypothèse de la blague me semblait improbable. Alors j'ai fini par appeler Fantasme. J'ai dit à la fille au bout du fil que Roxanne avait des ennuis. Que peut-être quelqu'un allait la tuer. Puis j'ai raccroché une nouvelle fois et je... j'ai repris mon travail. Que pouvais-je faire d'autre ? (Son regard oscillait sans cesse entre Ed et Ben sans jamais s'arrêter sur l'un d'eux.) J'ai entretenu l'espoir que Roxanne me rappelle et me dise que tout allait bien. Qu'elle m'avait simplement fait une farce. Mais elle n'a pas rappelé.

— Y avait-il quoi que ce soit d'autre dans cette voix – l'autre voix que vous avez entendue – qui permette de la reconnaître ? (Tout en prenant des notes, Ed releva les yeux vers Markowitz qui transpirait abondamment.) Un accent, un ton, une façon de s'exprimer ?

— Non, c'était juste une voix. Je l'entendais à peine derrière celle de Roxanne. Écoutez, je ne sais même pas à quoi elle ressemblait. Et je ne veux pas le savoir. Soyons honnêtes : pour moi, elle n'était rien de plus que, disons, une caissière au supermarché. C'était simplement quelqu'un que j'appelais trois fois par semaine pour pouvoir oublier un peu mon métier. (Le fait de se distancer ainsi apaisait son esprit. Il n'était qu'un homme ordinaire, après tout, et quelqu'un d'honnête. Jusqu'à un certain point. Personne n'aurait voulu d'un comptable trop honnête.) Je me dis qu'elle avait sans doute un petit ami jaloux. Voilà ce que je pense.

— A-t-elle prononcé un nom ? demanda Ben.

— Non. Seulement le mien. Elle a crié mon nom. Je vous assure, je ne peux vraiment rien vous dire de plus. J'ai fait tout ce que je pouvais. Rien ne me forçait à appeler, vous savez, ajouta-t-il d'une voix où l'on percevait les accents d'un sentiment de supériorité morale. Je n'étais pas obligé de m'impliquer.

Ben se leva.

— Nous vous sommes reconnaissants de votre coopération, dit-il. Il va falloir que vous veniez au commissariat signer une déclaration.

— Inspecteur, si je quitte ce siège à un quelconque moment d'ici à demain soir, je cours le risque d'être responsable d'une dizaine d'amendes.

— Déclarez en avance, conseilla le perroquet. Protégez vos arrières !

— Passez donc le 16 au matin. Demandez l'inspecteur Jackson ou l'inspecteur Paris. Nous ferons de notre mieux pour que votre nom ne soit pas mêlé à l'affaire.

— Merci. Vous pouvez sortir par ici, répondit le comptable.

Il désigna une porte latérale d'une main tout en saisissant sa calculatrice de l'autre. En ce qui le concernait, il avait accompli son devoir et même plus.

— Il est trop tard pour faire une demande d'extension de délai ? demanda Ben au moment de sortir.

— Il n'est jamais trop tard, affirma Markotwitz en se remettant à pianoter sur son appareil.

9

Grace n'aurait pas vraiment su dire pourquoi elle avait suivi le conseil d'Ed et l'avait attendu chez lui. Peut-être parce que c'était plus facile de réfléchir sans être entouré de toutes les affaires de sa sœur. Il fallait qu'elle s'occupe. Son esprit travaillait toujours mieux quand ses mains s'affairaient. Aussi s'était-elle installée confortablement tout en réfléchissant aux possibilités qui s'offraient à elle.

Il lui semblait toujours préférable de s'entretenir en personne avec le responsable de Fantasme, Inc. Grace excellait lorsqu'il s'agissait d'interroger les gens. Avec un peu d'astuce et d'insistance, elle parviendrait potentiellement à récupérer une liste de clients. Liste qu'elle éplucherait soigneusement, nom par nom. Si l'homme qui avait tué sa sœur était dessus, elle le trouverait.

Et ensuite ?

Ensuite elle improviserait. C'était ainsi qu'elle écrivait. Et c'était ainsi qu'elle menait son existence. Jusqu'à présent, les deux avaient été un succès.

La vengeance faisait partie de ses motivations. Elle n'avait pas connu ce sentiment jusqu'alors mais le trouvait satisfaisant. Il lui donnait de la force. Pour poursuivre ce plan, elle allait devoir rester à Washington. Elle était capable de travailler de n'importe où. Et New York serait toujours là une fois qu'elle en aurait terminé.

Si elle partait maintenant, ce serait comme de rendre un livre inachevé à son éditeur. Personne d'autre que G. B. McCabe n'écrirait le dernier chapitre.

Ça ne pouvait pas être si difficile que ça. Grace avait toujours eu la conviction que le travail de policier demandait un bon timing, de la ténacité et de la minutie. Ainsi qu'une pincée de chance. La même chose que pour l'écriture. Quelqu'un qui avait planifié puis résolu autant de meurtres qu'elle devrait être en mesure de coincer un tueur.

Elle n'avait besoin que de la liste des clients, des rapports de police et de temps pour réfléchir. Ne lui restait plus pour ce faire qu'à contourner l'obstacle que représentait l'inspecteur Ed Jackson.

Alors même qu'elle travaillait à sa stratégie, elle entendit s'ouvrir la porte d'entrée.

Il ne sera pas facile à manipuler, se dit-elle en se regardant dans le miroir.

Une manœuvre rendue plus difficile encore par le fait qu'il lui plaisait. Après avoir frotté une trace claire sur son nez, elle descendit l'escalier.

— Tu es rentré, lança-t-elle en s'arrêtant au bas de l'escalier. Comment s'est passée ta journée ?

— Pas trop mal.

Il fit passer un sac de courses sous son autre bras. Grace portait le même jean moulant et le même pull que durant la matinée mais ceux-ci étaient désormais constellés de taches blanches.

— Qu'est-ce que tu as fabriqué ?

— J'ai posé du papier peint dans ta salle de bains, répondit-elle tout en s'approchant pour le soulager de son sac. C'est super beau. Tu as l'œil pour choisir les bonnes couleurs.

— Tu as tapissé ma salle de bains ?

— Ne fais pas cette tête. J'ai fait ça proprement. La pose en elle-même, je veux dire. La salle de bains est en bordel. Je me suis dit que c'était normal que ce soit toi qui ranges, ajouta-t-elle avec un petit sourire. Et il te reste un demi-rouleau.

— Ouais. C'est sympa, Grace, et j'apprécie. Mais la pose de papier peint demande certaines compétences…

Il en savait quelque chose : il avait passé une semaine à potasser le sujet.

— Tu traces une ligne, tu prends les mesures, tu étales la colle et tu fonces. J'ai vu que tu avais deux ou trois guides pratiques dans tes affaires. (Elle farfouilla dans le sac de courses sans trouver grand-chose d'intéressant.) Monte donc jeter un coup d'œil. Au passage, j'ai mangé les fraises qui te restaient.

— Pas de souci.

Il était trop occupé à calculer le coût du papier peint et de la colle.

— Oh, et l'eau minérale c'est sympa, mais tu devrais racheter des sodas.

Il mit le pied sur la première marche de l'escalier, inquiet de ce qu'il allait trouver.

— Je n'en bois pas, dit-il.

— Moi si. Mais j'ai pris une bière à la place. Oh, j'ai failli oublier : ta mère a téléphoné.

Il s'arrêta à mi-chemin du palier.

— Vraiment ?

— Ouais. Une dame charmante. Et elle a paru ravie que ce soit moi qui décroche. J'espère que tu ne m'en voudras pas mais je n'ai pas voulu la décevoir. Alors je lui ai dit que nous étions amants et que nous envisagions de rendre les choses officielles avant l'arrivée du bébé.

La façon dont elle lui souriait ne permettait pas de savoir si elle était en train de le faire marcher. Il se contenta de secouer la tête.

— Merci. Merci beaucoup, Grace.

— Avec plaisir. Ta sœur a un nouveau petit ami. Un avocat. Avocat d'affaires, même. Il est propriétaire d'une maison et profite d'une résidence secondaire en temps partagé à Ocean City. Ça semble prometteur.

— Bon sang… dit-il pour toute réponse.

— Et la tension artérielle de ta mère est désormais dans la limite haute acceptable. Je te sers un verre ?

— Ouais, vas-y.

Elle retourna dans la cuisine en chantonnant. Ed était vraiment adorable. Elle sortit du sac une bouteille de vin blanc. Et il avait également du goût, estima-t-elle en lisant l'étiquette. Elle sortit ensuite ce qui ressemblait à une botte d'asperges. Elle la renifla et plissa le nez. Il avait du goût, certes, mais était-ce vraiment du bon goût ?

Elle trouva du chou-fleur, des échalotes et des pois mange-tout. La seule chose qui lui apporta un certain soulagement fut le sachet de raisin sans pépins. Grace piocha immédiatement dedans.

— C'est superbe ! s'exclama Ed. (Elle avala le raisin et se retourna pour le trouver debout sur le seuil.) La salle de bains. Elle est superbe.

— Je suis douée de mes mains. (Elle souleva la botte d'asperges.) Qu'est-ce que tu fais de ce truc ?

— Ça se cuisine.

Elle reposa les légumes.

— C'est ce que je craignais. Je ne t'ai pas demandé ce que tu voulais boire.

— Je m'en occupe. Tu t'es reposée ?

— Je me sens bien. (Elle fit la moue en le voyant sortir une bouteille de jus de pomme du réfrigérateur.) J'ai beaucoup réfléchi pendant que je tapissais la salle de bains et discutais avec ta mère.

— Quel genre de réflexions ?

Il versa du jus dans un verre droit puis plongea la main dans un placard pour en sortir une bouteille de vodka dont il versa deux lampées dans le verre.

— Drôle de manière de prendre de la vitamine A.

— Tu en veux un ?

— Pas cette fois. Bref, je me suis dit que je devrais reprendre le bail de Kathy pendant quelque temps. Rester un peu ici.

Ed reposa son verre. Il avait envie qu'elle reste mais le flic en lui savait parfaitement qu'il était préférable qu'elle parte.

— Pourquoi ?

— Je dois encore m'occuper des questions d'assurance et de succession.

Ce qu'elle aurait aussi bien pu faire depuis New York. Et il le savait. Rien qu'à son expression, elle vit qu'il lisait en elle comme dans un livre ouvert. Elle avait eu tort de tenter de l'attaquer par-derrière. De toute manière, l'idée d'être malhonnête avec lui la mettait mal à l'aise. Ce qui, en soi, était déjà étrange. Grace n'avait jamais eu beaucoup de mal à déguiser la vérité.

— D'accord, ce n'est pas la vraie raison. Je ne peux pas repartir sans savoir ce qui s'est vraiment passé. Kathy et moi n'étions pas très proches. Ça n'a jamais été facile pour moi de l'admettre mais c'est la vérité. Rester ici, tenter de découvrir qui lui a fait ça, c'est quelque chose que je dois faire pour nous deux. Je ne pourrai pas tourner la page, Ed, pas complètement, tant que je n'aurai pas eu toutes les réponses.

Pour leur bien à tous les deux, il aurait préféré ne pas comprendre.

— Ce n'est pas à toi de trouver l'assassin de ta sœur. C'est mon travail.

— Oui, c'est ton métier. Pour moi, c'est une nécessité. Est-ce que tu peux le concevoir ?

— La question n'est pas de savoir ce que je conçois mais ce que je sais.

Elle fit une boule du sac en papier avant qu'il puisse le lui prendre pour le plier et le ranger.

— C'est-à-dire ?

— On n'implique pas les civils dans les enquêtes, Grace. Ils mettent le bazar. Et ils se mettent en danger.

Elle appuya le bout de sa langue contre sa lèvre supérieure en s'approchant de lui.

— Lequel de ces deux problèmes t'embête le plus ?

Elle avait des yeux incroyables. Des yeux dans lesquels un homme aurait pu se perdre pendant des heures. Ils étaient à présent plongés dans les siens, emplis de questions et guettant une réponse. Mi-fasciné, mi-inquiet, il fit courir son pouce sur la joue de la jeune femme.

— Je ne sais pas.

Puis, parce qu'il en ressentait le besoin, parce que les lèvres de Grace s'étaient légèrement incurvées, il plaqua sa bouche sur la sienne.

Elle avait exactement le goût qu'il avait espéré. Et son contact, lorsqu'il tendit les doigts pour toucher son visage, était exactement tel qu'il l'avait rêvé. C'était idiot, il le savait. Elle était de New York, lumières vives et fêtes agitées. Il était provincial et pouvait à tout moment se retrouver avec du sang sur les mains. Mais elle semblait tellement parfaite...

Elle ouvrit lentement les yeux alors que leurs lèvres se séparaient puis laissa échapper un long soupir avant de sourire.

— Tu sais, tu fais forte impression quand tu embrasses. Peut-être devrais-tu en faire une habitude. (Elle s'appuya contre lui et retrouva en le mordillant le chemin de sa bouche. En sentant les doigts d'Ed se refermer sur ses hanches et l'agripper fermement, elle lâcha un nouveau soupir. Cela faisait longtemps, bien trop longtemps, qu'elle n'avait pas été tentée de se laisser aller. Elle referma ses bras autour de son cou et eut l'immense satisfaction de sentir le cœur d'Ed battre en rythme avec le sien.) Qu'est-ce que t'attends pour m'emmener dans ton lit ?

Il pressa ses lèvres au creux de son cou. Il avait envie de plus. Ce serait simple, si simple, de la soulever, de la porter jusqu'à son lit et de laisser les choses se faire. Comme c'était déjà arrivé par le passé. Mais quelque chose lui disait qu'avec elle, il ne s'agissait pas de chercher la simplicité. Avec elle, on était au-delà du gros câlin sous les draps sans penser au lendemain. Il l'embrassa sur le front avant de desserrer son étreinte.

— Je vais te préparer à manger, dit-il.

— Oh…

Grace recula d'un pas. Il était rare qu'elle s'offre à un homme. Il lui fallait plus que de l'attirance sexuelle. Elle avait aussi besoin d'affection et d'un sentiment de confiance. Et, pour autant qu'elle s'en souvienne, elle n'avait jamais été rejetée.

— T'es sûr ?

— Ouais.

— Très bien. (Elle se retourna et s'empara du chou-fleur. Elle songea que le lui balancer à la figure lui apporterait sans doute une brève satisfaction mais préféra s'abstenir.) Si je ne te plais pas, alors…

Pour la deuxième fois, il la fit tournoyer sur elle-même. Cette fois, elle découvrit qu'entrer en collision avec son torse était comme de heurter un mur de pierre. Elle aurait sans doute lâché un juron s'il ne s'était pas déjà emparé de sa bouche.

Cette fois il ne se montra pas doux. Mais Grace ne fut pas surprise de percevoir en lui les premières flammes de passion et de tension intérieure ; elle en fut heureuse. Quelques instants plus tard, il n'y eut plus pour elle que la bouche d'Ed, ses mains et les réactions explosives qui la secouaient.

Il avait tellement envie d'elle qu'il aurait trouvé excitant de la prendre là, debout dans la cuisine. Mais il avait envie de plus qu'une situation excitante. Plus qu'un moment de plaisir aveuglant. Et il avait besoin de temps pour découvrir ce dont il avait envie précisément.

— Tu penses toujours que tu ne m'attires pas ?

Perchée sur la pointe des pieds, Grace se laissa retomber dans un souffle.

— Je me suis peut-être trompée. (Elle se racla la gorge puis passa le bout de son doigt sur ses lèvres encore tremblantes du passage de celles d'Ed.) Je suis toujours debout ? demanda-t-elle.

— On dirait bien.

— Bon. D'accord. Une fois qu'on aura ouvert la fenêtre pour dissiper un peu l'ambiance torride qui règne dans cette cuisine, qu'est-ce que tu vas me faire à manger ?

Il sourit et lui caressa les cheveux.

— Fonds d'artichauts farcis à la bordelaise.

— Je vois, souffla-t-elle après une longue pause. C'est pas un truc que tu viens d'inventer, si ?

— Ça ne prend qu'une petite demi-heure.

— J'ai hâte. (Pendant qu'il rassemblait les ingrédients, elle tira une chaise et s'assit.) Ed ?

— Ouais.

— Une relation à long terme, c'est quelque chose que tu as déjà envisagé ?

Il lui jeta un coup d'œil par-dessus son épaule tout en rinçant les légumes sous l'eau froide.

— J'y ai pensé, oui.

— D'accord. Alors si ça marche entre nous, je te propose un accord. Pour chaque soir où on mangera des artichauts, pizza le lendemain soir.

— Si la pâte est à base de farine complète.

Elle se leva pour aller chercher un tire-bouchon.

— On en reparlera, dit-elle.

Ben changea de position sur le siège passager en surveillant le feu rouge derrière la vitre. À côté de lui, Tess tapotait sur le volant du bout des doigts. Elle était certaine d'avoir raison mais le problème était que ses sentiments n'étaient désormais plus les seuls à prendre en compte.

— J'aurais pu y aller seule, dit-elle. Tu vas te retrouver sans voiture.

— Ed me déposera.

Le feu passa au vert. Tess se remit en route au milieu de la circulation paresseuse du matin.

— Je suis désolée que cette histoire te mette en boule. Essaie de comprendre que ce n'est pas une décision impulsive de ma part.

Agacé, il changea la station de radio.

— On ne m'a pas demandé mon avis quant à ton implication dans l'autre affaire. Visiblement, je n'ai pas mon mot à dire ici non plus.

— Tu sais que c'est faux. Ton ressenti est très important pour moi.

— Alors dépose-moi et repars à ton cabinet. Laisse tomber cette histoire.

Elle resta silencieuse pendant trente longues secondes.

— D'accord.

Ben, qui était sur le point d'actionner l'allume-cigare, interrompit son geste.

— D'accord ? Comme ça, d'un coup ?

— Oui.

Elle recala avec décontraction une épingle à cheveux qui menaçait de se détacher puis tourna pour rejoindre le commissariat.

— Sans discuter ?

— On a déjà débattu hier soir. Inutile de recommencer.

Tess s'engagea dans le parking et se gara.

— Je te vois ce soir, dit-elle avant de se pencher et de l'embrasser.

Il la retint par le menton.

— T'es en train de me faire le coup de la psychologie inversée, c'est ça ?

Les yeux de Tess, clairs et teintés de reflets violets, lui sourirent.

— Absolument pas.

— Je déteste quand tu fais ça.

Il se laissa aller contre le dossier de son siège et se passa les mains sur le visage.

— Tu sais ce que je pense du fait que tu t'impliques dans cette partie de ma vie, dit-il.

— Tu sais ce que je pense du fait d'être exclue d'une quelconque partie de ta vie. Ben...

Elle lui passa doucement la main dans les cheveux. Un an plus tôt, elle ne le connaissait pas. À présent il était le centre de son existence. Son mari, le père de l'enfant dont elle commençait tout juste à soupçonner qu'elle était enceinte. Mais elle n'en restait pas moins médecin. Elle avait prêté serment. Et elle n'arrivait pas à oublier la façon dont les doigts de Grace tremblaient autour de cette tasse de café.

— Je pourrais vous aider, vous permettre de mieux comprendre comment fonctionne l'esprit de cet homme. Je l'ai déjà fait.

— Et j'ai bien failli te perdre.

— Ce n'est pas la même chose. Je ne suis pas du tout impliquée de la même manière. Ben, est-ce que tu crois qu'il tuera de nouveau ? Ben... (Elle lui prit les mains avant qu'il puisse s'esquiver.) Est-ce que tu penses qu'il va tuer de nouveau ?

— Ouais. C'est probable.

— Sauver des vies. N'est-ce pas ce qui nous motive ? Tous les deux ?

Il contempla le mur de brique du commissariat. Un lieu de traditions. Ses traditions. Tess n'aurait pas dû y être mêlée.

— Je préfère quand tu le fais depuis ton confortable petit bureau des quartiers chics.

— Et moi quand tu es assis derrière ton bureau à te plaindre de toute la paperasse à remplir. Mais ça ne peut pas toujours se passer comme ça. Ni pour toi ni pour moi. Je vous ai déjà prêté main-forte. J'ai la conviction de pouvoir vous être également utile dans cette affaire. Ce n'est pas un homme ordinaire. Même avec le peu d'éléments que tu m'as donnés, j'en suis sûre. Il est très malade.

Ben se hérissa immédiatement.

— Tu ne vas pas te mettre à avoir pitié de celui-là aussi !

— Ce que je vais faire, c'est vous aider à le trouver. Après quoi, on verra.

— Je ne peux pas t'en empêcher.

Mais la main de Tess était toujours au creux de la sienne et il savait qu'il aurait pu l'arrêter.

— Je ne vais pas t'en empêcher, reprit-il, mais je ne veux pas que tu oublies tes propres dossiers, la clinique, les patients de ton cabinet.

— Je connais mes limites.

— Ouais.

À ses yeux, Tess semblait avoir une capacité de travail infinie.

— Si tu commences à prendre du retard, je te dénoncerai à ton grand-père. Et il te remontera les bretelles, ma cocotte !

— Je suis prévenue, sourit-elle. (Il l'attira de nouveau à elle.) Je t'aime, Ben.

— Ah ouais ? Je peux avoir une démonstration ?

Les lèvres de Tess s'incurvèrent contre les siennes avant de s'entrouvrir. Au même moment, Ed passa la tête par la fenêtre.

— Vous n'êtes pas au courant qu'il y a plein de petites ruelles discrètes pour se rouler des pelles par ici ?

— Vas-y voir si on y est, Jackson.

Tess blottit sa joue contre celle de Ben.

— Bonjour, Ed.

— Tess. C'est rare qu'on te voie passer deux fois dans la même semaine.

— Tu la verras sans doute plus que ça, commenta Ben en ouvrant la portière. La Doc va nous accompagner sur cette affaire.

— Vraiment ? (Leur désaccord sautait aux yeux d'Ed. Il les connaissait trop bien tous les deux.) Bienvenue à bord, dit-il à Tess.

— Toujours ravie de donner un coup de pouce à deux pauvres fonctionnaires. (Ils se dirigèrent vers l'entrée et elle glissa son bras sous celui d'Ed.) Comment va Grace ? demanda-t-elle.

— Elle tient le coup. Elle a décidé de rester en ville jusqu'à ce que l'affaire soit réglée.

— Je vois. C'est une bonne chose.

— Ah bon ?

— Je pense que c'est le genre de personne qui ne le vit pas bien quand des événements se produisent autour d'elle. Elle va mieux quand elle peut y participer. L'un des pires aspects du chagrin tient au sentiment d'impuissance. Si tu arrives à le surmonter, alors tu peux faire face.

Elle attendit qu'il leur ouvre la porte.

— Et puis, si elle repartait pour New York, comment tu ferais pour la séduire ?

Ben entra tranquillement dans le sillage de sa femme.

— La Doc t'a à l'œil, Jackson. Faut dire que cette femme a de l'allure, dit-il en faisant tinter la monnaie dans sa poche. Une tête bien pleine, un corps bien fait et une fortune personnelle. Content de voir que tu suis mon exemple, termina-t-il en passant un bras sur les épaules de Tess.

— Tess n'a craqué pour toi que parce qu'elle a un faible pour les esprits en désordre.

Ed pénétra dans les bureaux de la Criminelle, soulagé à l'idée que l'affaire les forcerait à changer de sujet.

Ils s'installèrent dans la salle de réunion. Tess étala les dossiers des deux victimes devant elle. Il y avait des photos, les rapports d'autopsie et les rapports écrits par son mari. Le niveau de violence était supérieur à celui de la précédente affaire pour laquelle elle avait aidé la brigade. En admettant qu'on puisse jauger l'intensité de violence d'un meurtre. Les points communs étaient aussi clairs pour elle que pour les policiers mais elle y avait vu autre chose, un élément plus sombre.

Elle lut patiemment la déclaration d'Eileen Cawfield et les notes de l'entretien avec Markowitz. Elle examina le rapport officiel d'Ed sur le déroulement de la soirée où Kathleen Breezewood était morte.

Ben n'aimait pas la voir ainsi confrontée aux aspects les plus durs de la réalité. Il avait déjà eu du mal à accepter le travail qu'elle menait assise derrière son bureau dans un cabinet des beaux quartiers. Son esprit logique lui soufflait qu'il ne pouvait pas la protéger de tout. Mais le simple fait qu'elle soit présente dans les locaux de la Criminelle le mettait sur les nerfs.

Elle fit courir un joli doigt manucuré sur le rapport du médecin légiste. Il sentit ses tripes se nouer.

— Intéressant que les deux meurtres se soient déroulés au même moment de la nuit.

Le capitaine Harris se massa le ventre d'une main. Il avait l'impression d'avoir l'estomac un peu plus vide chaque jour.

— Je crois qu'on est d'accord pour dire que ça appartient peut-être à sa manière de procéder.

Il détacha un petit morceau du pain aux raisins bientôt rassis. Il avait réussi à se convaincre que s'il absorbait des calories par petites doses, elles ne comptaient pas vraiment.

— Je n'avais pas encore eu l'occasion de vous dire à quel point notre service vous est reconnaissant pour votre assistance dans cette affaire, docteur Court.

— Je suis sûre qu'il sera surtout reconnaissant si je parviens à vous aider.

Elle retira ses lunettes de lecture pour se masser l'arête du nez.

— Je pense qu'à cette étape de l'enquête nous pouvons dire que nous avons affaire à quelqu'un capable de soudaines explosions de violence et que cette violence est clairement d'orientation sexuelle.

— Forcément, puisqu'il y a eu viol.

— Le viol n'est pas un crime sexuel mais un acte de violence. Le fait que les victimes aient été assassinées après l'agression n'a rien d'inhabituel. Un violeur attaque pour diverses raisons : frustration, faible estime de soi, mauvaise image des femmes, colère. La colère est presque toujours un facteur important. Dans les cas où le violeur connaît sa victime, il y a également un besoin de dominer, d'exprimer la supériorité et la force du mâle, d'obtenir ce qu'il estime mériter, ce qu'il voit comme lui ayant été offert. Souvent le violeur a le sentiment que sa victime ne refuse ou résiste que pour ajouter de l'excitation à la situation, qu'elle désire en réalité être prise de façon violente.

Elle chaussa de nouveau ses lunettes et se recala sur sa chaise.

— Dans les deux cas, la violence est restée confinée à une seule pièce, l'endroit où l'on a trouvé la victime. Et la même arme a servi pour les deux meurtres : le fil du téléphone. En toute probabilité, le téléphone constituait son lien avec chacune de ces femmes. Par ce biais, elles lui avaient promis quelque chose. Il est venu chercher son dû, en s'introduisant par effraction plutôt qu'en se présentant à leur porte. Pour les surprendre, peut-être, et ajouter à son excitation sexuelle. J'ai tendance à croire que le premier meurtre s'est fait de manière spontanée, presque par instinct. Kathleen Breezewood s'est battue contre lui, lui a fait mal à la fois physiquement et mentalement. Elle n'était pas la femme qu'il s'imaginait trouver. Ou, dans son esprit, la femme qu'elle avait promis d'être. Il avait une relation avec elle. Il a envoyé des fleurs à son enterrement. Ou plutôt, à celui de Desiree. Pour lui, elle était Desiree. Il est essentiel de se souvenir qu'il n'a jamais connu Kathleen Breezewood, seulement Desiree. Jamais, même après sa mort, il n'a vu en elle la personne qu'elle était. Seulement l'image qu'il s'était créée.

— Alors comment diable l'a-t-il trouvée ? lança Ben, plus pour lui-même que pour Tess. Comment est-il passé d'une voix au téléphone à une adresse et une personne bien précisesþ? La bonne personneþ?

— J'aimerais avoir des réponses à vous donner.

Elle ne lui prit pas la main comme elle l'aurait fait s'ils avaient été seuls. Elle avait bien conscience qu'au sein du commissariat, il y aurait toujours une certaine distance entre eux.

— Je peux seulement vous dire qu'à mon avis, cet homme est très malin. À sa façon, il est logique. Il suit un processus précis, étape par étape.

— Et la première consiste à choisir une voix, murmura Ed. Puis à créer la femme.

— Tu n'es sans doute pas loin de la vérité. Il a une très grande capacité à fantasmer. Et il croit à ce qu'il imagine. Il a laissé des empreintes sur les deux scènes de crime, mais ce n'est pas parce qu'il est négligent. C'est parce qu'il se pense très malin, invulnérable aux réalités du monde puisqu'il vit dans un univers qu'il a lui-même créé. Il vit ses fantasmes et très probablement ceux qu'il attribue aux victimes.

— Es-tu en train de dire qu'il viole et tue des femmes parce qu'il pense qu'elles aiment ça ? demanda Ben en prélevant une cigarette dans son paquet.

Tess le regarda l'allumer ; elle avait reconnu la tension dans sa voix.

— Pour dire les choses simplement, oui. D'après ce que Markowitz dit avoir entendu au téléphone durant la deuxième agression, l'homme aurait dit : « je sais que tu veux que je te fasse mal ». Les violeurs rationalisent souvent les choses de cette façon. Il a attaché les mains de Mary Grice mais pas celles de Kathleen. Je pense que c'est un détail important. D'après les rapports, Kathleen Breezewood proposait des fantasmes sexuels plus simples et plus traditionnels que Mary Grice. Les conversations de Mary incluaient souvent du bondage et du sadisme. Le tueur a tenu compte de ce qu'il estimait être ses préférences. Selon toutes probabilités, il l'a tuée parce qu'il a fait l'expérience d'un plaisir sinistre et psychotique lors de la première association entre sexe et mort. Il est parfaitement possible qu'il se persuade que sa victime connaît le même plaisir. Le meurtre de Kathleen s'est fait sur un coup de tête, celui de Mary était une tentative de reconstitution. (Elle se tourna vers Ben. Il n'approuvait peut-être pas sa présence mais il l'écoutait attentivement.) Que penses-tu de l'horaire auquel les meurtres ont été commis ? demanda-t-elle.

— Que devrais-je en penser ?

Elle lui sourit. C'était lui qui l'accusait habituellement de répondre aux questions par d'autres questions.

— Les deux se sont déroulés relativement tôt dans la soirée, ce qui peut constituer un élément significatif. Ça me pousse à me demander s'il est marié ou s'il vit avec quelqu'un qui s'attend à le voir rentrer chez lui à partir d'une certaine heure.

Ben contemplait l'extrémité de sa cigarette.

— Peut-être qu'il aime se coucher tôt.

— Peut-être.

— Tess, reprit Ed en plongeant un sachet de thé dans une tasse d'eau chaude. On considère généralement que les voyeurs ou ceux qui passent des appels anonymes ne vont pas plus loin. Qu'est-ce qui rend ce type différent ?

— Ce n'est pas un spectateur. Il participe. Ces femmes ont parlé avec lui. Il n'y a pas la même distance, physique ou psychologique, qu'avec quelqu'un qui se sert de jumelles pour espionner dans l'appartement d'en face ou regarder par la fenêtre des voisins. Ni le même genre d'anonymat qu'un appel au hasard. Il connaît ces femmes. Pas Kathleen et Mary, mais Desiree et Roxanne. J'ai eu dans mon cabinet une personne impliquée dans un viol commis à la suite d'un rendez-vous galant.

— Malheureusement, ce n'est pas le point de vue de la victime qui nous intéresse ici, intervint Harris.

— Je traitais le violeur, pas la victime. (Tess retira ses lunettes et en caressa l'une des branches.) Il n'a pas forcé cette fille à avoir une relation sexuelle uniquement pour son propre bénéfice. Il a initié les choses, a insisté puis s'est acharné sur elle parce qu'il croyait qu'elle attendait cela de lui. Il s'était convaincu que son rendez-vous voulait qu'il endosse la responsabilité de la relation sexuelle et que s'il renonçait, elle le trouverait faible. Manquant de virilité. En la prenant de force, il avait obtenu non seulement du plaisir sexuel mais également un sentiment de puissance. C'était lui qui décidait. À mon avis, l'homme que vous traquez cherche à avoir le même genre d'ascendant. Il tue ces femmes non pour éviter qu'elles l'identifient mais parce que le meurtre est l'expression du pouvoir ultime. Il vient sans doute d'un milieu où il ne pouvait guère exercer de pouvoir, où les figures de l'autorité dans sa vie étaient ou sont encore très fortes. Il a été sexuellement inhibé et à présent, il expérimente. (Elle feuilleta de nouveau les dossiers devant elle.) Ses victimes étaient très différentes l'une de l'autre, non seulement par la personnalité de leurs alter ego mais aussi physiquement. Il pourrait évidemment s'agir d'une coïncidence mais il me semble plus probable que c'était volontaire. Le sexe et le téléphone étaient les seules choses que ces femmes avaient en commun. Il s'est servi des deux contre elles de la manière la plus violente et la plus définitive qui soit. Sa prochaine cible sera sans doute quelqu'un doté d'un style très différent.

— Je préférerais que nous n'ayons pas l'occasion de mettre cette théorie à l'épreuve, commenta Harris en piquant un autre morceau de pain aux raisins. Pourrait-il s'arrêter ? S'en tenir là ?

— J'en doute. (Tess referma les dossiers et le posa sur le bureau de Harris.) Je ne perçois aucun remords, aucune angoisse. Le message sur la carte ne disait ni « je suis désolé » ni « pardonnez-moi » mais « je n'oublierai jamais ». Il planifie soigneusement ses actes. Il ne kidnappe pas une femme dans la rue pour la tirer de force dans une ruelle ou une voiture. De nouveau, j'insiste sur le fait qu'il les connaît, ou croit les connaître. Il prend ce qu'il estime être son dû. C'est un pur produit de la société actuelle où il suffit de décrocher son téléphone pour commander tout et n'importe quoi. De la pizza au porno, appuyez sur une touche et c'est à vous, quelque chose qui vous revient de droit. Les aspects pratiques de la technologie au service des tendances sociopathes. Tout cela est très logique pour lui.

Lowenstein passa la tête par la porte.

— Excusez-moi, dit-elle. On vient de terminer les vérifications des cartes de crédit. (Sur un hochement de tête de Harris, elle tendit les documents imprimés à Ed.) Aucune correspondance, annonça-t-elle.

Ben se leva pour regarder par-dessus l'épaule d'Ed.

— Aucune ?

— Rien de rien. On a cherché des liens dans les chiffres, les noms, les adresses, les éventuelles fausses identités. Sans succès.

— Des styles différents, murmura Ed, plongé dans ses réflexions.

Ben prit les feuilles qu'il lui tendait.

— Donc retour à la case départ, maugréa-t-il.

— Peut-être pas. Nous avons suivi la piste des fleurs. Une commande passée par téléphone à *La Ville Fleurie*. Le numéro de carte de crédit appartient à un dénommé Patrick R. Morgan. Voici l'adresse.

— Il apparaît dans la liste ? demanda Ed en examinant les documents.

— Non. On est encore en train de vérifier les autres listes.

— Allons lui rendre une petite visite.

Ben jeta un regard à sa montre.

— Vous avez l'adresse de son lieu de travail ?

— Ouais, Capitol Hill. Morgan est un membre du Congrès.

Ce jour-là, le représentant du peuple était visible chez lui, dans sa maison de ville remise à neuf de Georgetown. La femme qui leur ouvrit la porte, une montagne de dossiers dans les mains, avait l'air revêche et impatiente.

— Oui ? demanda-t-elle simplement.

— Nous aimerions voir M. Morgan.

En regardant derrière elle, Ed repéra immédiatement les lambris en acajou dans le hall. De l'authentique acajou.

— Je suis désolée mais il n'est pas disponible. Si vous voulez prendre rendez-vous, merci d'appeler son bureau.

Ben sortit son insigne.

— C'est une affaire policière, madame.

— Je me fiche de savoir si vous êtes Dieu en personne, je vous dis qu'il n'est pas disponible, répliqua-t-elle avec à peine un coup d'œil à son insigne. Essayez son bureau pour la semaine prochaine.

Pour éviter qu'elle ne leur claque la porte au nez, Ed se contenta de passer l'épaule dans l'embrasure.

— J'ai bien peur que nous soyons obligés d'insister. Nous pouvons lui parler ici ou alors le convoquer au commissariat.

À la lueur qu'il perçut dans son regard, il eut la certitude que – malgré sa taille – elle était bien décidée à l'écarter de force.

— Qu'est-ce qui se passe, Margaret ?

La question fut suivie d'une série d'éternuements, puis Morgan en personne apparut sur le seuil. C'était un homme brun de petite taille, approchant la cinquantaine. Et à cet instant précis, il était pâle, avec des yeux rougis, et enveloppé dans un peignoir.

— Ces hommes insistent pour vous voir, monsieur, et je leur ai dit…

— Ça ira, Margaret.

Malgré ses yeux rougis, Morgan les gratifia d'un large sourire de politicien.

— Je suis navré, messieurs. Comme vous pouvez le voir, je suis légèrement souffrant.

Ben présenta de nouveau son insigne.

— Navré de vous déranger, monsieur Morgan, mais c'est important.

— Je vois. Eh bien, entrez donc. Mais je vous invite à garder vos distances. Je suis sans doute encore contagieux. (Il leur fit traverser le couloir jusqu'à un salon dans des tons bleus et gris et décoré de croquis encadrés de la ville.) Margaret, arrêtez de fusiller du regard ces messieurs de la police et occupez-vous plutôt de ces dossiers.

— Rechute, prédit-elle avant d'obéir et de disparaître.

— Les secrétaires, pires que des épouses. Asseyez-vous, messieurs. Vous m'excuserez si je m'installe un peu plus confortablement. (Il se carra au creux du sofa, un jeté de canapé angora sur les genoux.) La grippe, expliqua-t-il en tendant la main pour saisir un mouchoir. Une santé de fer pendant tout l'hiver mais il a fallu que ça me tombe dessus alors que le printemps arrive.

Prudent, Ed choisit un siège à un bon mètre du politicien.

— Les gens prennent plus soin d'eux-mêmes pendant l'hiver. (Il remarqua la présence d'une théière et d'un pichet de jus d'orange. Au moins Morgan restait-il bien hydraté.) Nous allons tâcher de ne pas vous prendre trop de temps.

— Je m'assure toujours de coopérer pleinement avec la police. Après tout, nous sommes dans le même camp, déclara Morgan avant d'éternuer avec force dans son mouchoir.

— À vos souhaits, dit Ed.

— Merci. Alors, que puis-je pour vous ?

— Connaissez-vous une entreprise du nom de Fantasme, Inc. ?

Ben avait posé la question en croisant les jambes d'un air détendu mais son regard n'avait pas quitté le visage de Morgan.

— Fantasme ? Non, répondit celui-ci après une seconde de réflexion. Ça ne me dit rien. Ça devrait ?

— Du sexe au téléphone.

Ed songea brièvement aux microbes qui se répandaient sans doute à travers les airs. Le métier de flic n'était pas sans dangers.

Morgan fit une petite grimace avant d'ajuster le coussin dans son dos.

— Ah, dit-il. Un sujet de débat, sans aucun doute. Cela dit, la question concerne plutôt la commission fédérale des communications ou les tribunaux qu'un membre du Congrès. Pour le moment, en tout cas.

— Connaissiez-vous Kathleen Breezewood, monsieur Morgan ?

— Breezewood. Breezewood, répéta Morgan avec une petite moue en dévisageant Ben. Le nom ne m'est pas familier.

— Desiree ?

— Non. Ce n'est pourtant pas le genre de nom qu'un homme oublierait, ajouta-t-il avec un nouveau sourire.

Ed sortit son calepin et l'ouvrit comme pour vérifier certaines informations.

— Si vous ne connaissiez pas Mme Breezewood, pourquoi avez-vous envoyé des fleurs à l'occasion de ses funérailles ?

Morgan parut légèrement perplexe.

— Vraiment ? Eh bien, ce n'était en tout cas pas quelqu'un de proche, mais des fleurs peuvent être envoyées pour toutes sortes de raisons. Politiques, notamment. Ma secrétaire se charge de ce genre de choses. Margaret ! s'écria-t-il.

Son cri fut suivi d'une rapide quinte de toux.

— Vous en faites toujours trop, marmonna la secrétaire en arrivant dans la pièce. Buvez votre thé et arrêtez de crier.

Il obtempéra, d'une manière qu'Ed trouva presque docile.

— Margaret, est-ce que je connais une certaine Kathleen Breezewood ?

— Vous parlez de la femme qui a été tuée il y a quelques jours ?

Le rouge que la toux avait fait monter aux joues du politicien s'évanouit brusquement. Il se tourna vers Ed.

— C'est elle ?

— Oui monsieur.

— Avons-nous envoyé des fleurs, Margaret ?

— Pourquoi aurions-nous fait ça ? demanda-t-elle en rajustant le peignoir de son employeur. Vous ne la connaissiez pas.

— Des fleurs ont été expédiées à l'occasion de son enterrement. Une commande effectuée auprès de *La Ville Fleurie* avec votre numéro de MasterCard.

Baissant les yeux sur ses notes, Ed dicta les quatre séries de quatre chiffres.

— C'est le mien ? demanda Morgan à sa secrétaire.

— Oui, mais je n'ai pas commandé de fleurs. Et d'ailleurs, nous avons un compte chez *Lorimar*

Fleurs. Je ne fais jamais appel à *La Ville Fleurie*. Et ça fait deux semaines que je n'ai pas commandé de fleurs. Les dernières étaient destinées à la femme de Parson après son accouchement. (Elle tourna vers Ben un regard buté.) La facture est dans le registre, ajouta-t-elle.

— Allez le chercher, je vous prie, Margaret.

Morgan attendit qu'elle soit sortie pour reprendre la parole.

— Messieurs, je vois que cette affaire est plus sérieuse que je ne le pensais, mais j'ai bien peur d'être un peu perdu.

— Kathleen Breezewood a été assassinée dans la soirée du 10 avril. (Ed attendit que Morgan ait éternué dans un autre mouchoir avant de demander :) Pouvez-vous nous dire où vous étiez entre vingt heures et vingt-trois heures ?

Morgan se frotta les paupières.

— Le 10 avril. Ce devait être le gala de bienfaisance au Shoreham. Il y en a tout le temps en période d'élections. C'était le début de cette fichue grippe et je traînais les pieds pour y aller. Ma femme m'en a un peu voulu. Nous y sommes restés de dix-neuf heures à, heu, peu après vingt-deux heures, je dirais. Puis nous sommes rentrés directement à la maison. J'avais un rendez-vous autour d'un petit déjeuner le lendemain matin.

— Rien dans le registre depuis les fleurs pour le bébé des Parson, annonça Margaret en revenant. (Avec un petit air suffisant, elle tendit le grand livre à Ben.) C'est mon métier de savoir où et quand envoyer des fleurs, précisa-t-elle.

— Monsieur Morgan, qui d'autre a accès à votre carte de crédit ? s'enquit Ed.

— Margaret, évidemment. Et ma femme, bien qu'elle possède aussi la sienne.

— Vos enfants ?

Morgan se raidit à ces mots mais il répondit.

— Mes enfants n'ont aucun besoin d'une carte de crédit. Ma fille n'a que quinze ans. Mon fils est en dernière année à l'académie préparatoire de St. James. Tous deux reçoivent de l'argent de poche et les gros achats nécessitent notre approbation. De toute évidence, le fleuriste a fait une erreur en notant le numéro.

— C'est possible, murmura Ed. (Mais il doutait que le fleuriste se soit aussi trompé de nom.) Ce serait utile si vous pouviez nous dire où votre fils se trouvait la nuit du 10 avril.

Morgan se redressa sur le canapé, sa grippe oubliée. Ben fit claquer la couverture du registre en le refermant.

— Monsieur Morgan, nous avons deux meurtres sur les bras. Nous ne sommes pas en position de marcher sur des œufs dans cette histoire.

— Vous avez conscience, j'espère, que je n'ai pas à répondre à ces questions. Cependant, pour clore le sujet, je vais coopérer.

— Nous vous en serons reconnaissants, répondit Ben sur un ton aimable. Donc, votre fils ?

Morgan s'empara du pichet de jus de fruits et s'en versa un verre.

— Il avait un rendez-vous. Il fréquente la fille du sénateur Fielding, Julie. Je crois qu'ils sont allés au Kennedy Center ce soir-là. Michael était de retour pour vingt-trois heures. Il avait cours le lendemain.

— Et la nuit dernière ? s'enquit Ben.

— Michael a passé toute la soirée ici. Nous avons joué aux échecs jusqu'à un peu plus de vingt-deux heures.

Ed prit note des deux alibis.

— Quelqu'un d'autre dans votre équipe pourrait-il avoir accès à votre numéro de carte de crédit ?

— Non. (Morgan avait épuisé ses réserves de patience et de bonne volonté.) Quelqu'un a fait une erreur, voilà tout. Maintenant, si vous voulez bien m'excuser, je ne peux rien vous dire de plus.

— Merci de nous avoir accordé de votre temps. (Ed se leva et rangea son calepin. Il avait d'ores et déjà décidé de prendre une dose de vitamine C en arrivant au commissariat.) S'il vous vient une autre idée de la raison pour laquelle cet envoi de fleurs a été prélevé sur votre compte, contactez-nous.

Margaret se fit une joie de les raccompagner. Une fois que la porte se fut lourdement refermée derrière eux, Ben fourra les mains au fond de ses poches.

— Mon instinct me dit qu'il a été honnête avec nous.

— Ouais. Ce ne sera pas difficile de vérifier sa présence au gala de charité. Mais je préconise qu'on se renseigne en premier lieu sur la fille du sénateur.

— Bien d'accord.

Ils repartirent vers leur voiture. Malgré les grommellements de Ben, Ed prit le volant.

— Tu sais, il y a un truc qui me chiffonne dans ce que nous a dit Tess.

— Quoi ?

— Le fait qu'il suffise de décrocher son téléphone pour commander tout ce qu'on veut. Moi-même, je fais ça tout le temps.

— Pour une pizza ou pour du porno ? demanda Ben.

Mais lui aussi avait réfléchi à la question.

— Du placo. Je m'en suis fait livrer le mois dernier et j'ai dû donner mon numéro de carte au mec avant qu'il me l'envoie. Combien de fois as-tu donné ton numéro de carte de crédit par téléphone ? Il suffit d'un numéro et d'un nom, pas de la carte proprement dite. Sans preuve d'identité ni signature.

— Ouais, soupira Ben en s'asseyant. J'imagine que ça réduit nos recherches à deux ou trois cent mille personnes.

— On peut toujours espérer que la fille du sénateur s'est fait poser un lapin, répondit Ed en démarrant.

10

Mary Beth Morrison était née pour être mère. À l'âge de six ans, elle possédait déjà une collection de poupons qui nécessitaient d'être régulièrement nourris, changés et chouchoutés. Certains marchaient, d'autres parlaient, mais elle était tout aussi prompte à ouvrir son cœur à une poupée de chiffon aux yeux en boutons à laquelle il manquerait un bras.

Contrairement à d'autres enfants, elle n'avait jamais rechigné à accomplir les tâches domestiques que lui assignaient ses parents. Elle avait toujours aimé laver et faire briller. Elle possédait une mini-planche à repasser, un four miniature et son propre service à thé. Au moment de son dixième anniversaire, elle était devenue meilleure pâtissière que sa mère.

Son unique véritable ambition avait toujours été d'avoir une maison et une famille bien à elle dont s'occuper. Les rêves de Mary Beth n'avaient jamais été encombrés par des visions de tailleurs de femme d'affaires et de réussite professionnelle. Elle avait envie d'une belle demeure traditionnelle et d'une jolie poussette.

Elle était convaincue qu'une personne devrait toujours faire ce qu'elle savait faire le mieux. Sa sœur avait réussi l'examen du barreau et rejoint un cabinet réputé à Chicago. Mary Beth était fière d'elle. Elle admirait la garde-robe de sa sœur, sa façon tenace de défendre la loi et les hommes qui allaient et venaient dans sa vie. Mary Beth n'avait jamais été envieuse. Elle découpait les coupons de réduction, préparait des cookies pour les kermesses de l'association de parents d'élèves et faisait fermement campagne pour l'égalité des salaires hommes-femmes bien qu'elle n'ait jamais fait partie de ce que la société appelait les travailleurs.

À dix-neuf ans, elle avait épousé son amour d'enfance, un garçon qu'elle avait choisi dès l'école primaire. Elle ne lui avait pas vraiment laissé le choix. Mary Beth s'était montrée attentive, patiente, compréhensive et toujours prête à le soutenir. Pas par duplicité, mais de manière sincère. Elle était tombée amoureuse de Harry Morrison le jour où deux brutes l'avaient poussé à terre dans la cour d'école et fait perdre une dent de devant. Après vingt-cinq ans d'amitié, douze de mariage et quatre enfants, elle l'adorait toujours.

Tout son univers, loisirs inclus, tournait finalement autour de son foyer et de sa famille. Beaucoup, y compris sa sœur, jugeaient cet univers terriblement limité. Quand ils lui en parlaient, Mary Beth se contentait de sourire et de préparer un nouveau gâteau. Elle était heureuse et elle était douée – voire même excellente – dans ce qu'elle faisait. Elle profitait de ce qui était à ses yeux la plus belle des récompenses : l'amour de son mari et de ses enfants. Elle n'avait pas besoin de l'approbation de sa sœur ou de qui que ce soit d'autre.

Elle s'entretenait physiquement pour faire plaisir à son mari autant qu'à elle-même. À l'approche de son trente-deuxième anniversaire, elle restait une jolie femme bien faite à la peau lisse et aux yeux marron pleins de douceur.

Mary Beth avait de la compassion pour les femmes qui se sentaient prisonnières dans leur rôle de femmes au foyer. Elle aurait ressenti la même chose dans un bureau. Quand elle trouvait le temps, elle œuvrait pour l'association des parents d'élèves et la société américaine de défense des animaux. En dehors de la famille, les animaux étaient sa passion. Eux aussi avaient besoin qu'on s'occupe d'eux.

Elle était celle qui soignait les autres et les aidait à grandir ; elle envisageait la possibilité d'avoir un dernier enfant avant de refermer ce chapitre de sa vie.

Son mari l'adorait. Même si elle s'en remettait – ou donnait l'impression de s'en remettre – à lui pour la plupart des décisions, Mary Beth n'avait rien d'une carpette. Ils avaient connu leur lot de disputes durant leur mariage. Quand une question lui tenait à cœur, Mary Beth y plantait les crocs et ne lâchait pas avant d'obtenir gain de cause. Et la question de Fantasme, Inc. avait suffisamment compté pour elle.

Harry était un bon soutien de famille mais, en plusieurs occasions, Mary Beth avait pris un emploi à mi-temps pour ajouter du beurre dans leurs épinards. Elle s'était formée et avait obtenu l'agrément pour exercer comme assistante maternelle. Avec l'argent qu'elle gagnait, la famille avait pu s'offrir dix jours de vacances à Disney World, en Floride. Les photos de cette excursion étaient soigneusement rangées dans un album bleu intitulé « Nos vacances en famille ».

À un moment, elle avait vendu des magazines par téléphone. Même si sa voix agréable lui permettait de faire du chiffre, elle n'en avait pas été satisfaite. Ayant grandi en apprenant à gérer à la fois son temps et son budget, elle avait estimé les retours financiers insatisfaisants au regard du temps investi.

Elle avait envie d'un autre enfant et de constituer une réserve en vue des études universitaires des quatre petits anges qu'elle avait déjà. Le salaire de son mari, contremaître dans une société du bâtiment, était correct mais ne leur permettait pas beaucoup d'extras. Elle était tombée par hasard sur Fantasme à l'arrière de l'un des magazines de son mari. L'idée d'être payée rien que pour parler la fascinait.

Il lui avait fallu trois semaines, mais elle était parvenue à faire passer Harry de « catégoriquement contre » à « sceptique ». Une semaine de plus avait transformé le scepticisme en acceptation réticente. Mary Beth avait un don pour les mots. Et elle transformait à présent ce talent en dollars.

Harry et elle étaient tombés d'accord pour tester Fantasme pendant un an. L'objectif de Mary Beth consistait à gagner dix mille dollars durant cette période. Suffisamment pour alimenter un petit matelas financier pour l'université et peut-être, si la chance était avec eux, payer une dernière fois les honoraires d'un obstétricien.

Mary Beth entamait son quatrième mois en tant qu'opératrice pour Fantasme et avait pratiquement atteint la moitié de son objectif. Elle était très demandée.

Parler de sexe ne la dérangeait pas. Après tout, comme elle l'avait expliqué à son mari, il était difficile d'être prude après douze ans de mariage et quatre enfants. Harry en était au point où le nouveau métier de sa femme l'amusait. De temps à autre, il l'appelait lui-même, sur leur ligne personnelle, pour lui donner l'occasion de s'entraîner. Il se faisait appeler Gaston Létalon et la faisait rire.

Peut-être du fait de son instinct maternel ou de sa sincère compréhension des hommes et de leurs difficultés, la plupart de ses appels avaient moins à voir avec le sexe qu'avec l'écoute. Les clients qui l'appelaient de manière régulière découvraient en elle une oreille attentive face à leurs frustrations, qu'elles soient professionnelles ou liées à la routine familiale. Contrairement à leurs épouses ou leurs compagnes, Mary Beth ne donnait jamais l'impression de s'ennuyer. Elle n'émettait jamais de critiques et, quand l'occasion s'y prêtait, elle était capable d'offrir des conseils de bon sens qu'ils auraient pu recevoir en écrivant au courrier du cœur… le côté sexuel en plus.

Elle était une sœur, une mère, une amante en fonction des besoins des clients. Ceux-ci étaient satisfaits et Mary Beth envisageait de plus en plus sérieusement de jeter ses petites boîtes de pilules contraceptives pour une ultime virée au pays de la maternité.

C'était une femme sans complications, dotée d'une forte volonté et convaincue que la plupart des problèmes pouvaient être résolus avec un peu de temps, de bonnes intentions et une grande assiette de brownies au chocolat. Mais elle n'avait jamais rencontré quelqu'un comme Jerald.

Et Jerald l'écoutait. Nuit après nuit, il attendait d'entendre sa voix. Elle avait quelque chose de doux et d'apaisant. Il n'était pas loin de tomber amoureux d'elle ; elle l'obsédait presque autant que l'avait fait Desiree. Roxanne était oubliée. À ses yeux, Roxanne n'avait été qu'une sorte de rat de laboratoire. Mais la voix de Mary Beth était empreinte de bonté. Même son nom avait quelque chose de solide, de rassurant. Un nom qu'elle n'avait pas changé car elle était trop à l'aise avec pour s'amuser à en changer. Il était facile pour un homme de croire ce que lui disait une femme comme Mary Beth. Les promesses qu'elle faisait seraient honorées.

Mary Beth était très différente des autres.

Il la croyait. Il voulait la rencontrer. Il voulait lui montrer à quel point il lui était reconnaissant.

Tôt dans la soirée, et jusqu'à une heure tardive, il écouta. Et planifia la suite.

Grace avait été patiente mais elle en avait assez de n'aboutir qu'à des impasses. Plus d'une semaine s'était écoulée depuis le deuxième meurtre et s'il y avait du neuf dans l'enquête, Ed ne s'empressait pas de le partager avec elle.

Elle pensait le comprendre. C'était un homme généreux et plein de compassion. Mais c'était aussi un flic qui respectait à la lettre les règles de son service et les siennes propres. Une discipline qu'elle respectait tout en étant frustrée par sa trop grande discrétion. Le temps qu'elle passait avec lui avait sur elle un effet apaisant mais celui qu'elle passait seule lui laissait beaucoup trop le loisir de penser. Alors elle aussi se mit à planifier la suite.

Elle prit des rendez-vous. Ses brèves rencontres avec l'avocat de Kathleen et le détective qu'elle avait engagé ne lui apprirent rien qu'elle ne sache déjà. Elle avait caressé l'espoir de mettre au jour des informations impliquant Jonathan. Au fond de son cœur, elle espérait toujours qu'il se révélerait être le coupable. Tout en sachant très bien que ça ne tenait pas debout. C'était une conviction difficile à abandonner. Au final, elle devait accepter que, malgré la responsabilité de Jonathan dans l'état d'esprit de Kathleen durant les derniers jours de sa vie, ce n'était pas lui qui la lui avait ôtée.

Mais Kathleen n'en restait pas moins morte et il y avait d'autres voies à explorer.

La plus simple, et plus facile à suivre, la menait jusqu'à Fantasme, Inc.

Grace trouva Eileen à sa place habituelle, derrière son bureau. Lorsqu'elle entra, Eileen referma le chéquier qu'elle était en train d'éplucher et lui sourit. Une cigarette se consumait dans un cendrier posé à côté d'elle. Durant les derniers jours écoulés, Eileen avait abandonné l'idée de ne serait-ce que faire semblant d'arrêter.

— Bonjour. Que puis-je pour vous ?

— Je suis Grace McCabe.

Il fallut quelques instants à Eileen pour identifier ce nom. Grace était vêtue d'un large pull rouge, d'un pantalon noir moulant et d'une paire de bottes. Elle ne ressemblait plus à la sœur endeuillée des photos parues dans les journaux.

— Oui, mademoiselle McCabe. Nous sommes tous absolument navrés de ce qui est arrivé à Kathleen.

— Merci.

Elle vit à la crispation des doigts d'Eileen que celle-ci se préparait à faire face à une attaque. Peut-être valait-il mieux la maintenir ainsi sur ses gardes, jouer sur son inquiétude. Grace n'avait aucun scrupule à attiser sa culpabilité.

— Il semble que votre entreprise ait servi de catalyseur dans l'agression de ma sœur.

Eileen saisit sa cigarette et inhala une bouffée de fumée.

— Mademoiselle McCabe, je suis vraiment désolée et horrifiée face à ce que Kathleen a subi. Mais je ne me sens pas responsable.

— Ah oui ? (Grace sourit et s'assit.) Alors j'imagine que vous ne vous sentez pas non plus responsable vis-à-vis de Mary Grice ? Vous avez du café ?

— Oui, oui, bien sûr. (Eileen se dirigea vers la minuscule réserve de la taille d'un placard à balais derrière le bureau. Elle se sentait mal et se prit à souhaiter avoir accepté la proposition de son mari de partir pour de courtes vacances dans les Bermudes.) Je suis certaine que vous savez que nous coopérons avec la police de toutes les manières possibles. Tout le monde veut que cet homme soit appréhendé.

— Oui mais voyez-vous, moi je veux aussi qu'il paie. Pas de lait, précisa-t-elle. (Elle attendit qu'Eileen lui apporte un grand mug en grès.) Vous comprendrez que je me sente plus concernée par tout ceci que vous ou la police. J'ai besoin d'obtenir des réponses à certaines questions.

— Je ne sais pas ce que je pourrais vous apprendre. (Eileen reprit sa place à son poste de travail et se saisit immédiatement de sa cigarette.)

J'ai dit absolument tout ce que je pouvais à la police. Je ne connaissais pas bien votre sœur, vous savez. Je ne l'ai rencontrée que lorsqu'elle est venue pour son premier entretien. Tout le reste s'est fait au téléphone.

Non, Eileen n'avait pas bien connu Kathleen, songea Grace. Elle n'était pas la seule.

— Au téléphone, répéta Grace en se calant dans son siège. J'imagine qu'on peut dire que le téléphone est au cœur de l'affaire. Je sais comment marche votre entreprise, Kathleen m'a tout expliqué. Inutile donc de revenir sur les détails. Dites-moi : est-ce que les hommes qui appellent viennent parfois ici ?

Eileen se massa le front. Elle n'avait pas réussi à se débarrasser du mal de tête qui l'avait assaillie à la lecture de l'article sur la mort de Mary Grice, quelques jours plus tôt.

— Nous ne donnons pas notre adresse aux clients. Bien sûr, quelqu'un de déterminé pourrait trouver ces locaux, mais je ne vois pas pour quelle raison on ferait cela. Même les employées potentielles sont interrogées avec soin avant que nous leur communiquions l'adresse pour l'entretien en face-à-face. Nous faisons très attention, mademoiselle McCabe. Je tiens à ce que vous le compreniez.

— Est-ce que quelqu'un vous a déjà téléphoné pour poser des questions à propos de Kathy… à propos de Desiree ?

— Non. Et s'ils l'avaient fait, ils n'auraient pas reçu de réponse. Excusez-moi… s'empressa-t-elle d'ajouter quand le téléphone se mit à sonner.

Grace sirota son café en écoutant d'une oreille.

Pourquoi était-elle venue ? Elle avait su dès le départ qu'elle ne pourrait quasiment rien apprendre que la police ne sache déjà. Quelques détails manquants, quelques éléments du puzzle ? Elle tâtonnait. Et pourtant c'était ça : ce minuscule bureau d'aspect si ordinaire était la clé. Ne lui restait plus qu'à trouver comment l'actionner.

— Je suis navrée, monsieur Peterson, mais Jezebel n'est pas joignable aujourd'hui. Souhaiteriez-vous parler à quelqu'un d'autre ? (Tout en parlant, Eileen pianota sur son clavier puis consulta son écran.) Si vous aviez une idée précise en tête… Je vois. Je pense que vous auriez plaisir à discuter avec Magda. Oui, elle l'est. Je suis certaine qu'elle sera ravie de vous aider. Je vais organiser ça. (Lorsqu'elle raccrocha, Eileen tourna vers Grace un regard nerveux.) Je suis navrée, cela va prendre quelques minutes. J'aimerais vous aider mais…

— Pas de problème. J'attendrai que vous ayez terminé.

Grace reprit sa tasse. Elle avait une nouvelle idée, une idée qu'elle avait l'intention de mettre immédiatement en pratique. Quand Eileen raccrocha, elle se tourna vers elle et lui sourit.

— Dites-moi, comment ça se passe pour décrocher un job chez vous ?

Ed n'était pas de très bonne humeur en se garant devant chez lui. Il avait passé le plus gros de sa journée à se tourner les pouces au tribunal en attendant de témoigner durant l'appel d'une affaire sur laquelle il avait travaillé deux ans plus tôt. Ed n'avait jamais eu le moindre doute quant à la culpabilité de l'accusé. Les preuves étaient là, ainsi que le mobile et l'occasion de commettre le crime. Ben et lui avaient apporté le tout sur un plateau d'argent au procureur.

Même si la presse en avait fait ses choux gras à l'époque, l'enquête s'était avérée plutôt simple. L'homme avait tué son épouse – une femme plus âgée et fortunée – puis avait tenté de faire croire à un cambriolage. Le premier jury avait délibéré pendant moins de six heures avant de rapporter son verdict : coupable. La loi disait que l'accusé avait le droit de faire appel et que la justice pouvait traîner les pieds. À ce jour, deux ans plus tard, l'individu qui avait volontairement ôté la vie à la femme qu'il avait promis d'aimer, d'honorer et de chérir était présenté comme une victime de circonstances contraires.

Ed savait que ce type avait une vraie chance de s'en tirer. C'était le genre de journée où il se demandait pourquoi il se donnait la peine de porter son insigne tous les matins. Il était capable de faire face à la montagne de paperasserie sans se plaindre. De passer des heures en planque au cœur de l'hiver ou au plus chaud de l'été. Tout cela faisait partie du métier. Mais, au fil des années, il avait de plus en plus de mal à accepter les perversions du système auxquelles il assistait dans les tribunaux.

Il allait passer la soirée à poser des plaques de plâtre, mesurer, tailler et manier le marteau jusqu'à oublier que, même en travaillant aussi dur qu'il le faisait, il perdrait toujours autant de combats qu'il en gagnerait.

Des nuages approchaient par l'ouest, une promesse d'averses dans la soirée. Ses plantes en avaient besoin, ici et dans le petit lopin qu'il avait cultivé au sein du jardin communautaire à quelques kilomètres de là. Il espérait avoir le temps durant le week-end d'aller voir comment poussaient ses courgettes. En descendant de la voiture, il entendit le bourdonnement régulier d'une tondeuse à gazon. Tournant la tête, il aperçut Grace qui faisait des allers-retours avec la machine dans le petit jardin de façade de chez sa sœur.

Elle était tellement jolie. À chaque fois qu'il la voyait, il se trouvait simplement ravi de l'admirer. La petite brise qui poussait les nuages vers eux agitait aussi la chevelure de Grace dont les mèches dansaient autour de son visage. Elle portait des écouteurs reliés à un petit appareil accroché à la ceinture de son jean.

Il avait prévu de tondre cette pelouse pour elle mais se félicita de ne pas avoir eu le temps de le faire. Cela lui donnait l'occasion de l'observer pendant qu'elle travaillait sans avoir conscience de sa présence. Il pouvait rester là et imaginer ce que cela ferait de rentrer chaque soir à la maison pour la retrouver.

Le nœud de colère sourde dans ses tripes s'était défait. Il se dirigea vers elle.

Les tympans vibrant au rythme d'un vieil album de Chuck Berry, Grace sursauta quand il lui toucha l'épaule. Une main sur la tondeuse et l'autre plaquée contre son cœur, elle releva les yeux vers lui en souriant. Elle regarda ses lèvres s'agiter tandis que la mélodie de *Maybelline* dansait sous son crâne. Son sourire s'élargit encore plus. Elle prenait toujours un tel plaisir à le voir, à plonger son regard dans ses yeux pleins de bonté et même de douceur au cœur de ce visage puissant.

Ed était l'archétype parfait de « l'homme des montagnes », songea Grace. Capable de se débrouiller seul en vivant de la terre. Et les Indiens lui auraient fait confiance car ses yeux ne mentaient pas.

Peut-être devrait-elle envisager d'écrire un roman historique, un western. Une histoire avec une bande de hors-la-loi et un shérif à la barbe rousse, dur à cuire et droit dans ses éperons.

Après quelques instants, Ed saisit les écouteurs et les abaissa autour du cou de Grace. Celle-ci lui toucha gentiment la barbe.

— Salut. Je n'ai pas entendu un traître mot de ce que tu disais.

— J'avais remarqué. Tu sais, tu ne devrais pas écouter la musique si fort. C'est mauvais pour tes oreilles.

— Le rock ne vaut rien si on ne l'écoute pas à plein volume, répliqua-t-elle en coupant néanmoins le son. Tu es rentré plus tôt que prévu ?

— Non. (Parce qu'ils étaient tous les deux obligés de crier pour couvrir le vacarme de la tondeuse, il mit celle-ci au point mort.) Tu n'auras jamais fini avant l'arrivée de la pluie, affirma-t-il.

— La pluie ? (Surprise, elle leva la tête vers le ciel.) D'où ils sortent, ces nuages ?

Il se mit à rire et les heures passées au tribunal s'évanouirent dans son esprit.

— Tu es toujours aussi peu consciente de ce qui se passe autour de toi ?

— Aussi souvent que possible. (Grace scruta de nouveau le ciel puis le reste de pelouse à tondre.) Bon, je pourrai m'occuper du reste demain.

— Je pourrai le faire pour toi. Je suis en congé demain.

— Merci mais tu as déjà assez à faire comme ça. Je ferais bien d'aller ranger cette fichue tondeuse derrière la maison.

— Je vais t'aider.

Parce qu'il semblait y tenir, elle lui laissa les commandes de l'appareil.

— J'ai fait la connaissance d'Ida aujourd'hui, dit-elle comme ils guidaient la machine grondante vers l'arrière de la maison.

— La deuxième maison en remontant la rue ?

— Je crois. Elle a dû me voir dans le jardin de derrière ; elle est descendue à ma rencontre. Elle sentait le chat.

— Je ne suis pas étonné.

— Bref, elle voulait me dire qu'elle avait reçu de très bonnes vibrations à mon sujet. (Grace récupéra une bâche tandis qu'Ed arrêtait la tondeuse au coin de la maison.) Elle se demandait si j'étais présente à Shiloh. La bataille de Shiloh.

— Et qu'est-ce que tu as répondu ?

— Je ne voulais pas la décevoir. (Après avoir recouvert la tondeuse à l'aide de la bâche, Grace fit rouler plusieurs fois ses épaules endolories.) Je lui ai dit que j'avais pris une balle yankee dans la jambe. Et que même aujourd'hui il m'arrive encore de boiter. Ça a eu l'air de la satisfaire. Tu as quelque chose de prévu ce soir ?

Il commençait à s'habituer à sauter du coq à l'âne en même temps qu'elle.

— Pose de placo.

— Placo ? Oh, ce truc gris tout moche, c'est ça ? Je peux t'aider.

— Si tu veux.

— Tu as de vrais trucs à manger chez toi ?

— Je peux sûrement nous déterrer un truc ou deux.

Se souvenant des asperges, Grace prit sa déclaration au premier degré.

— Attends une minute. (Elle se précipita chez elle alors même que les premières gouttes de pluie s'écrasaient autour d'eux. Elle ressortit, toujours au pas de course, avec un gros paquet de chips.) Rations d'urgence. On fait la course !

Avant qu'il puisse donner son accord, elle s'élança en sprintant. Il fut amusé de la voir sauter avec agilité par-dessus la clôture en prenant appui sur une seule main. Il la rattrapa à moins de trois mètres de la porte de derrière et les surprit tous les deux en la soulevant entre ses bras. Elle éclata de rire et l'embrassa avec fougue.

— T'es un rapide, Jackson.

— Je m'entraîne en pourchassant les méchants.

La pluie tombait dru à présent. Il plaqua sa bouche sur la sienne. Un délice rendu plus délicieux encore par le soupir discret qu'elle poussa. Partout où il posait ses lèvres, le visage de Grace était humide. Humide et frais. Elle semblait ne rien peser du tout et il aurait pu rester ainsi pendant des heures. Puis il la sentit frissonner et la serra plus fort contre lui.

— On va se faire tremper.

Il fila vers la porte arrière puis se résigna à regret à reposer Grace pour sortir ses clés. La jeune femme se précipita à l'intérieur et s'ébroua comme un chien qui rentre de promenade.

— C'est chaud. J'aime bien quand la pluie est chaude. (Elle se passa les mains dans les cheveux et ses mèches retrouvèrent l'aspect joyeusement désordonné qui lui convenait.) Je sais que je vais gâcher l'ambiance mais j'espérais que tu aurais de nouvelles infos à me donner.

Cela ne gâchait pas l'ambiance ; il s'y attendait.

— Ça progresse lentement, Grace. La seule piste que nous avions s'est terminée en impasse.

— Tu es sûr que l'alibi du fils du politicien est solide ?

— Comme un roc, répondit-il en mettant de l'eau à bouillir pour faire un thé. Il se trouvait au premier rang au Kennedy Center la nuit où Kathleen a été tuée. Il a les souches des billets, le témoignage de sa copine et une dizaine de témoins qui l'y ont vu.

— Il aurait pu s'éclipser.

— Il n'aurait pas eu assez de temps. Il y a eu un entracte à vingt et une heures quinze. Il se trouvait dans le hall d'accueil à siroter une limonade. Je suis désolé.

Elle secoua la tête et s'appuya contre le plan de travail pour sortir une cigarette.

— Tu sais le plus terrible ? Je me prends à souhaiter que ce gamin que je n'ai jamais vu soit coupable. Régulièrement, j'espère que son alibi va s'écrouler et qu'il sera arrêté. Alors que je ne le connais même pas.

— C'est humain. Tu veux simplement que toute cette histoire prenne fin.

— Je ne sais plus ce que je veux. (Un soupir s'échappa des lèvres de Grace. Le son, plaintif et fragile, lui déplut.) Je voulais aussi que ce soit Jonathan, cette fois justement parce que je le connaissais. Parce qu'il a... Peu importe, s'interrompit-elle en allumant son briquet. Ce n'était ni l'un ni l'autre.

— On va le trouver, Grace.

Elle dévisagea Ed tandis que la vapeur commençait à s'échapper du bec de la bouilloire.

— Je sais. Je ne crois pas que je serais capable de gérer les choses du quotidien, de penser à ce que je vais faire demain, si je n'en étais pas convaincue. (Elle tira longuement sur sa cigarette pour se calmer. Elle avait autre chose à l'esprit, un sujet qu'elle ne pouvait pas éluder.) Il ne s'en tiendra pas là, n'est-ce pas ?

Ed se détourna pour doser le thé.

— C'est difficile à dire.

— Non, pas vraiment. Sois honnête avec moi, Ed. Je n'aime pas qu'on essaye de me protéger.

Il aurait pourtant voulu la protéger, non seulement parce que c'était sa vocation mais parce que c'était elle. Et parce que c'était elle, il n'était pas possible de la ménager.

— Je ne crois pas qu'il s'en tiendra là.

Elle hocha la tête puis désigna la bouilloire.

— Tu ferais bien de servir avant que l'eau s'évapore.

Pendant qu'il sortait des tasses, elle repensa à ce qu'elle avait fait ce jour-là. Elle devrait lui en parler. Cette idée lui titillait la conscience de manière répétée, presque impatiente. Difficile de ne pas y prêter attention. Elle lui dirait, se promit-elle. Dès qu'il serait trop tard pour qu'il puisse y changer quoi que ce soit.

Elle s'approcha pour fouiller dans son réfrigérateur.

— J'imagine que tu n'as pas de saucisses pour hot-dog ?

Il la regarda d'un air si inquiet qu'elle dut se mordre la lèvre pour ne pas rire.

— Sérieusement, tu ne manges pas ces trucs ? demanda-t-il.

— Nan...

Elle referma la porte en espérant mettre la main sur du beurre de cacahuète.

Ils travaillaient bien ensemble. Grace dévora le plus gros des chips tout en s'essayant au maniement du marteau. Elle avait d'abord dû batailler avec Ed ; l'idée que celui-ci se faisait de son aide consistait à s'asseoir dans un coin pour regarder. Il avait fini par la laisser participer mais la surveillait avec la vigilance d'un oiseau de proie. Ce n'était pas tant qu'il craignait qu'elle fasse une bêtise, même si cela jouait. C'était plutôt qu'il avait peur qu'elle ne se blesse.

Il lui fallut cependant moins d'une heure pour constater qu'une fois qu'elle s'attaquait sérieusement à un projet, Grace se comportait comme une professionnelle. Elle avait peut-être été un peu trop généreuse avec la pâte à joints mais il estimait pouvoir rattraper ça avec un coup de décapeuse. Le temps supplémentaire que cela nécessiterait n'avait pas d'importance. Ça pouvait sembler bête mais le simple fait d'avoir Grace avec lui accélérait le travail.

— Cette pièce va être géniale, commenta-t-elle avant de frotter du dos de la main son menton qui la démangeait. J'aime vraiment l'idée que tu as eue de lui donner cette forme de petit L. Toutes les chambres à coucher civilisées devraient posséder un coin détente.

Il avait espéré qu'elle apprécierait. Il imaginait déjà la chambre terminée, jusqu'aux détails des rideaux devant les fenêtres. Un tissu à l'ancienne, de couleur bleue, maintenu ouvert par des embrasses pour que le soleil inonde la pièce. Il n'avait aucun mal à visualiser la scène, tout comme il n'avait aucun mal à y intégrer la présence de Grace.

— J'envisage d'installer un ou deux puits de lumière.

— Vraiment ? (Grace alla s'asseoir sur le lit et inclina la tête en arrière.) Tu pourrais t'allonger là et regarder les étoiles. Ou la pluie, pour les soirées comme celle-ci. (*Ce serait bien agréable*, pensa-t-elle, les yeux tournés vers le plafond inachevé. Ce serait merveilleux de dormir, de faire l'amour ou simplement de rêvasser sous une paroi en verre.) Si un jour tu décidais d'exporter tes talents jusqu'à New York, tu pourrais gagner des fortunes en retapant des lofts.

— Ça te manque ?

Plutôt que de la regarder, Ed se concentra sur le joint qu'il était en train d'ajuster.

— New York ? Parfois, dit-elle. (*Mais moins que je ne l'aurais imaginé*, constata-t-elle. Perchée sur le lit, elle désigna la fenêtre orientée ouest.) Tu sais ce qu'il te faudrait là-bas ? Un siège près de la fenêtre. Quand j'étais petite, je trouvais que ce serait génial d'avoir devant la fenêtre un fauteuil où se blottir et se laisser aller à la rêverie. (Elle se leva pour plier et déplier les bras à plusieurs reprises. Étonnant de voir à quel point les muscles rarement utilisés s'endolorissaient.) Je passais le plus clair de mon temps cachée dans le grenier pour rêver.

— Tu as toujours eu envie d'écrire ?

Grace replongea sa truelle dans le seau de pâte à joints.

— J'aimais raconter des bobards, avoua-t-elle. (Elle rit puis étala la mixture à la texture boueuse par-dessus une tête de clou.) Pas de gros bobards, plutôt des trucs malins. Je me sortais parfois des ennuis en inventant des histoires. Les adultes étaient suffisamment amusés pour me laisser m'en tirer à bon compte. Ce qui énervait prodigieusement Kathleen. (Elle demeura silencieuse quelques instants. Elle ne voulait pas se rappeler ces mauvais moments.) C'est quoi cette chanson ?

— Patsy Cline.

Grace écouta pendant une minute. Ce n'était pas le genre de musique qu'elle aurait choisi mais quelque chose dans la chanson lui plaisait.

— Ils n'ont pas fait un film sur elle ? Si, je crois bien. Elle s'est tuée dans un accident d'avion dans les années 1960, non ? (Elle tendit de nouveau l'oreille. La chanson était si pleine de vie et d'énergie. Grace n'aurait pas su dire si elle avait envie de sourire ou de pleurer.) J'imagine que c'est une autre des raisons derrière ma vocation. L'envie de laisser quelque chose derrière soi. Une histoire, c'est comme une chanson. Ça dure. J'ai souvent pensé à ça ces derniers temps. Tu y penses, parfois ? Au fait de laisser une trace ?

— Bien sûr. (*Surtout depuis quelque temps*, songea Ed. *Mais pour d'autres raisons.*) Des arrière-petits-enfants, précisa-t-il.

Cela la fit rire. De la pâte dégoulina sur la manche de son pull mais elle ne se donna pas la peine de l'essuyer.

— C'est chouette. J'imagine que c'est normal que tu penses comme ça, toi qui viens d'une grande famille.

— Comment sais-tu que j'ai une grande famille ?

— Ta mère l'a mentionné en passant. Deux frères et une sœur. Tes deux frères sont mariés, même si Tom et… (Elle dut réfléchir pour retrouver le nom.)… Scott sont plus jeunes que toi. Tu as, voyons, je crois, trois neveux. J'ai immédiatement pensé à Riri, Fifi et Loulou. Sans vouloir te vexer.

Il ne put que secouer la tête.

— Tu n'oublies donc jamais rien ?

— Non. Ta mère continue à croiser les doigts pour avoir une petite-fille mais personne ne coopère. Et elle espère toujours que tu vas abandonner l'univers du crime pour rejoindre l'entreprise de bâtiment de ton oncle.

Mal à l'aise, Ed saisit une baguette d'angle qu'il entreprit de clouer sans regarder Grace.

— On dirait que vous avez eu une conversation intéressante, toutes les deux.

— Elle me faisait passer un interrogatoire, tu te souviens ?

Il rougit, rien qu'un peu mais assez pour qu'elle ait envie de le serrer dans ses bras.

— Et puis, ajouta-t-elle, les gens m'ont toujours raconté les détails intimes de leur vie, je n'ai jamais vraiment su pourquoi.

— Parce que tu sais écouter.

Grace sourit. Pour elle, c'était un immense compliment.

— Alors pourquoi tu ne construis pas de grands appartements luxueux avec ton oncle ? L'activité a l'air de te plaire.

— Ça me détend. (De la même manière que le détendait le morceau de Merle Haggard qui passait à la radio.) Si je ne faisais que ça tous les jours et toute la sainte journée, je m'ennuierais.

Langue coincée entre ses dents, Grace fit couler la pâte le long d'une jointure.

— Tu parles à quelqu'un qui sait à quel point le boulot de policier aussi peut être ennuyeux.

— C'est comme un puzzle. Tu en as fait quand tu étais gamine ? Le genre de grand truc à vingt-cinq mille morceaux ?

— Bien sûr. Au bout d'une ou deux heures, je commençais à tricher. Ça rendait tout le monde dingue quand ils découvraient que j'avais arraché un bout d'une pièce pour la faire rentrer.

— Moi je pouvais passer des journées sur un puzzle sans que mon intérêt s'émousse. Je travaillais toujours depuis l'extérieur vers le centre. Plus on place de pièces, plus on obtient de détails ; plus on a de détails, plus on se rapproche de l'image terminée.

Grace suspendit son geste. Elle comprenait où il voulait en venir.

— Tu n'as jamais eu envie d'aller directement au cœur du truc, sans te soucier des détails ?

— Non. Si tu fais ça, tu te retrouves toujours avec une pièce manquante, celle qui fait le lien avec tout le reste. (Une fois le dernier clou enfoncé, il recula d'un pas pour s'assurer qu'il avait fait les choses dans les règles.) On ressent une satisfaction incroyable au moment de poser la dernière pièce pour révéler l'image complète. Ce type que nous pourchassons aujourd'hui… Nous n'avons simplement pas encore toutes les pièces. Mais nous les trouverons. Et quand ce sera fait, on les fera basculer et s'emboîter jusqu'à ce que tout s'assemble.

— Ça arrive à chaque fois ?

Il baissa les yeux vers elle. Elle affichait une mine si sérieuse sur son visage taché de pâte à joints. Ed lui passa son pouce sur la joue pour en essuyer le plus gros.

— Tôt ou tard, affirma-t-il. (Il posa son marteau et lui prit le visage entre ses mains.) Fais-moi confiance.

— Je te fais confiance. (Des yeux pleins de bonté, des mains puissantes. Elle s'inclina un peu plus vers lui. Elle avait besoin - envie - de plus que du réconfort.) Ed… (Le martèlement contre la porte au rez-de-chaussée lui fit fermer les yeux de frustration.) On dirait qu'on a de la visite.

— Ouais. Avec un peu de chance, je vais pouvoir nous en débarrasser en cinq minutes.

Grace haussa un sourcil. L'agacement qu'elle avait perçu dans la voix d'Ed avait quelque chose de flatteur.

— Inspecteur, ceci pourrait bien être votre jour de chance, souffla-t-elle.

Elle lui prit la main avant de l'accompagner dans l'escalier. À la seconde où Ed ouvrit la porte, Ben entra en tirant Tess derrière lui.

— Bon sang, Ed, tu ne vois pas qu'on pourrait presque se noyer là dehors ? Qu'est-ce que tu… (Il aperçut Grace.) Oh. Bonsoir.

— Bonsoir. Détendez-vous. On s'amusait avec le placo. Bonsoir, Tess. Je suis ravie de vous voir. Je n'avais pas eu le temps de vous remercier.

— Mais de rien. (Tess se redressa sur la pointe des pieds pour embrasser Ed sur la joue.) Excuse-nous, Ed. J'avais dit à Ben d'appeler avant de venir.

— Pas de soucis. Asseyez-vous.

— D'accord. On va se trouver un siège…

Ben aida sa femme à s'asseoir sur un gros carton de déménagement puis tendit une bouteille de vin à Ed.

— Tu dois bien avoir des verres, n'est-ce pas ?

Ed accepta la bouteille avec un air étonné.

— Qu'est-ce qu'on fête ? D'habitude, tu arrives avec un pack de bières ou tu vides mes réserves.

— Bonjour la gratitude ! Et dire qu'on est venus te demander d'être le parrain… (Ben prit la main de Tess entre les siennes.) Dans sept mois, une semaine et trois jours. Plus ou moins.

— Un bébé ? Vous allez avoir un bébé ? (Ed passa le bras autour du cou de Ben et l'attira à lui.) Bien joué, partenaire ! (La façon dont il prit l'autre main de Tess donnait presque l'impression qu'il voulait vérifier son pouls.) Tu vas bien ?

— Très bien. Ben a failli avoir une attaque mais moi je vais bien.

— Je n'ai pas failli avoir une attaque. Bon, j'ai peut-être bredouillé pendant quelques minutes mais rien de plus. Je vais chercher les verres. Assure-toi qu'elle reste bien assise, d'accord ? dit-il à Ed.

— Je vais vous aider. (Grace prit le vin des mains d'Ed et accompagna Ben dans la cuisine.) Vous devez être fou de joie, dit-elle.

— Je crois que je n'ai pas encore tout à fait réalisé. Une famille… (Il farfouilla dans les placards tandis que Grace mettait la main sur le tire-bouchon.) Je n'avais jamais envisagé d'avoir une famille, avoua-t-il. Et puis, d'un seul coup, Tess est arrivée. Tout a changé.

Grace se concentra sur la bouteille pour l'ouvrir.

— Étonnant de voir comme la famille nous aide à comprendre ce qui compte vraiment.

— Ouais. (Ben posa les verres sur le plan de travail puis posa une main amicale sur son épaule.) Vous tenez le coup ?

— Mieux. La plupart du temps, je vais mieux. Le plus dur est de me convaincre qu'elle est partie et que je ne la reverrai plus jamais.

— Je sais ce que vous ressentez. Vraiment, insista-t-il en sentant son mouvement de retrait immédiat. J'ai perdu mon frère.

Une fois la bouteille débouchée, elle se força à le regarder. Il y avait de la bonté dans ces yeux-là également. Ben avait un caractère plus tempétueux qu'Ed, plus agité et tendu, mais la bonté était bien là.

— Comment avez-vous fait face ? demanda-t-elle.

— Avec difficulté. Il avait tout pour lui et je l'adorais. On n'avait pas forcément le même point de vue sur tout mais on était très proches. Et puis il a été envoyé au combat à peine sorti du lycée.

— Je suis désolée. Ça doit être horrible de perdre quelqu'un qu'on aime à cause de la guerre.

— Lui n'est pas mort là-bas. Seulement les meilleures parties de qui il était. (Ben saisit la bouteille et entreprit de les servir. C'était bizarre ; même après des années, il ne se souvenait que trop bien de tout ça.) Quand il est rentré, il n'était plus le même. Renfermé, amer, perdu. Il s'est tourné vers la drogue pour essayer d'effacer ça, d'oublier ses angoisses. Mais ça n'a pas marché. (Il devina qu'elle pensait à sa sœur et à ses flacons de médicaments cachés dans la maison.) C'est difficile de ne pas les blâmer d'avoir choisi la voie de la facilité.

— Oui, oui, c'est vrai. Qu'est-ce qu'il lui est arrivé ?

— À la fin, il n'arrivait plus à le supporter. Alors il a choisi de partir.

— Je suis désolée. Vraiment désolée. (Les larmes, celles qu'elle avait réussi à retenir depuis des jours, lui montèrent soudain aux yeux.) Je ne veux pas en passer par là.

Ça aussi il le comprenait.

— Non. Je sais. Mais parfois ça va mieux ensuite.

— Les gens me disent tous qu'ils me comprennent, mais ils ne comprennent pas. (Lorsqu'il lui ouvrit les bras, elle se cramponna à lui.) On ne sait pas ce que c'est de perdre une partie de soi jusqu'au moment où ça arrive. Et le truc c'est qu'on ne peut rien faire avant pour s'y préparer. Et rien non plus après, une fois qu'on a réglé tous les détails. C'est ça le pire, ne rien pouvoir faire. Combien… Combien de temps il vous a fallu pour tourner la page ?

— Je vous le dirai quand je l'aurai tournée.

Elle hocha la tête puis laissa sa tête reposer sur l'épaule de Ben une minute de plus.

— La seule chose à faire c'est de continuer à vivre ?

— Exactement. Au bout d'un moment, on arrête d'y penser chaque jour. Puis il se passe quelque chose dans votre vie, comme quand Tess est entrée dans la mienne. On peut continuer à avancer. On n'oublie pas, mais on avance.

Elle se redressa pour essuyer les larmes sur ses joues.

— Merci, dit-elle.

— Ça va aller ?

— Tôt ou tard, oui, je finirai par aller mieux. (Elle renifla puis parvint à sourire.) Peut-être un peu plus tôt que prévu. Ramenons les verres et la bouteille. Ce soir, on célèbre la vie.

11

Mary Beth Morrison était penchée au-dessus de son budget mensuel tout en écoutant d'une oreille les deux aînés de ses enfants qui se chamaillaient autour d'un jeu de société.

Ça sent l'orage, songea-t-elle tout en essayant de déterminer pourquoi le montant des courses alimentaires mensuelles était plus élevé que d'habitude.

— Jonas ! lança-t-elle. Si tu te mets en colère à chaque fois que Lori s'empare d'un de tes pays, tu ne devrais pas jouer à ce jeu.

— Elle triche, se plaignit Jonas. Elle triche toujours.

— C'est pas vrai !

— Si c'est vrai !

Si Mary Beth n'avait pas été en train de chercher le moyen d'économiser cent dollars de plus par mois, elle les aurait sans doute laissés se disputer à leur guise.

— Peut-être que ça irait mieux si vous rangiez le jeu et alliez dans vos chambres ?

Ce commentaire tranquille eut l'effet attendu : les deux enfants se calmèrent très vite, et les accusations furent réduites à de simples murmures.

La cadette de la famille, Pat la Bégueule comme aimaient l'appeler ses frères et sœurs, s'approcha de sa mère pour lui demander de remettre en place le nœud dans ses cheveux. À cinq ans, Patricia était une fille de chez fille. Mary Beth mit temporairement ses comptes de côté pour rajuster le ruban de dentelle. Pendant ce temps, son fils de six ans fit de son mieux pour déclencher une nouvelle bagarre entre son frère et sa sœur aînés qui se disputaient le contrôle du monde. Très vite, Jonas et Lori se retournèrent contre lui.

S'y ajoutait le vacarme de la télévision et les sifflements de leur nouveau chaton à l'encontre de Binky, leur cocker anglais entre deux âges.

Somme toute, un vendredi soir typique chez les Morrison.

— Je pense avoir réparé la Chevrolet. Un réglage de timing sur l'allumage, rien de plus, annonça Harry qui venait d'entrer dans le séjour et s'essuyait les mains avec un torchon.

Mary Beth repensa brièvement au nombre de fois où elle lui avait demandé de ne pas disperser le linge de cuisine à travers toute la maison puis inclina la tête en arrière pour recevoir son baiser. L'après-rasage qu'elle lui avait offert pour son anniversaire parfumait encore ses joues.

— Mon héros ! dit-elle. J'appréhendais l'idée qu'elle tombe en panne sur le chemin de la vente de gâteaux dimanche prochain.

— Le moteur tourne impeccablement maintenant... Hé, baisse d'un ton, Jonas. (Tout en parlant à son fils, Harry avait soulevé Pat pour la câliner.) Pourquoi on ne sortirait pas faire un petit tour de voiture ?

Mary Beth s'écarta de son bureau. C'était tentant. Rien que l'idée de sortir de la maison pendant une heure, voire de s'arrêter pour prendre une glace et laisser les enfants s'amuser au golf miniature. Puis elle reporta les yeux sur son budget.

— Je dois finir les comptes pour faire un dépôt à la machine demain matin.

— Tu as l'air fatiguée.

Harry fit claquer un bisou sur la joue de Pat avant de la reposer.

— Juste un peu, admit Mary Beth.

Il jeta un coup d'œil aux factures et aux colonnes de chiffres.

— Tu veux que je t'aide ?

Mary Beth ne releva pas la tête ; elle avait repris mentalement ses calculs.

— Merci, mais la dernière fois que tu m'as aidée il m'a fallu six mois pour nous remettre sur les rails.

— Quelle ingrate ! se plaignit-il en lui ébouriffant les cheveux. Je serais très vexé... si ça n'était pas la stricte vérité... Jonas, tu tires un peu trop sur la corde !

— Il prend le jeu beaucoup trop au sérieux, murmura Mary Beth. Exactement comme son père.

— Mais jouer est une activité sérieuse... (Il se pencha pour lui chuchoter à l'oreille :) Tu veux jouer avec moi ?

Elle se mit à rire. Cela faisait plus de vingt ans qu'ils se connaissaient mais Harry était toujours capable de faire battre son cœur un peu plus vite.

— Si on fait ça, je n'aurai pas fini avant minuit.

— Ça t'aiderait si j'emmenais les enfants dehors un petit moment ?

Elle lui sourit.

— Tu lis dans mes pensées. Si j'avais droit à une heure de travail sans interruption, je pourrais sûrement nous trouver le moyen d'acheter les pneus neufs dont on a besoin.

— Tes désirs sont des ordres. (Il se pencha et l'embrassa. Assis par terre, Jonas leva les yeux au ciel. Ses parents passaient leur temps à s'embrasser !) Et ça te ferait sans doute du bien de retirer tes lentilles, ajouta Harry. Tu te fatigues les yeux quand tu les portes trop longtemps.

— Tu as sans doute raison. Merci chéri, tu m'aides à préserver ma santé mentale.

— Moi je t'aime bien quand tu es un peu folle, répondit-il en l'embrassant de nouveau. (Puis il se tourna vers les enfants, bras levés.) Que tous ceux qui ont envie d'un tour en voiture et d'un sundae au chocolat me retrouvent dans le garage dans deux minutes !

Ce fut immédiatement la cohue. Des pions de jeu s'éparpillèrent sur le sol tandis que tous se précipitaient pour enfiler leurs chaussures. Binky se lança dans une série d'aboiements jusqu'à se faire chasser de la pièce par leur chaton. Mary Beth sortit le pull rose décoré de fausses pierreries de Pat et rappela à Jonas de se coiffer. Il n'en fit rien, mais c'était l'intention qui comptait.

Moins de dix minutes plus tard, la maison était vide. Mary Beth se rassit à son bureau en prenant le temps de savourer le silence. On aurait droit à un grand ménage en famille le lendemain, mais pour le moment, elle refusait de regarder le bazar laissé par les enfants.

Elle avait tout ce qu'elle désirait : un mari aimant, des enfants qui la faisaient rire, une maison pleine de vie et, espérait-elle, une voiture qui ne lui claquerait pas entre les doigts. Se penchant de nouveau sur son budget, elle se remit au travail.

Une demi-heure plus tard, elle se remémora le conseil de Harry à propos de ses lentilles. Celles-ci représentaient son unique coquetterie personnelle.

Elle détestait les lunettes et ce depuis le jour où elle avait eu sa première paire, à l'âge de huit ans. En arrivant au lycée, elle arborait des verres aussi épais que des fonds de bouteille et s'était ridiculisée à maintes reprises en arpentant les couloirs à l'aveuglette parce qu'elle refusait de les porter. Toujours prompte à savoir ce qu'elle voulait et la meilleure manière de l'obtenir, elle avait pris un job d'été durant sa première année et dépensé l'intégralité de son salaire dans ses lentilles de contact. Depuis cette époque, elle avait pris l'habitude de les mettre pratiquement dès le réveil et de ne les quitter qu'au moment de retourner au lit.

Mais parce que lire ou travailler par écrit lui donnait mal aux yeux après quelques heures, elle les retirait souvent pour terminer quasiment le nez sur la page. Avec un grommellement agacé, elle se leva et monta à l'étage afin de les enlever pour la soirée.

Comme pour tout le reste, Mary Beth était consciencieuse. Elle nettoya ses lentilles et les laissa tremper dans une solution propre. Parce que Pat aimait fouiller dans les tiroirs de la coiffeuse à la recherche de rouge à lèvres, Mary Beth déposa la boîte sur l'étagère du haut de l'armoire à pharmacie. En se penchant vers le miroir de la salle de bains, elle envisagea de retoucher son maquillage. Cela faisait des jours que Harry et elle n'avaient pas trouvé le temps de faire l'amour. Mais si ce soir ils parvenaient à border tous les enfants suffisamment tôt…

Avec un sourire, elle tendit la main vers son rouge à lèvres. Quand le chien se remit à aboyer, elle n'y prêta pas attention. Même si Binky avait besoin de sortir, il pourrait contrôler sa vessie pendant une minute de plus.

Jerald poussa la porte qui menait du garage vers la cuisine. Cela faisait un long moment qu'il ne s'était pas senti aussi bien. C'était ce sentiment intense d'avoir un pied dans le vide qui donnait une vraie valeur à la vie. Il aurait dû s'en rendre compte plus tôt. Il se sentait comme un demi-dieu, l'un de ces personnages mythologiques nés d'un père immortel et d'une mère mortelle. Héroïque, implacable et béni des dieux. C'était exactement ce qu'il était.

Son père était tellement puissant, omniscient, intouchable. Sa mère était belle… et pleine de défauts. C'était pourquoi, étant leur fils, il pouvait connaître un tel sentiment de pouvoir et de peur mêlés. Un mélange incroyable. Et pour cette même raison, il ressentait une immense pitié matinée de dédain pour les mortels ordinaires. Ils avançaient dans la vie comme autant d'aveugles, sans jamais avoir conscience de la proximité de la mort ni d'avec quelle facilité Jerald pouvait les pousser dans les bras de celle-ci.

Il avait l'impression de devenir chaque jour un peu plus comme son père. Capable de tout voir, de tout comprendre. Bientôt, il n'aurait plus besoin de l'ordinateur pour lui montrer la voie. Il saurait, tout simplement.

Passant la langue sur ses lèvres, il regarda par l'entrebâillement de la porte. Il ne s'était pas attendu à trouver un chien. Il apercevait l'animal et l'entendait gronder, acculé dans un coin de la cuisine. Jerald allait devoir le tuer, bien entendu. Ses dents luisirent dans l'obscurité tandis qu'il y songeait. Il trouva regrettable de ne pas pouvoir prendre son temps pour ce faire, se livrer à une expérience sur la bête. Il entrouvrit un peu plus la porte et s'apprêtait à entrer dans la cuisine quand il entendit la voix.

— Bon sang, Binky, ça suffit ! M. Carlyse va encore se plaindre que tu fais trop de bruit. (Naviguant dans la pièce par habitude plutôt qu'à vue, Mary Beth se dirigea jusqu'à la porte de derrière sans prendre la peine d'allumer la lumière.) Allez, sors ! (Dans son coin de la pièce, Binky continuait de gronder, ses yeux braqués sur la porte du garage.) Arrête ! Je n'ai pas le temps pour ces bêtises. J'ai du travail à terminer. (Elle s'approcha du chien et le saisit par le collier.) Tu sors, Binky. Je n'arrive pas à croire que la présence d'un chaton t'ait mis dans tous tes états. Tu t'y feras, va, ne t'inquiète pas.

Elle tira le cocker jusqu'à la porte et le poussa au dehors sans ménagement. Elle laissa échapper un petit rire satisfait qui mourut brusquement lorsqu'elle se retourna.

Elle était tout ce que Jerald avait su qu'elle serait. Douce, chaleureuse, compréhensive. Et elle l'attendait, évidemment. Elle venait même de mettre le chien dehors pour qu'ils ne soient pas dérangés. Elle était si jolie avec ses grands yeux effrayés et ses seins ronds et hauts. Elle sentait le chèvrefeuille. Il se souvint de la manière dont elle parlait de faire lentement et longuement l'amour dans une clairière. En la regardant, il pouvait presque voir le champ de trèfles autour d'eux.

Il avait envie de la tenir contre lui, de la laisser lui faire toutes les choses douces et tendres qu'elle lui avait promises. Après quoi il lui offrirait le meilleur. L'étreinte ultime.

— Qu'est-ce que vous voulez ?

Elle distinguait à peine plus qu'une ombre, mais cela avait suffi pour faire remonter son cœur battant jusque dans sa gorge.

— Tout ce que tu m'as promis, Mary Beth.

— Je ne vous connais pas.

Reste calme, se dit-elle.

S'il était venu les cambrioler, elle le laisserait prendre ce qu'il voudrait. Elle lui remettrait elle-même les verres en cristal de sa grand-mère. Dieu merci les enfants n'étaient pas à la maison ! Dieu merci ils étaient en sécurité.

Les Feldspar s'étaient fait cambrioler l'année précédente et il avait fallu des mois avant que l'assurance réagisse enfin. Depuis combien de temps Harry était-il parti ? Ses pensées s'entrechoquaient tandis qu'elle luttait pour garder son sang-froid.

— Mais si, voyons, dit l'homme. C'est à moi et à moi seul que tu parlais, toutes ces nuits. Tu me comprenais toujours. Et maintenant nous pouvons enfin être ensemble. (Il s'était avancé vers elle. Elle recula jusqu'à se cogner contre le plan de travail.) Je vais te donner plus que tout ce que tu peux imaginer. Je sais comment faire.

— Mon mari va revenir d'un instant à l'autre.

Il se contenta de sourire, le regard vide et les lèvres légèrement retroussées.

— Je veux que tu te déshabilles de la façon dont tu me l'as promis. (Il referma ses doigts sur sa chevelure. Pas pour lui faire mal, mais pour se montrer ferme. Les femmes aimaient que les hommes soient fermes, surtout les femmes délicates à la voix douce.) Maintenant, Mary Beth ! Enlève tes vêtements, lentement. Puis je veux que tu me touches, partout. Fais-moi toutes ces choses tendres, Mary Beth. Toutes ces douces et belles choses que tu m'as promises.

Ce n'était qu'un gamin, non ? Elle tenta de discerner son visage mais la pièce était plongée dans l'ombre et sa vision très floue.

— Je ne peux pas. Vous ne voulez pas vraiment me forcer à ça. Partez simplement et je...

Il l'interrompit en lui tirant violemment les cheveux. Elle eut un mouvement de recul terrifié quand il referma sa main libre sur sa gorge.

— Tu as envie que j'insiste un peu. Pas de problème. (Il parlait à voix basse mais son excitation allait grandissant, se répandait en lui, lui enveloppait le cœur et irriguait ses poumons.) Desiree aussi a eu besoin que j'insiste. Ça ne m'a pas gêné. Je l'aimais. Elle était parfaite. Je crois que toi aussi tu l'es mais je dois m'en assurer. Je vais te déshabiller. Je vais te caresser. (Quand il lâcha son cou pour agripper son sein, elle inspira pour pousser un cri.) Non ! cria-t-il en enfonçant méchamment ses doigts dans sa chair. (Sa voix avait de nouveau changé. Son ton avait à présent quelque chose de plaintif et de bien plus effrayant que lorsqu'il donnait des ordres.) Je ne veux pas que tu cries. Ce n'est pas ce que je veux et si tu le fais, je te punirai. J'ai aimé entendre hurler Roxanne, mais pas toi. Elle, c'était une salope. Tu comprends ?

— Oui. Oui, je comprends.

Elle lui aurait dit tout ce qu'il voulait entendre.

— Mais toi, non. Tu n'es pas une salope. Desiree et toi êtes différentes. Je l'ai su à la seconde où je t'ai entendue. (Il retrouvait progressivement son calme, malgré son érection dure comme la pierre et son envie de déboutonner son jean.) Maintenant, je veux que tu me parles pendant que je te touche. Parle-moi comme tu le faisais.

— Je ne comprends pas ce que vous voulez dire. (De la bile remonta dans le gosier de Mary Beth quand il se plaqua contre elle. Il ne pouvait pas faire ça. Ça ne pouvait pas être réel... Elle voulait Harry et ses enfants. Elle voulait que tout ceci s'arrête.) Je ne vous connais pas, souffla-t-elle. Vous vous trompez.

Il glissa sa main entre ses jambes. La façon dont elle sursauta en gémissant lui plut. Elle était prête pour le recevoir, c'était certain. Prête et offerte.

— Cette fois, ce sera différent. Cette fois, on va prendre tout notre temps. Je veux que tu me montres des choses, que tu me fasses des choses. Puis, quand j'aurai fini, ce sera encore meilleur que les autres fois. Touche-moi, Mary Beth. Les autres ne m'ont pas touché.

Elle pleurait à présent et s'en voulait pour cela. C'était sa maison, son foyer, et elle refusait de voir son intimité ainsi violée. Elle se força à le toucher et attendit de l'entendre grogner. Puis, aiguillonnée par le désespoir, elle lui décocha un coup de coude dans le ventre. Alors qu'elle refermait la main sur la poignée de la porte, il la saisit par les cheveux et la tira violemment en arrière. À cet instant, elle sut qu'il allait la tuer.

— T'as menti ! Tu n'es qu'une menteuse et une catin, exactement comme les autres. Alors je vais te traiter comme les autres.

Au bord des larmes lui aussi, il fit claquer le dos de sa main sur le visage de Mary Beth, dont la lèvre se fendit. Ce fut le goût de son propre sang qui la poussa à agir.

Elle n'allait pas mourir de cette façon, dans sa propre cuisine. Elle n'allait pas laisser son mari et ses enfants seuls et désemparés. Avec un hurlement, elle lui griffa le visage et profita de son cri de surprise pour ouvrir la porte. Elle avait eu l'intention de s'enfuir pour sauver sa peau mais Binky, lui, voulait jouer les héros.

Le petit chien avait des crocs pointus. Il les planta sans hésiter dans le mollet de Jerald. Celui-ci poussa un grondement de rage et parvint à dégager l'animal d'un coup de pied. Mais lorsqu'il se retourna, ce fut pour se retrouver face à la lame acérée d'un couteau de cuisine.

— Sortez de chez moi !

Mary Beth tenait le manche à deux mains. Elle était trop stupéfaite pour s'étonner d'avoir la ferme intention de se servir du couteau s'il faisait ne serait-ce qu'un pas de plus vers elle.

Binky s'était redressé et secouait la tête. Puis il se remit à gronder.

— Salope ! siffla Jerald en reculant vers la porte. (Aucune d'elles ne l'avait jamais vraiment blessé auparavant. Son visage était endolori, et sa jambe... Une tache de sang chaud et humide souillait déjà son pantalon. Il la ferait payer. Il les ferait toutes payer.) Putes et menteuses, toutes autant que vous êtes ! Je ne voulais que te donner ce que tu désires. J'allais te faire du bien. (De nouveau, ce ton plaintif qui fit frémir Mary Beth. Il ressemblait à un petit garçon malfaisant qui aurait cassé son jouet préféré.) J'allais t'offrir ce qu'il y a de mieux. La prochaine fois, vous souffrirez toutes !

Quand Harry revint avec les enfants, vingt minutes plus tard, Mary Beth était assise à la table de la cuisine, le couteau de boucher toujours à la main et les yeux braqués sur la porte de derrière.

— Du vin pour tout le monde sauf la future maman, déclara Grace en faisant circuler les verres tandis que Ben servait. Vous aurez droit à une espèce de jus, Tess. Dieu seul sait de quoi il s'agit. On ne sait jamais à quoi s'attendre avec Ed.

— De la papaye, maugréa celui-ci alors que Tess humait son verre d'un air dubitatif.

— Je porte un toast ! lança Grace en levant son verre. Aux nouveaux départs et à la continuité.

Les verres s'entrechoquèrent.

— Alors, quand est-ce que tu t'occuperas de mettre des meubles chez toi ? demanda Ben, assis sur le rebord d'un gros carton à côté de Tess. Tu ne vas pas vivre éternellement dans un chantier, si ?

— Question de priorités. Je compte terminer la pose du placo dans la chambre durant le week-end. (Ed goûta son vin tout en dévisageant son équipier.) Qu'est-ce que tu fais demain ? demanda-t-il.

— Je suis occupé, répondit immédiatement Ben. Je dois... heu... nettoyer le tiroir à légumes dans mon frigo. Je ne peux pas obliger Tess à faire ce genre de corvées ménagères dans son état.

— Je m'en souviendrai, affirma Tess en buvant une deuxième gorgée de jus. Quoi qu'il en soit, je dois aller passer deux ou trois heures à la clinique demain. Je pourrais te déposer.

Ben lui lança un regard noir.

— Merci… Ed, tu ne crois pas que Tess devrait réduire un peu ses horaires, faire une pause ? Se la couler douce ?

Ed se cala confortablement contre un chevalet de sciage.

— À vrai dire, l'activité du corps et de l'esprit est meilleure pour la mère comme pour l'enfant. Des études lancées par les obstétriciens ces dix dernières années indiquent que…

— Merde, l'interrompit Ben. Moi qui posais une question toute bête… Et vous, Grace ? En tant que femme, vous ne pensez pas qu'une femme enceinte devrait se dorloter ?

Sans se soucier de la sciure, Grace s'assit à même le sol, à la manière des Indiens.

— Ça dépend.

— De quoi ?

— De si elle est susceptible de mourir d'ennui. C'est ce qui m'arriverait. Bon, si elle envisageait de courir le marathon de Boston, ça demanderait sans doute à être discuté. Ça fait partie de vos projets, Tess ?

— Je pensais commencer par une course locale d'abord.

— C'est plein de bon sens, commenta Grace. Voilà une personne des plus raisonnables. Vous par contre, dit-elle à Ben, vous êtes typique.

— Typique de quoi ?

— Un mâle typique. Ce qui, dans ces circonstances particulières, fait de vous un grand flippé surprotecteur. Ce n'est pas si grave ; c'est même mignon, en fait. Et je ne doute pas que Tess, dotée qu'elle est d'une solide formation psychiatrique, saura exploiter cette situation au mieux durant les sept mois, une semaine et trois jours à venir.

Saisissant la bouteille de vin, elle remplit de nouveau le verre de Ben.

— Euh, merci. Enfin, je crois...

Grace lui sourit par-dessus le rebord de son verre.

— Je vous aime bien, inspecteur Paris.

Celui-ci sourit et se pencha pour faire tinter son verre contre le sien.

— Moi aussi je vous aime bien, Gracie. (Il releva la tête en entendant sonner le téléphone d'Ed.) Pendant que tu réponds, profites-en pour aller voir si ta cuisine contient quelque chose de mangeable qui ne soit pas vert.

— Amen, murmura Grace dans son verre. (Après avoir jeté un coup d'œil prudent par-dessus son épaule, elle reprit la parole :) Vous ne croirez pas ce que j'ai mangé dans cette cuisine l'autre soir. Des fonds d'artichauts !

— Pas ça ! frémit Ben. Pas tant que je serai en vie.

— Pour être honnête, ce n'était pas du tout aussi terrible que je le pensais. Il a toujours été comme ça ? À manger des racines et ce genre de trucs ?

— Cet homme n'a pas mangé de hamburger depuis des années. C'est flippant.

— Mais charmant, ajouta Grace.

Elle sourit au creux de son verre d'une manière qui n'échappa pas à Tess.

— Désolé, annonça Ed en revenant. On a besoin de nous sur une affaire.

— Bon sang, si on n'a même plus le temps de fêter une future naissance ! se plaignit Ben.

Mais il avait immédiatement posé son verre.

— C'est dans le comté de Montgomery.

— On sort de notre périmètre. Pourquoi c'est nous qu'ils appellent ?

Ed jeta un coup d'œil à Grace.

— Tentative de viol. Ça pourrait être notre homme.

— Mon Dieu !

Grace s'était relevée si vite qu'elle se renversa du vin sur la main. Tess se leva en même temps que son mari.

— Ed ? La victime ?

— Secouée, mais elle va bien. Elle a sorti un couteau de boucher. Entre ça et le chien de la famille, elle a réussi à le repousser.

— Donne-moi l'adresse, dit Ben. Je dépose Tess et je te retrouve sur place.

— Je vous accompagne, dit Tess. (Avant que Ben puisse s'y opposer, elle posa une main sur son bras.) Mon aide sera utile, non seulement pour vous mais aussi pour la victime. Je sais comment gérer ce type de situation et il est quasi certain qu'elle sera plus à l'aise si elle peut parler à une femme.

— Tess a raison.

Ed se dirigea vers le placard près de l'entrée pour récupérer son arme de service. C'était la première fois que Grace le voyait la porter. Elle tenta de réconcilier la vision de cet homme armé avec celle du gentleman qui l'avait portée sous la pluie.

— C'est la première fois à notre connaissance qu'une femme est en vie après avoir été en contact avec lui, dit-il. La présence de Tess pourrait l'aider à nous parler. (Il passa une veste par-dessus son holster d'épaule. Le long regard interrogateur que Grace braquait sur lui ne lui avait pas échappé.) Je suis navré, Grace. J'ignore combien de temps tout ceci va nous prendre.

— Je veux y aller. Je veux lui parler.

— Ce n'est pas possible. Vraiment. Pas possible, répéta-t-il comme elle faisait mine de passer devant lui. Ça ne nous aiderait en rien et ça ne ferait que lui rendre les choses plus difficiles. Grace…

Elle avait pris un air buté, menton en avant. Ed le lui prit entre les doigts pour l'obliger à le regarder.

— Elle sort d'une épreuve terrifiante. Imagine. Elle n'a pas besoin de personnes inconnues autour d'elle, surtout pour lui rappeler ce qui aurait pu se passer. Même si je décidais d'ignorer le règlement, ta présence ne ferait de bien à personne.

Elle savait qu'il avait raison tout en détestant l'idée qu'il ait raison.

— Je ne rentrerai pas chez moi tant que vous ne serez pas revenus pour tout me raconter. Je veux savoir à quoi il ressemble. Avoir une image de lui en tête.

Il n'aimait pas la façon dont elle avait prononcé ces derniers mots. La vengeance faisait presque systématiquement du mal à ceux qui s'y attachaient de trop près.

— Je te dirai ce que je pourrai. Ça risque de prendre un moment.

— J'attendrai, répondit-elle, bras croisés. Ici même.

Il l'embrassa puis la regarda dans les yeux pendant une longue seconde.

— Ferme bien la porte à clé.

Mary Beth ne voulait pas d'un tranquillisant. Elle avait toujours eu une peur morbide des pilules, ce qui l'empêchait de prendre quoi que ce soit de plus fort que l'aspirine. Par contre, elle gardait à la main un verre de dégustation du brandy que Harry et elle réservaient habituellement pour les invités de marque.

Les enfants avaient été envoyés chez une voisine dès que Harry avait pris conscience de ce qui s'était passé. Il était à présent assis aussi près que possible de sa femme, un bras passé autour de sa taille, et tâchait de l'apaiser par ses caresses. Il avait toujours su qu'il l'aimait mais, avant ce soir, il n'avait pas pris la mesure du fait qu'elle représentait le début et la fin de son univers.

— Nous avons déjà parlé à la police, s'agaça-t-il quand Ed lui présenta son insigne. Combien de fois va-t-elle devoir répondre aux mêmes questions ? Vous ne pensez pas qu'elle a déjà assez souffert comme ça ?

— Je suis désolé, monsieur Morrison. Nous ferons tout notre possible pour rendre les choses plus faciles.

— La seule chose que vous ayez à faire est d'arrêter ce salopard ! C'est à ça que servent les flics. C'est pour ça qu'on vous paie, non ?

— Harry, voyons…

Il changea immédiatement de ton en se tournant vers sa femme.

— Excuse-moi, ma chérie. (Contempler l'hématome sur son visage était plus douloureux pour lui que d'imaginer ce qui aurait pu arriver. Les bleus étaient réels, ce qu'elle avait failli subir ressemblait plus à un cauchemar irréel.) Tu n'as pas à parler si tu n'as plus envie, dit-il.

Ben s'assit lentement sur l'une des chaises avec l'espoir de paraître moins intimidant une fois assis.

— Nous avons seulement quelques questions. Croyez-moi, monsieur Morrison, nous voulons l'arrêter. Et nous avons besoin de votre aide.

— Qu'est-ce que ça vous ferait si c'était votre femme ? répliqua Harry. Si je savais par où commencer, je serais déjà parti à la poursuite de ce malade.

— Voici ma femme, répondit Ben d'une voix douce en désignant Tess. Et je sais exactement ce que vous ressentez.

Au lieu de s'asseoir, Tess s'accroupit près du canapé.

— Madame Morrison. Peut-être vous sentirez-vous plus à l'aise si c'est à moi que vous parlez. Je suis médecin.

— Je n'ai pas besoin d'un médecin… (Mary Beth baissa les yeux vers le verre de brandy, comme si elle était surprise de l'avoir à la main.) Il ne m'a pas… Il voulait, mais il ne l'a pas fait.

— Il ne vous a pas violée, prononça Tess d'une voix douce. Mais ça ne veut pas dire que vous n'avez pas subi de violence, que vous n'avez pas eu peur. Retenir la colère, la peur, la honte… (Elle vit que ce dernier mot avait fait mouche et se tut pendant un instant.) Garder tout cela pour vous ne vous fera que plus de mal encore. Il existe des lieux spécifiques où vous rendre, des personnes à qui parler qui ont traversé la même épreuve. Ils savent ce que vous et votre mari ressentez à présent.

— C'est arrivé dans ma propre maison... (Pour la première fois, Mary Beth se mit à pleurer. Des larmes coulèrent en ruisselets brûlants sur ses joues.) Ça m'a paru encore pire du fait que c'était chez moi. Je n'arrêtais pas de me demander : que vais-je faire si mes enfants arrivent ? Que fera-t-il à mes bébés ? Et puis... (Voyant que ses doigts tremblaient, Tess lui prit le verre des mains.) Je me suis mise à prier pour que ça ne soit pas réel, que ce soit seulement un rêve. Il m'a dit qu'il me connaissait, m'a appelée par mon nom. Mais je ne savais pas qui il était et il allait me violer. Il... Il m'a touchée. Harry...

Elle enfouit en sanglotant son visage contre l'épaule de son mari.

— Oh, chérie, il ne te fera plus de mal. (Il lui caressa les cheveux avec douceur mais l'expression de son visage était tout simplement meurtrière.) Tu es en sécurité, dit-il. Personne ne te fera de mal... Bon sang, vous ne voyez pas ce que ça lui fait ?

— Monsieur Morrison...

Ed n'était pas certain de savoir par où commencer. La colère de cet homme était justifiée. Lui-même en ressentait également. Mais il savait, en tant que flic, qu'il ne devait pas la laisser l'aveugler ou le dévier de la procédure. Dans tous les cas, il comprenait leur détresse. Et il décida donc de jouer cartes sur table.

— Nous avons des raisons de penser que votre femme a eu beaucoup de chance ce soir. Cet homme a déjà frappé par deux fois et les autres femmes n'ont pas eu la même chance.

Toujours en pleurs, Mary Beth se tourna vers Ed.

— Il a déjà fait ça auparavant ? Vous êtes sûrs ?

— Nous en serons certains une fois que vous aurez répondu à certaines questions.

La respiration de Mary Beth était rapide et saccadée mais il vit qu'elle faisait de son mieux pour se calmer.

— D'accord, mais j'ai déjà raconté ce qui s'était passé aux autres policiers. Je ne veux pas revivre tout ça.

— Ce ne sera pas nécessaire, lui assura Ben. Vous accepteriez de travailler avec un dessinateur de la police pour établir un portrait-robot ?

— Je ne l'ai pas bien vu. (Elle accepta avec gratitude le verre de brandy que Tess lui rendait.) La cuisine était plongée dans la pénombre et j'avais retiré mes lentilles de vue. J'y vois très mal. Je n'ai vu qu'une silhouette floue.

— Vous seriez étonnée de constater tout ce qu'on peut voir une fois que l'on met tous les détails bout à bout. (Ed sortit son carnet. Il voulait s'y prendre en douceur. Avec sa petite maison confortable et son joli visage, cette femme lui rappelait sa sœur.) Madame Morrison, vous disiez qu'il vous avait appelée par votre nom.

— Oui, il m'a plusieurs fois appelée Mary Beth. C'était tellement bizarre de l'entendre dire ça. Il disait… Il m'a dit que je lui avais promis des choses. Qu'il voulait… (Même avec sa vision floue, elle avait du mal à regarder Ed. Elle baissa plutôt les yeux vers Tess.) Il m'a dit qu'il voulait que je lui fasse des choses douces et tendres. Je m'en souviens parce que j'étais terrifiée et que ça me semblait fou d'entendre ces mots.

Ben lui laissa le temps de reprendre un peu de brandy.

— Madame Morrison, avez-vous déjà entendu parler d'une entreprise du nom de Fantasme, Inc. ?

Lorsqu'elle rougit, l'hématome sur son visage devint plus voyant encore. Mais elle n'avait pas plus envie de mentir que de se trancher la langue.

— Oui.

— Ce ne sont pas vos affaires, intervint Harry.

— Les deux autres victimes étaient des employées de Fantasme, annonça Ed sur un ton catégorique.

Mary Beth ferma brusquement les yeux.

— Mon Dieu ! Oh, mon Dieu.

— Je n'aurais jamais dû te laisser faire ça, se lamenta Harry en se passant une main sur le visage. Je ne sais pas ce qui m'a pris.

— Sa voix, madame Morrison, demanda Ben. L'avez-vous reconnue ? Aviez-vous déjà parlé avec lui auparavant ?

— Non, non, je suis sûre que non. Ce n'était qu'un gamin. Je n'accepte pas les appels des mineurs.

— Pourquoi dites-vous que c'était un gamin ? s'enquit immédiatement Ed voyant qu'elle était prête à parler.

— Parce que c'en était un. Dix-sept ou dix-huit ans au plus. Oui... (La pâleur envahit de nouveau son visage comme elle réfléchissait.) Je ne saurais pas dire comment exactement mais je sais qu'il était jeune. Pas très grand, quelques centimètres de plus que moi. Je fais un mètre soixante-cinq.

Et il n'était pas, disons, pas très costaud. Je n'arrêtais pas de me dire que c'était un gamin et que ça ne pouvait pas être réel. Je suis certaine de ne pas avoir entendu sa voix avant. Je n'aurais pas pu l'oublier. (Même à présent, dans les bras de son mari, cette voix résonnait encore à ses oreilles.) Et il a dit… (Sans réfléchir, elle agrippa la main de Tess.) Mon Dieu, je me souviens qu'il a dit que ça allait être différent cette fois. Qu'il n'allait rien précipiter. Il a parlé d'une personne nommée Desiree en disant qu'il l'aimait. Il a mentionné ce nom plusieurs fois. Et une certaine Roxanne, aussi, en disant que c'était une salope. Vous savez à quoi il faisait référence ?

— Oui, madame.

Ed nota soigneusement ses propos.

Une pièce supplémentaire, se dit-il. *Une pièce de plus dans le puzzle.*

Tess toucha de nouveau la main de Mary Beth.

— Madame Morrison, avez-vous eu l'impression qu'il vous confondait avec Desiree ?

— Non, répondit Mary Beth après un temps de réflexion. Non, il faisait plutôt une comparaison. À chaque fois qu'il prononçait son nom, c'était d'une façon presque révérencieuse. Ça semble stupide, je sais.

— Non. Non, pas du tout, répondit Tess en se tournant pour croiser le regard de Ben.

— Il semblait, eh bien, presque amical, à son horrible manière. Je ne sais pas comment expliquer ça… C'était comme s'il s'attendait à ce que je sois contente de le voir. Il ne s'est énervé que quand j'ai résisté. Là, il est devenu furieux, comme un gamin à qui on confisque un jouet. Il y avait des larmes dans sa voix. Il m'a traitée de pute. Non, en fait il a dit que nous étions toutes des putes et des menteuses et que la prochaine fois il nous ferait toutes souffrir.

Le cocker anglais grassouillet s'approcha d'un pas tranquille pour renifler Tess.

— C'est Binky, expliqua Mary Beth en versant de nouvelles larmes. S'il n'avait pas été là...

— Il aura du steak à tous les repas jusqu'à la fin de ses jours, dit Harry.

Il porta la main de sa femme à ses lèvres comme elle laissait échapper un petit bruit entre le rire et le sanglot.

— Je l'avais mis dehors, le pauvre, parce que je pensais qu'il aboyait contre le chat. Alors qu'en fait... (Elle laissa sa phrase en suspens puis secoua la tête.) Je sais que cette histoire va passer dans les journaux mais j'apprécierais si vous pouviez minimiser l'affaire. Pour les enfants. (Elle reporta son attention sur Tess, convaincue qu'une femme comprendrait.) Je ne veux pas qu'ils aient à faire face à tout ça. Et mon travail avec Fantasme... En fait, ce n'est pas que j'en ai honte. Ça semblait être un très bon moyen pour démarrer un fonds de réserve pour leur futur départ à l'université. Mais je ne suis pas sûre que les autres mères apprécieraient qu'une cheftaine scoute soit impliquée dans ce genre de choses.

— Nous ferons de notre mieux, promit Ed. Si vous me permettez un conseil, je vous recommanderais de démissionner.

— C'est comme si c'était fait, déclara Harry.

— Il serait également préférable que vous ne restiez pas seule durant les jours à venir.

Mary Beth pâlit de nouveau. Cette fois, sa peau paraissait presque translucide. Le peu de courage qu'elle avait pu rassembler menaçait de la déserter.

— Vous pensez qu'il va revenir ?

— Il n'y a aucun moyen d'en être sûr. (Ed n'avait aucune envie de lui faire peur mais il voulait s'assurer qu'elle reste en vie.) Cet homme est très dangereux, madame Morrison. Nous ne voulons pas vous voir prendre de risques inutiles. Nous allons mettre en place une protection policière. En attendant, nous aimerions que vous veniez au commissariat pour regarder des photos signalétiques et travailler avec notre dessinateur.

— Je ferai tout ce que je pourrai. Je veux que vous l'attrapiez vite. Au plus vite.

— Vous venez peut-être de nous y aider, répondit Ben en se levant. Merci pour votre coopération.

— Je... Je ne vous ai même pas proposé un café. (D'un seul coup, Mary Beth avait très peur de les laisser repartir. Elle avait besoin de se sentir entourée, en sécurité. Ces hommes étaient de la police et la police savait ce qu'il fallait faire.) Je ne sais pas où j'avais la tête, ajouta-t-elle.

Tess lui serra la main et se releva en même temps qu'elle.

— Ne vous en faites pas pour ça, dit-elle. Vous devriez vous reposer. Laissez votre mari vous emmener à l'étage. Il restera avec vous. Quand vous irez au commissariat demain, ils pourront vous fournir des numéros à appeler, des organisations qui vous aideront à faire face à tout ceci. Ou bien vous pouvez simplement m'appeler pour me parler.

— Je n'ai pas l'habitude d'avoir peur. (Dans l'œil de Tess, Mary Beth lisait de la compassion, une compassion toute féminine. Et elle s'aperçut que c'était de cela qu'elle avait besoin, plus que d'une présence policière.) Dans ma propre cuisine... J'ai peur d'aller dans ma propre cuisine.

— Et si je vous emmenais à l'étage ? proposa Tess en passant un bras autour de la taille de Mary Beth. Vous pourrez vous allonger un peu.

Tess l'escorta hors de la pièce sous le regard frustré du mari impuissant.

— Si j'étais resté à la maison...

— Il aurait attendu, l'interrompit Ed. Nous avons affaire à un homme très dangereux et très déterminé, monsieur Morrison.

— Mary Beth n'a jamais fait de tort à qui que ce soit dans sa vie. C'est la femme la plus généreuse que j'aie jamais rencontrée. Il n'avait pas le droit de lui faire une chose pareille, de lui causer autant d'angoisse ! (Harry saisit le verre de brandy de Mary Beth et l'avala en deux goulées.) C'est peut-être un homme dangereux, mais si c'est moi qui le retrouve en premier il sera surtout un eunuque.

12

Elle avait laissé une lampe allumée pour lui. Ed était soulagé que Grace soit rentrée se coucher car elle aurait posé des questions. Et il aurait dû y répondre. Mais il était cependant touché – un peu bêtement, sans doute – qu'elle ait laissé une lumière à son intention.

Il était fatigué, épuisé même, mais trop tendu pour dormir. Arrivé dans la cuisine, il s'empara du jus de papaye et but directement au pichet. Grace avait rangé le vin et lavé les verres. Pour un homme ayant passé tant d'années à tout faire lui-même, ce genre de petites choses acquérait soudain une grande importance.

Il était déjà amoureux d'elle. Les premiers fantasmes romantiques auxquels il s'était laissé aller s'étaient cimentés. Le problème était qu'il ne savait pas quoi faire. Il s'était déjà entiché d'autres femmes par le passé et n'avait jamais eu de mal à laisser courir ces sentiments jusqu'à leur conclusion logique. Mais l'amour, c'était tout autre chose.

Ed avait toujours été quelqu'un de traditionnel. Un homme qui voulait chérir, apprécier et protéger une femme. Celle que l'on aimait devait être traitée avec douceur, respect et, par-dessus tout, dévotion. Il aurait voulu la mettre sur un piédestal mais il avait déjà conscience que Grace ne resterait pas en place et finirait par en chuter.

Il pouvait faire preuve de patience. L'une des qualités essentielles pour être flic, et qu'il avait la chance de posséder. Logiquement, la prochaine étape consistait à la laisser libre de son temps et de ses actes tout faisant en sorte qu'elle se retrouve là où il voulait qu'elle soit. C'est-à-dire avec lui.

Ed se laissa suffisamment de jus pour le petit déjeuner puis se dirigea vers l'étage. Arrivé sur le palier, il retira sa veste. Il aurait dû la ranger, ainsi que son arme, dans le placard du rez-de-chaussée. Mais il était trop fatigué pour redescendre. Massant sa nuque raidie par la tension, il poussa la porte de la chambre avec son pied et alluma la lumière.

— Quoi, c'est déjà le matin ? lança une voix.

Il porta immédiatement la main à la crosse de son arme, puis ses doigts se détendirent. Grace était étendue en travers de son lit. Elle roula sur elle-même pour se protéger les yeux de la main et bâilla. Il fallut quelques instants à Ed pour s'apercevoir qu'elle portait l'une de ses chemises… et rien d'autre en dessous.

Elle cligna plusieurs fois les yeux dans sa direction et un sourire se forma sur ses lèvres.

— Salut… Quelle heure il est ?

— Tard.

— Ouais… (Elle se redressa et s'étira.) J'avais prévu de m'allonger pour une minute. Ce corps n'a pas l'habitude du travail manuel. J'ai pris une douche. J'espère que ce n'est pas un souci.

— Aucun souci.

Il se disait que le mieux était sans doute de regarder son visage, uniquement son visage. Mais ça ne changea rien. Il avait de nouveau la bouche complètement desséchée.

— J'ai refermé les pots de ce truc que tu étales sur tes murs et nettoyé les outils. Après ça, je me suis tourné les pouces. (Elle était à présent pleinement réveillée et ses yeux habitués à la lumière. Elle dévisagea Ed, la tête inclinée sur le côté. Il avait l'air de quelqu'un qui vient de recevoir un coup de masse dans le plexus solaire.) Ça va ?

— Ouais. Je ne savais pas que tu étais encore là.

— Je ne pouvais pas partir avant que tu sois revenu. Tu peux me dire ce qui s'est passé ?

Il retira l'étui de son arme et l'accrocha sur le dossier d'une chaise à barreaux bancale qu'il avait prévu de revernir.

— Cette dame a eu de la chance. Son chien a mordu l'agresseur et elle a réussi à le repousser.

— J'espère que ce chien n'était pas vacciné. C'était le même homme, Ed ? Il faut que je sache.

— Tu veux la réponse officielle ou la mienne ?

— La tienne.

— C'était le même type. Et maintenant il est en colère, Grace. (Il se passa une main sur le visage et s'assit au bord du lit.) Tess estime que ça ne fera que le rendre plus instable, plus imprévisible. Maintenant qu'il s'est retrouvé menacé, son rituel est perturbé. Elle pense qu'il va panser ses blessures puis, dès qu'il sera prêt, se remettre en chasse.

Elle hocha la tête. Ce n'était pas le bon moment pour lui parler du risque qu'elle s'apprêtait elle-même à courir.

— La femme... Elle l'a vu ?

— Il faisait sombre. Et apparemment elle n'y voit pas à plus de cinquante centimètres devant elle de toute façon. (Il fut tenté de lâcher un juron de frustration tout en sachant que ça ne servait à rien. Avec une description correcte, ils auraient tenu leur homme ! Prince ou mendiant, il se serait retrouvé en cellule.) Elle en garde quelques impressions. On va voir ce qu'on peut en tirer.

— De nouvelles pièces pour ton puzzle ?

Ed roula plusieurs fois des épaules mais la tension était toujours là.

— On va croiser les infos avec la liste des clients de Fantasme et interroger les voisins. Un coup de chance est toujours possible.

— Tu es tendu à cause de cette histoire, murmura Grace. (Parce qu'il semblait en avoir grand besoin, elle passa dans son dos pour lui masser les épaules.) Je ne m'en étais pas rendu compte avant. J'avais l'impression que tu prenais tout ça avec calme. La routine, pour toi.

Il lui lança un regard par-dessus son épaule. Ses yeux étaient plus froids qu'elle ne les avait jamais vus.

— Ce n'est jamais de la routine.

Non, forcément. Pas avec un homme tel que lui. Il se souciait trop des autres. Malgré ses efforts pour l'éviter, le regard de Grace vint se poser sur l'arme d'Ed. Il restait le même homme, armé ou non. Quelque chose dont elle devrait se souvenir.

— Comment tu tiens le coup ? Comment fais-tu pour voir ce que tu vois et faire ce que tu fais sans craquer ?

— Certains boivent. Beaucoup d'entre nous boivent, admit-il avec un petit rire. (La tension quittait ses épaules pour se déplacer ailleurs. Grace avait des mains merveilleuses. Il eut envie de lui dire à quel point il avait envie de s'abandonner à elles.) C'est une manière de s'échapper. Chacun cherche la sienne.

— La tienne, c'est quoi ?

— Travailler de mes mains. Lire des livres... Et boire, dit-il avec un air désabusé.

Grace appuya son menton sur l'épaule d'Ed. Une épaule large et forte. Elle s'y sentait bien.

— Depuis la mort de Kathleen, je me suis apitoyée sur mon sort, dit-elle. Je n'arrêtais pas de me dire que ce n'était pas juste, que je n'avais rien fait pour mériter ça. J'ai eu du mal à regarder la situation dans son ensemble au-delà du meurtre de ma sœur. (Elle ferma brièvement les paupières. Il sentait bon. Une odeur domestique, rassurante, comme un feu de cheminée au cœur d'une belle soirée.) C'est ce que j'essaie de faire depuis deux jours. Et quand j'y parviens, je ne peux que constater à quel point tu m'as aidée. Je ne sais pas si j'aurais survécu à ces deux dernières semaines si tu n'avais pas été là. Tu es un ami précieux, Ed.

— Ravi d'avoir pu t'aider.

Elle sourit.

— Je me suis demandé si tu avais envisagé d'être plus que ça. J'ai eu l'impression – corrige-moi si je me trompe – qu'avant qu'on soit interrompus ce soir nous n'étions pas loin de passer au niveau supérieur.

Il saisit la main de Grace au creux de la sienne. Si elle continuait de le toucher ainsi, il ne serait plus en mesure de lui donner le temps et l'espace dont il était persuadé qu'elle avait besoin.

— Et si je te ramenais chez toi ?

Elle n'était pas femme à abandonner facilement. Ni du genre à se cogner la tête éternellement contre un mur de pierre. Avec un soupir, elle s'accroupit près de lui.

— Tu sais quoi, Jackson ? Si je n'étais pas persuadée du contraire, je pourrais presque croire que je te fais peur.

— Tu me terrifies.

Elle fut d'abord étonnée, puis un sourire se forma lentement sur ses lèvres.

— Vraiment ? Rassure-toi... (Elle entreprit de déboutonner sa chemise.) Je vais être très douce.

Toujours prudent, il plaqua ses mains sur les siennes.

— Grace. Une seule fois ne suffira pas.

Elle enchevêtra ses doigts avec ceux d'Ed. Elle ne s'engageait pas facilement mais lorsqu'elle le faisait, elle était sérieuse.

— D'accord. Et maintenant, si tu me laissais terminer de te séduire ?

Cette fois, il sourit. Il lâcha ses mains pour faire remonter les siennes le long des bras de Grace.

— C'est déjà fait. Depuis le jour où j'ai levé la tête pour t'apercevoir à la fenêtre.

Sa paume posée sur la joue de Grace, il se pencha pour l'embrasser avec douceur, en effleurant ses lèvres avec les siennes. C'était un goût qu'il voulait garder en mémoire. Le baiser fut plus riche et plus sucré que ce qu'il avait prévu. Il sentit Grace passer les bras autour de son cou et s'abandonner au baiser. La générosité. N'était-ce pas ce que tout homme attendait d'une femme ? Grace n'était pas du genre à se montrer avare de ses émotions et, à cet instant précis, Ed avait besoin de tout ce qu'elle avait à offrir. Avec précaution, il la fit basculer en arrière sur le matelas.

La lumière était forte et la chambre sentait la poussière. Il s'était imaginé une scène tellement différente. Des bougies, de la musique, l'éclat bordeaux du vin dans les verres. Il avait eu envie de lui offrir tous ces jolis clichés romantiques. Mais Grace elle-même était exactement telle qu'il l'avait imaginée. Exactement ce qu'il avait toujours voulu.

Elle murmura quelque chose contre ses lèvres et il sentit son pouls s'accélérer. Comme elle continuait à déboutonner sa chemise, il se délecta du contact de ses doigts sur son torse. Les lèvres de Grace s'incurvèrent puis s'entrouvrirent. Son soupir emplit la bouche d'Ed d'une bouffée de chaleur.

Il ne voulait rien précipiter. Il avait presque peur de la toucher, sachant que lorsqu'il le ferait il risquait de perdre le contrôle. Mais lorsqu'elle se plaqua contre lui, ces réticences s'envolèrent.

Elle n'avait jamais connu un homme aussi doux, aussi attentif. Ce qui, en soi, était déjà excitant. Personne ne l'avait jamais traitée comme si elle était fragile ; sans doute parce qu'elle ne l'était pas. Mais à cet instant, en le voyant aussi précautionneux, aussi tendre avec elle, elle se sentait fragile.

Sa peau lui paraissait plus douce. Les battements de son cœur plus rapides. Elle sentit ses doigts trembler légèrement comme elle les faisait courir sur le corps d'Ed. Elle avait eu conscience d'avoir envie de ce moment, de lui, mais sans comprendre que ce serait si important.

Il ne s'agissait pas seulement de franchir une étape. Non, c'était quelque chose de différent de tout ce qu'elle avait connu jusque-là. Pendant une minute, elle se dit qu'elle comprenait ce qu'il avait voulu signifier en disant être terrifié.

Elle pressa de nouveau sa bouche sur la sienne et sentit le désir qui prenait le dessus sur l'hésitation. En tremblant, elle tâtonna vers le bouton du jean d'Ed. De nouveau, il posa ses mains sur les siennes.

— J'ai envie de toi, murmura-t-elle. Je ne savais pas à quel point.

Il déposa une série de baisers sur son visage, envahi par l'émotion. Il voulait ne jamais oublier à quoi elle ressemblait à ce moment précis, avec ses yeux couleur de fumée et sa peau rendue écarlate par la passion.

— Nous avons le temps, dit-il. Nous avons tout le temps. (Sans la lâcher des yeux, il déboutonna la chemise de Grace et en écarta les pans pour pouvoir l'admirer.) Tu es si jolie.

Le désir pressant de la belle s'était légèrement apaisé.

— Toi aussi, dit-elle dans un sourire.

Levant les bras, elle dénuda les épaules d'Ed. Il avait un physique puissant, qui aurait même pu paraître redoutable, mais elle ne ressentait aucune peur. Elle l'attira de nouveau contre elle.

Sa chair se réchauffa au contact de la sienne, au point de devenir brûlante. Même si les mains d'Ed étaient toujours pleines de douceur, elle percevait la poigne d'acier derrière. Le temps parut suspendre son vol. Il toucha. Elle caressa. Il goûta. Elle savoura. Il existait des degrés d'intimité. Grace avait pensé bien les connaître. Mais jusqu'à maintenant, elle n'avait jamais rencontré une telle intensité. Elle frémit quand la barbe d'Ed effleura ses seins. Une émotion primitive, comme l'explosion d'un arbre soudain frappé par la foudre. En passant ses mains dans son dos pour tâter les muscles qui jouaient sous sa peau, elle perçut à la fois sa force et la maîtrise qu'il avait de son corps.

Les lèvres chaudes d'Ed descendirent lentement le long de la peau moite de Grace. Pas de foudre cette fois mais un feu couvant qui gagna lentement en puissance. Elle se cambra contre lui, envahie par une confiance absolue et un désir qui emportait tout sur son passage. Au moment où il lui offrit son premier orgasme, il gémit de concert avec elle.

Elle avait du mal à respirer. Elle aurait voulu prononcer son nom, lui dire... tout ce qu'elle ressentait. Mais elle ne put que trembler en se cramponnant à lui.

Son cœur battait la chamade et le nœud logé dans sa poitrine parut s'élargir au reste de son être. Elle agrippa les vêtements d'Ed, envahie d'une force nouvelle, follement déterminée à le mettre à nu. Elle roula au-dessus de lui et le couvrit de baisers frénétiques avant d'éclater d'un rire ravi en lui arrachant enfin ses derniers habits.

Il avait le corps d'un guerrier. Et c'en était un. La force, la discipline et les cicatrices étaient toutes là. *Les vrais héros existent bien*, se dit-elle en le touchant. *En chair et en os et très, très rares*.

Il aurait attendu, ou en tout cas aurait essayé. Il aurait fait en sorte de tendre encore un peu plus les cordes du désir. Mais elle se laissa glisser sur lui, l'accueillit en elle, se remplit de lui. Il ne put qu'agripper ses hanches et la laisser le chevaucher.

Grace rejeta la tête en arrière et monta si haut, si vite, qu'elle faillit s'effondrer sur lui. Puis leurs mains se refermèrent les unes sur les autres, doigts entrelacés. Elle fut surprise de sentir le désir renaître très vite et leurs deux corps se mouvoir et se tendre sous l'effet de la même fureur.

Elle l'entendit pousser un long gémissement d'abandon. Puis son propre corps se cambra, transpercé de plaisir. L'esprit vidé, elle se laissa retomber contre lui, épuisée.

Il avait tiré le dessus-de-lit sur eux mais n'avait pas éteint la lumière. Blottie contre sa poitrine, Grace semblait somnoler. Ed, pour sa part, avait l'impression qu'il n'aurait plus jamais besoin de dormir. Il aimait la façon dont elle avait passé une jambe par-dessus la sienne, dont elle s'était enroulée autour de son corps comme pour ne plus jamais le quitter. Il lui caressait doucement les cheveux, incapable de s'arrêter de la toucher.

— Tu sais quoi ? demanda Grace d'une voix rauque en se serrant un peu plus contre lui.

— Quoi ?

— J'ai l'impression que je viens d'escalader une montagne. Genre de la taille de l'Everest. Suivi d'un saut en parachute depuis le sommet dans l'air frais et raréfié. Je n'ai jamais ressenti quoi que ce soit d'aussi génial. (Elle tourna la tête pour pouvoir le regarder en souriant.) Et tu avais raison : une seule fois ne suffira pas. (Elle rit et se blottit contre son cou.) Tu sens tellement bon. Tu sais, quand j'ai enfilé ta chemise tout à l'heure, j'ai enfin compris. Ed Jackson, le flic dur à cuire, l'ancien attaquant au foot américain...

— J'étais défenseur, la corrigea-t-il.

— Si tu veux. L'inspecteur Jackson utilise du talc pour bébé. C'est ça, non ?

— Ça marche.

— Je peux en attester. (Tel un chiot, elle lui huma la gorge et les épaules.) Le seul problème c'est que maintenant je crains de me sentir excitée à chaque fois que je sentirai l'odeur d'un bébé.

— Et moi j'envisage de conserver cette chemise sous une cloche de verre.

Elle lui mordilla le lobe d'oreille.

— C'est ma tenue qui a fini par te faire craquer ?

— Non, même si ça n'a pas fait de mal. J'ai toujours été fan des jolies jambes.

Elle sourit et frotta la sienne contre celle d'Ed.

— Ah ouais ? Et de quoi d'autre ?

— De toi. Dès le départ. (Il écarta la chevelure de Grace pour plonger son regard dans le sien.) Grace, je voudrais que tu m'épouses.

Et tant pis pour le timing, la prudence et les plans soigneusement préparés.

Bouche bée, elle ne put retenir le hoquet à la fois stupéfait et alarmé qui s'échappa de sa gorge. Elle tenta de dire quelque chose mais son cerveau s'avéra incapable de formuler une quelconque pensée. Elle ne put que le dévisager et, ce faisant, constater qu'il n'avait pas parlé sans réfléchir. Il avait soigneusement pesé l'importance de ce qu'il disait.

— Waouh.

— Je t'aime, Grace. (À ces mots, il vit son regard changer, s'adoucir. Mais on y lisait toujours une sorte de crainte.) Tu es tout ce que j'ai toujours voulu. Je veux passer ma vie avec toi, prendre soin de toi. Je sais qu'il est difficile d'être marié à un flic mais je promets de faire tout ce que je pourrai pour que ça fonctionne.

Elle se recula lentement.

— Je dois admettre une chose : une fois que tu es lancé, tu vas très vite.

— Je ne savais pas ce que j'attendais mais je savais que je le reconnaîtrais. Je t'ai reconnue, Grace.

— Mon Dieu... (Elle porta une main à son cœur. Si elle ne faisait pas attention, elle allait faire de l'hyperventilation.) C'est rare que je sois prise complètement par surprise, Ed. On ne se connaît que depuis quelques semaines et... (Elle laissa sa phrase en suspens ; lui n'avait pas cessé de la regarder.) Tu es sérieux, comprit-elle.

— Je n'ai jamais demandé à quelqu'un de m'épouser auparavant car je ne voulais pas commettre d'erreur. Ceci n'est pas une erreur.

— Tu... Tu ne me connais pas vraiment. Je ne suis pas quelqu'un de très agréable. Je deviens grognon quand les choses ne se passent pas comme je veux. Et Dieu sait que je suis d'humeur changeante. Ma mauvaise humeur est telle que même mes amis en ont peur et... Tu n'entends pas ce que je te dis.

— Je t'aime.

— Oh, Ed, je ne sais pas quoi te dire... avoua-t-elle en lui prenant les mains.

Elle n'allait pas prononcer les mots qu'il attendait d'entendre. Il l'avait déjà bien compris.

— Dis-moi ce que tu ressens, proposa-t-il.

— Je ne sais pas. Je n'ai pas encore fait le tri. Ce soir... Je peux dire sincèrement que je ne me suis jamais sentie aussi proche de quelqu'un. Et je n'ai jamais eu de sentiments plus forts pour quiconque. Mais le mariage, Ed… Je n'ai jamais réfléchi à l'idée de me marier en général, et encore moins avec une personne en particulier. Je ne sais pas comment être une épouse.

Il leva les mains de Grace jusqu'à ses lèvres.

— Est-ce ta manière de me dire non ?

Elle ouvrit la bouche puis la referma.

— Je n'y arrive pas. Mais je ne peux pas dire oui non plus. Tu me mets dans une drôle de position.

— Et si tu me disais simplement que tu vas y réfléchir ?

— Je vais y réfléchir, répondit-elle immédiatement. Bon sang, tu m'as donné le tournis !

— C'est un début. (Il l'attira de nouveau contre lui.) Laisse-moi donc terminer le travail.

Elle posa une main sur sa joue avant qu'il puisse l'embrasser.

— Ed… Merci pour cette demande.

— Avec plaisir.

Elle le retint une deuxième fois mais à présent ses yeux souriaient.

— Ed… Tu es sûr que tu n'en as pas simplement après mon corps ?

— C'est possible. Je crois que je vais devoir y retourner, pour être sûr.

Il aurait été bien agréable d'employer le samedi matin à paresser ou aider Ed à poser une deuxième couche de plâtre. Cela dit, Grace n'était pas mécontente qu'il passe l'essentiel de son jour de congé au commissariat. Elle devait prendre le temps de réfléchir et elle réfléchissait toujours mieux seule. Cela lui donnerait également l'occasion de faire poser la ligne téléphonique supplémentaire sans devoir fournir d'explication. Ce qui arriverait bien assez tôt.

Elle allait volontairement servir d'appât. Ce qui impliquait de travailler pour Fantasme. Aussi longtemps qu'il le faudrait, ou jusqu'à ce qu'ils arrêtent l'assassin de sa sœur d'une autre façon, Grace allait passer ses soirées à parler à des inconnus au téléphone. Tôt ou tard, l'un d'entre eux finirait par se manifester en chair et en os.

Ed travaillerait à résoudre le puzzle à sa manière, mais elle irait directement au cœur des choses pour forcer les pièces à s'emboîter.

Acheter le pistolet lui avait fait un drôle d'effet. Même à Manhattan, elle n'avait pas ressenti le besoin de posséder une arme. Elle savait que la ville était dangereuse mais cela concernait les autres, ceux qui ne savaient pas où et quand marcher sans risque. Bizarrement, elle s'était toujours sentie en sécurité là-bas, au milieu de la foule et des rues si familières. Mais à présent, alors qu'elle habitait dans ce quartier de banlieue paisible, ce même besoin s'imposait à elle.

C'était un petit calibreþ.32 à canon court mais d'aspect redoutable. Elle avait déjà manié des armes à feu auparavant. Pour ses recherches. Elle avait même passé du temps au champ de tir afin de savoir ce que l'on ressentait au moment de presser la détente. On lui avait dit qu'elle avait un œil aiguisé pour la visée.

Mais même après avoir fait cet achat, Grace avait de gros doutes quant à sa capacité à tirer l'une de ces jolies petites balles sur un être vivant. Elle avait glissé le pistolet dans le tiroir de sa table de nuit en tâchant de ne plus y penser.

La matinée se déroula lentement. Elle avait servi un café au technicien de l'opérateur téléphonique et gardait un œil sur la fenêtre. Elle ne voulait pas qu'Ed revienne avant que ce nouveau téléphone soit un *fait accompli*[1].

Évidemment, il n'aurait rien pu faire pour l'en empêcher. Grace se répétait cette phrase pour soulager son inquiétude. Elle n'en continuait pas moins à surveiller la fenêtre en sirotant son café tandis que l'installateur lui racontait les exploits de l'équipe de baseball junior de son fils.

Comme elle l'avait dit à Ed, les gens lui parlaient facilement. En général, et quelques minutes seulement après l'avoir rencontrée, ils lui faisaient des confidences habituellement réservées à la famille ou aux amis les plus intimes. C'était quelque chose qu'elle avait toujours accepté comme un état de fait mais à cet instant, d'un coup, elle se dit que cela méritait qu'elle s'y arrête.

Avait-elle un visage qui inspirait la confidence ? Elle se passa distraitement une main sur la joue. Cela jouait peut-être un peu mais le phénomène tenait sans doute surtout au fait qu'elle savait écouter les autres, comme Ed l'avait remarqué. Elle n'écoutait souvent que d'une oreille tout en réfléchissant à la manière d'enrichir un scénario ou de mieux caractériser un personnage. Mais parce qu'elle savait s'y prendre, la moitié de son attention était apparemment suffisante.

Les gens lui faisaient confiance. Un fait qu'elle allait à présent exploiter. Elle allait s'endurcir et faire en sorte que l'assassin de Kathleen lui fasse confiance. Une fois cette confiance établie, il vien-

1. En français dans le texte. (*N.d.T.*)

drait jusqu'à elle. Elle s'humecta les lèvres et sourit tandis que le technicien lui racontait les prouesses de son fiston durant son dernier match. Quand le tueur viendrait à elle, elle serait prête. Elle ne se laisserait pas prendre par surprise comme Kathleen et les autres.

Elle savait exactement ce qu'elle faisait. N'avait-elle pas passé l'essentiel de sa vie à structurer des scénarios ? C'était l'histoire la plus cruciale qu'elle ait jamais façonnée. Elle ne commettrait pas d'erreur.

Le temps de terminer l'installation et de raccompagner le technicien, elle connaissait son prénom et le tutoyait. Elle lui souhaita bonne chance pour le match de son fils cet après-midi-là et l'assura que ce petit deviendrait sans doute un grand athlète à l'avenir.

Enfin seule, elle songea au téléphone tout neuf posé sur le bureau dans le coin de sa chambre à coucher. Dans quelques heures seulement, il sonnerait pour la toute première fois. Elle avait beaucoup à faire d'ici là.

L'appel qu'elle passa à Tess s'avéra utile. Certes, l'approbation de celle-ci s'accompagnait de certaines réserves mais Grace disposait à présent d'arguments supplémentaires. Satisfaite, elle saisit le trousseau de clés de sa sœur et le serra fort au creux de sa paume. Elle faisait ce qu'il fallait ; elle en était certaine. Ne lui restait plus qu'à convaincre le reste du monde.

Elle ne trembla pas sur le chemin du commissariat, cette fois. Elle avait recouvré ses forces et se sentait déterminée à aller au bout de ce qu'elle avait entamé chez Fantasme. Par habitude, elle alluma la radio et monta le son en écoutant l'une des dernières chansons de Madonna. Ce qui lui fit du bien. Elle se sentait bien. Pour la première fois depuis des semaines, elle était en mesure d'apprécier la beauté du printemps qui régnait sur Washington.

Les azalées étaient au sommet de leur gloire. Des massifs violets, écarlates et corail égayaient les jardins le long des rues. Les jonquilles commençaient à se faner, leur beauté cédant le pas devant celle des tulipes. Le gazon était vert et profitait de la tonte du samedi : elle vit des jeunes gens en tee-shirts et de vieux messieurs à casquette de baseball qui poussaient leurs tondeuses. Les gypsophiles et les cornouillers ajoutaient leur blancheur fragile à ces explosions de couleurs.

La vie renouvelée. Cette pensée n'était pas si cliché que cela, se dit-elle. Elle lui apportait un espoir dont elle avait vraiment besoin. La vie devait faire plus que continuer, il fallait qu'elle s'enrichisse. Qu'elle se justifie année après année. Si à cet instant précis le gouvernement faisait sauter des bombes expérimentales dans le désert, ici les oiseaux chantaient et les gens s'inquiétaient de choses importantes : un match de baseball pour enfants, un barbecue en famille, un mariage printanier. Autant d'événements qui comptaient.

Si la mort de Kathleen l'avait plongée dans le deuil, elle lui avait également apporté la conviction que le quotidien était ce qu'il y avait de plus essentiel. Une fois qu'elle aurait obtenu justice, elle pourrait de nouveau accepter l'ordinaire.

Les jolies banlieues cédèrent le pas au béton et à la circulation difficile du cœur de la ville. Grace zigzaguait entre les autres voitures, guidée par sa compétitivité naturelle. Peu importait le fait qu'elle se retrouve rarement derrière le volant. Quand c'était le cas, elle conduisait avec une sorte de désinvolture tranquille qui faisait jurer et grincer les dents des autres conducteurs. Elle tourna deux fois dans les mauvaises rues parce qu'elle avait l'esprit ailleurs puis finit par se garer sur le parking à côté du commissariat.

Avec un peu de chance, Ed n'y serait pas. Elle pourrait alors s'expliquer devant le capitaine Harris et sa mine sévère.

Mais Ed apparut à l'instant où elle mit un pied à la Criminelle. Elle constata alors que les papillons dans son ventre n'étaient pas le produit de l'anxiété mais du plaisir. Pendant quelques instants, elle se contenta de l'observer dans son environnement. Il était assis à son bureau et tapait à deux doigts sur son clavier.

Il avait des mains tellement massives. Puis elle se souvint de la douceur dévastatrice avec laquelle il s'en était servi la nuit précédente. C'était l'homme qui l'aimait, se dit-elle. Un homme prêt à lui faire des promesses. Et à les tenir. Grace fut prise d'une irrésistible envie de refermer ses bras autour de lui et c'est exactement ce qu'elle fit après avoir traversé la pièce.

Il s'arrêta de taper pour refermer sa main sur celle qu'elle avait posée à la naissance de sa nuque. Il l'avait reconnue au premier contact. C'était son parfum, sa façon d'être. Plusieurs flics affichèrent des sourires moqueurs quand elle se pencha par-dessus son épaule pour l'embrasser. Il aurait pu se sentir embarrassé s'il les avait remarqués. Mais Grace accaparait toute son attention.

— Salut.

Il garda sa main au creux de la sienne en l'attirant vers lui.

— Je ne m'attendais pas à te voir ici aujourd'hui, dit-il.

— Pardon de t'avoir interrompu. Je déteste quand les gens m'interrompent en plein travail.

— J'ai presque fini.

— Ed, il faut vraiment que je parle à ton capitaine.

Il détecta immédiatement le ton contrit dans sa voix.

— Pourquoi ça ?

— Je préférerais m'expliquer devant tout le monde en même temps. Il est disponible ?

Il la dévisagea d'un air songeur. Il la connaissait désormais suffisamment pour savoir qu'elle ne dirait rien jusqu'au moment où elle s'estimerait prête.

— Je ne sais pas s'il est encore là, dit-il. Assieds-toi, je vais aller voir.

— Merci. (Elle lui tint la main pendant quelques secondes de plus. Sonneries téléphoniques et cliquetis de claviers résonnaient tout autour d'eux.) Ed, quand je te dirai ce que j'ai à te dire, réagis en tant que policier. S'il te plaît.

Il n'aimait pas la manière dont elle le regardait en disant cela. Immédiatement, un nœud se forma dans son estomac, mais il hocha la tête.

— Je vais voir si je peux trouver Harris.

Il s'éloigna et Grace s'assit à sa place. Elle vit qu'il était en train de taper son rapport à propos de Mary Beth Morrison. Grace tenta de le lire avec le même détachement qu'Ed l'avait écrit.

— Allez, Lowenstein, laisse-moi juste jeter un coup d'œil !

Au son de la voix de Ben, Grace se retourna et le vit débarquer dans la pièce à la suite d'une femme brune et mince.

— Trouve-toi plutôt de quoi t'occuper, suggéra Lowenstein, qui tenait entre ses mains une boîte en carton fermée par une ficelle. Je suis pressée, je retrouve ma fille pour déjeuner dans quinze minutes.

— Lowenstein, sois sympa. Tu sais à quand remonte la dernière fois que j'ai mangé une tarte maison ? (Il approcha son nez de la boîte jusqu'à ce qu'elle lui plante son index dans l'estomac.) Une tarte aux cerises, c'est ça ? demanda-t-il. Laisse-moi juste voir à quoi elle ressemble.

— Tu te ferais encore plus de mal. (Elle posa la boîte sur son bureau puis s'interposa entre Ben et la tarte.) Elle est magnifique, dit-elle. Une véritable œuvre d'art.

— Est-ce qu'il y a une de ces délicieuses croûtes tressées ?

Comme elle se contentait de sourire, il tenta de regarder par-dessus son épaule. Peut-être s'agissait-il d'une fringale de femme enceinte par procuration ? Ben ne s'était-il pas senti un peu barbouillé en se levant ce matin-là ? S'il devait ressentir les mêmes nausées que Tess, il méritait de connaître les mêmes envies de nourriture.

— Allez, juste un petit coup d'œil...

— Je t'enverrai un Polaroïd, répondit-elle en le repoussant, une main contre son torse. (Puis elle aperçut Grace de l'autre côté de la pièce.) Qui c'est le canon assis au bureau d'Ed ? Je tuerais pour une veste de ce genre.

Ben tourna la tête et sourit en reconnaissant Grace.

— Donne-moi la tarte, dit-il. Je vais voir si je peux faire un échange.

— Arrête ton char, Paris. C'est la nouvelle copine d'Ed ?

— Si tu veux que je te raconte tout, il va falloir payer.

Lowenstein le regarda en plissant les yeux et Ben céda.

— C'est elle. Grace McCabe. Elle écrit des polars, tous des best-sellers.

Sa collègue adopta une moue songeuse.

— Ah oui ? Elle ressemble plutôt à une star du rock. Je ne me souviens pas de la dernière fois que j'ai pris le temps de bouquiner. En fait, je n'ai même pas le temps de lire les textes au dos de mes boîtes de céréales. (Ses yeux s'étrécirent en découvrant les tennis classieuses et colorées de Grace. Luxe et originalité, cela semblait bien correspondre à cette femme, mais Lowenstein se demanda quelle place avait Ed dans cet univers.) Elle ne va pas briser le cœur d'Ed, si ?

— J'aimerais pouvoir te répondre. Il est dingue d'elle.

— Sérieusement dingue ?

— Difficile de faire plus sérieux.

Devançant la manœuvre de Ben, elle posa une main autoritaire sur le carton de sa tarte.

— Tiens, le voilà. Bon sang, on entendrait presque les violons !

— On devient cynique, Lowenstein ?

— J'ai jeté du riz en l'air à ton mariage, non ? (À vrai dire, elle avait toujours eu une petite faiblesse pour les histoires romantiques.) J'imagine que si tu peux convaincre une femme aussi classe que Tess de t'épouser, Ed serait bien capable de graver ses initiales et celles de mademoiselle Greenwich Village dans l'écorce d'un chêne. (Elle inclina le menton en direction d'Ed.) On dirait qu'il t'appelle.

— Ouais. Bon, Lowenstein : dix dollars pour ta tarte.

— Ne m'insulte pas.

— Vingt.

— Elle est à toi.

Elle tendit la main puis compta les billets que Ben déposa au creux de sa paume. Déjà bien décidé à manger la moitié du gâteau pour son déjeuner, Ben glissa le carton dans le tiroir du bas de son bureau avant de suivre Ed jusqu'au bureau de Harris.

— Qu'est-ce qui se passe ?

— Mlle McCabe souhaitait nous voir, annonça Harris.

Il avait déjà une demi-heure de retard sur son planning et était pressé de partir.

— Je vous remercie de me consacrer un peu de temps, dit Grace avec un sourire qui aurait presque pu charmer le capitaine. Je ne veux pas vous retenir plus que nécessaire donc j'irai droit au but. Nous sommes tous conscients que Fantasme constitue le lien entre les trois attaques qui ont déjà eu lieu. Et je suis certaine que nous savons tous qu'il y en aura d'autres...

— L'enquête avance au plus vite, mademoiselle McCabe, intervint immédiatement Harris. Je peux vous assurer que nos meilleurs éléments travaillent dessus.

— Vous n'avez pas besoin de me l'assurer, je le sais. (Elle lança un regard à Ed en espérant qu'il comprendrait.) J'ai longuement réfléchi à la question, en premier lieu à cause de ma sœur mais aussi parce que les histoires de meurtre m'ont toujours passionnée. S'il s'agissait d'un scénario de roman, il n'y aurait désormais qu'une manœuvre logique à appliquer. Je pense que c'est la bonne.

— Nous apprécions votre intérêt pour l'affaire, mademoiselle McCabe. (Comme elle lui souriait de nouveau, Harris ressentit un sentiment presque paternel. Mais la jeune femme n'en demeurait pas moins ignorante de ce qu'implique concrètement le travail policier.) Néanmoins, poursuivit-il, mes équipes ont bien plus d'expérience avec la réalité de l'enquête.

— Je le comprends bien. Seriez-vous intéressé si je vous disais que j'ai trouvé un moyen de piéger cet homme ? J'ai déjà pris les mesures nécessaires, capitaine, je veux simplement vous en informer. Après quoi vous pourrez faire ce que vous jugerez nécessaire.

— Grace, nous ne sommes pas dans un livre ou une série télévisée, dit Ed.

Il l'avait interrompue car il avait le pressentiment – le très mauvais pressentiment – de deviner où elle voulait en venir. Le regard empreint d'excuses qu'elle lui décocha l'inquiéta encore plus.

— J'en ai bien conscience. Vous n'imaginez pas à quel point. (Elle prit une profonde inspiration puis se tourna de nouveau vers Harris.) Je suis allée voir Eileen Cawfield.

— Mademoiselle McCabe…

Elle leva la main dans un geste de détermination affichée plutôt que de supplique.

— S'il vous plaît, écoutez-moi. Je sais que toutes les pistes que vous avez poursuivies ont abouti à des impasses. À l'exception de Fantasme, Inc. Avez-vous été en mesure de fermer cette société ?

Harris se renfrogna et déplaça des papiers sur son bureau.

— Ce genre de choses prend du temps. Très longtemps, même, en l'absence de coopération.

— Et toutes les femmes qui travaillent pour Fantasme constituent des victimes potentielles, nous sommes d'accord ?

— En théorie, admit Harris.

— Et en théorie, vous est-il possible de poster un agent pour protéger chacune d'elles ? Non, répondit-elle à sa place. Impossible. Mais vous pourriez poster des gardes autour d'une personne précise. Une personne qui comprend la situation, une personne prête à prendre le risque et, mieux encore, qui a déjà un lien avec le tueur.

— T'es devenue folle ?

Ed avait parlé à voix basse, trop basse. Ce qui, aux yeux de Grace, indiquait qu'il était sur le point d'exploser.

— C'est logique, affirma-t-elle. (Pour se calmer, elle fouilla dans son sac à la recherche d'une cigarette.) C'est la voix de Kathleen qui l'a attiré au départ. Quand nous étions jeunes, on nous confondait sans cesse au téléphone. Si je deviens Desiree, il voudra venir me retrouver. Nous savons qu'il en est capable.

— C'est une idée trop hasardeuse, trop risquée et même franchement stupide ! s'emporta Ed en quêtant du regard le soutien de son partenaire.

— Je n'aime pas ça non plus, dit Ben. (Il voyait néanmoins l'intérêt du plan de Grace.) Un travail d'enquête carré est toujours préférable à une opération à haut risque. Vous n'avez aucune garantie qu'il morde à l'hameçon et encore moins, s'il le fait, que vous serez capable d'anticiper ses actes. Dans tous les cas, Mme Morrison devrait bientôt arriver pour réaliser le portrait-robot de notre homme. Avec un peu de chance, nous saurons à quoi il ressemble dès la fin de la journée.

Grace leva les mains, paumes tournées vers eux.

— Très bien. Dans ce cas, peut-être que vous l'arrêterez avant qu'il soit nécessaire de mettre mon idée à exécution. Mais je ne parierais pas dessus. Nous parlons ici d'une femme myope et terrifiée qui l'a croisé dans le noir, termina-t-elle en baissant les bras. (Elle recracha un nuage de fumée et se prépara à larguer sa deuxième bombe.) J'ai parlé à Tess ce matin et je lui ai demandé quelles étaient, selon elle, les chances pour qu'un tel individu soit attiré par la même voix, le même nom, la même adresse. (Elle gardait les yeux braqués sur Ben ; c'était plus facile que de regarder Ed.) Elle m'a affirmé qu'il serait presque impossible pour lui de résister. Desiree a constitué le point de départ de ses crimes. Et c'est Desiree qui y mettra un terme.

— Je fais confiance à l'avis du Dr Court, indiqua Harris avec un geste de la main pour empêcher Ed de protester. Je pense également qu'après trois agressions il est temps pour nous d'essayer quelque chose de plus proactif.

— L'unité spéciale... commença Ed.

— Sera mise en place quoi qu'il advienne, poursuivit Harris. (Il tapota du doigt le dossier au sommet d'une pile sur son bureau.) La conférence de presse prévue lundi matin se déroulera comme prévu. L'essentiel est que nous ne voulons pas qu'un nouveau meurtre ait lieu. Pour cela, je suis prêt à soutenir cette initiative. (Il se tourna vers Grace.) Si nous décidons d'agir à partir de cette théorie, nous aurons besoin de votre coopération pleine et entière à chaque étape, mademoiselle McCabe. Nous assignerons un agent féminin pour prendre les appels depuis votre domicile. Vous serez relogée à l'hôtel jusqu'à ce que le plan fonctionne. S'il fonctionne.

— C'est ma voix, répliqua Grace. (Et celle de sa sœur. Elle ne pouvait pas oublier Kathleen.) Vous pouvez mettre en place toutes les femmes flics que vous voudrez mais j'ai déjà pris les dispositions nécessaires. J'ai été embauchée chez Fantasme et je commence dès ce soir.

— Sûrement pas !

Ed se leva et, la tirant par le bras, l'escorta hors du bureau.

— Hé, attends...

— Pas un mot ! (Lowenstein, qui se dirigeait vers la sortie, recula pour laisser passer Ed.) Je croyais que tu avais la tête sur les épaules ! s'exclama celui-ci. Et voilà que tu me sors cette idée complètement folle ?

— J'ai toujours la tête sur les épaules mais je risque de perdre un bras si tu continues de tirer dessus comme un forcené.

Ed passa la porte et conduisit Grace, haletante et trébuchante, jusqu'au parking. Le souffle court, elle se demanda s'il n'était pas temps d'arrêter de fumer.

— Monte dans ta voiture et rentre chez toi. Je dirai à Cawfield que tu as changé d'avis.

— Je t'ai déjà dit ce que je pensais des hommes qui donnent des ordres, Ed. (Il lui fut difficile de reprendre son souffle tout en contrôlant sa colère, mais elle fit de son mieux.) Je suis désolée que tu sois contrarié.

— Contrarié ? (Il l'agrippa par les avant-bras. Il semblait sur le point de la soulever de terre pour la fourrer de force dans sa voiture.) Tu crois qu'il s'agit d'une simple contrariété ?

— D'accord. Je suis désolée que tu perdes les pédales. Et si tu comptais plutôt jusqu'à dix pour te calmer et m'écouter ?

— Je ne vois pas ce que tu pourrais dire pour me convaincre que tu n'es pas devenue folle. S'il te reste un tant soit peu de bon sens, si ce que je ressens compte un peu pour toi, tu vas monter dans ta voiture, rentrer à la maison et attendre.

— Tu trouves ça juste ? Tu penses que c'est justifié de ta part de mettre tes sentiments dans la balance ? (Elle avait élevé la voix et abattu son poing contre le torse d'Ed.) Je sais que les gens me croient excentrique, qu'ils se disent qu'il me manque une ou deux cases, mais je ne m'attendais pas à ce genre d'attitude de ta part. Oui, ce que tu ressens a de l'importance pour moi. Je suis dingue de toi. Allez, osons le grand saut : je suis amoureuse de toi. Maintenant, laisse-moi tranquille !

Au lieu de quoi il lui prit le visage entre ses mains. Cette fois, ses lèvres ne furent ni très douces ni très patientes. Comme s'il sentait qu'elle risquait de fuir, il resserra sa prise jusqu'à ce qu'ils se détendent tous les deux.

— Rentre chez toi, Gracie, murmura-t-il.

Elle ferma brièvement les yeux puis se détourna jusqu'à se sentir assez forte pour ne pas lui céder.

— D'accord. Mais alors j'ai quelque chose à te demander. (Lorsqu'elle le regarda de nouveau, ses yeux étaient très sombres et emplis de détermination.) Je veux que tu retournes à l'intérieur et que tu rendes ton insigne et ton arme à Harris. Je veux que tu rejoignes l'entreprise de ton oncle.

— Je vois pas le rapport !

— C'est quelque chose que je veux que tu fasses, quelque chose que j'ai besoin que tu fasses pour que je n'aie plus à m'inquiéter pour toi. (Elle le dévisagea, devina le conflit qui bouillonnait en lui, la réponse qu'il s'apprêtait à donner.) Tu le ferais, n'est-ce pas ? dit-elle à mi-voix. Parce que j'ai dit que j'avais besoin que tu le fasses. Tu le ferais pour moi et tu serais malheureux. Tu le ferais mais tu ne me pardonnerais jamais tout à fait pour te l'avoir demandé. Tôt ou tard, tu me détesterais de t'avoir fait abandonner quelque chose d'aussi important. Si je fais ce que tu me réclames, je passerai le reste de ma vie à me demander si j'aurais pu faire une dernière chose pour ma sœur.

— Grace, tu n'as rien à prouver à qui que ce soit.

— Je voudrais t'expliquer quelque chose. Peut-être que ça t'aidera à comprendre. (Elle se passa les mains dans les cheveux puis se redressa pour s'asseoir sur le capot de la voiture. À présent qu'ils avaient cessé de crier, un pigeon revint se poser sur le goudron pour picorer, plein d'espoir, un emballage alimentaire abandonné.) Ce n'est pas facile de dire tout ça à haute voix. Je t'ai dit que Kathy et moi n'étions pas vraiment proches. Le fond du problème est qu'elle n'a jamais été la personne que je voulais qu'elle soit. J'ai fait comme si et j'ai même couvert certains de ses faits et gestes. La vérité est qu'elle m'en voulait et même qu'elle me détestait de temps à autre. Ce n'était pas volontaire, elle ne pouvait pas s'en empêcher.

— Grace, inutile de réveiller ces vieilles douleurs…

— Il le faut. Si je ne le fais pas, je ne pourrai jamais être en paix avec le passé, ni avec elle. Je haïssais Jonathan. C'était tellement moins douloureux de l'accuser de tous les maux. Comme tu le sais, je n'aime pas les problèmes. (Elle se massa le front à deux mains, un geste qu'elle n'employait que lorsqu'elle était très fatiguée ou très tendue.) Je les évite ou je fais mine de ne pas les voir. J'ai décidé que c'était la faute de Jonathan si Kathleen ne prenait pas la peine de répondre à mes courriers ou si elle n'était jamais très chaleureuse quand je parvenais à la convaincre de me laisser lui rendre visite. Je me suis convaincue qu'il avait fait d'elle une snob, que c'était à cause de lui si elle était si occupée à grimper les échelons sociaux. Quand ils ont divorcé, je lui ai mis toute la responsabilité sur le dos. Je ne suis pas très douée pour les compromis. (Elle marqua un temps d'arrêt car la suite s'annonçait plus difficile. Les mains jointes, plaquées sur ses cuisses, elle poursuivit :) J'ai blâmé Jonathan pour le problème d'addiction de Kathleen et même pour sa mort. Ed, tu n'imagines pas à quel point je voulais me persuader qu'il l'avait tuée. (Lorsqu'elle le regarda de nouveau, les yeux de Grace étaient secs mais emplis d'une vulnérabilité presque douloureuse.) C'est au moment des funérailles qu'il s'est lâché. Il m'a dit des choses que je savais déjà mais que je n'avais jamais pu accepter à propos de Kathleen. Je lui en ai terriblement voulu pour ça. Je l'ai détesté de dissiper l'illusion que j'avais montée de toutes pièces pour me rassurer. Au fil de ces dernières semaines, j'ai été contrainte d'accepter qui était Kathleen, ce qu'elle était et même pourquoi elle était ainsi.

Ed lui toucha doucement la joue.

— Tu n'aurais pas pu être quelqu'un d'autre, Grace.

Donc il comprenait. Sans aucun mal. Si ce n'avait pas déjà été le cas, elle serait tombée amoureuse de lui à cet instant même.

— Non, je ne pouvais pas. Je ne peux pas. La culpabilité s'est largement amoindrie. Mais Kathleen n'en reste pas moins ma sœur. Je peux toujours l'aimer. Et je sais que si je peux mener à bien cette dernière démarche, je pourrai tourner la page. Si par contre je choisissais la facilité, je crois que je ne pourrais plus me regarder sereinement dans une glace.

— Grace, il y a d'autres façons de faire.

— Pas pour moi. Pas cette fois. (Elle lui prit la main et la serra doucement dans les siennes.) Tu ne me connais pas aussi bien que tu le crois. Pendant des années j'ai laissé le sale boulot à quelqu'un d'autre, en échange de dix pour cent de mes gains. S'il y avait un truc déplaisant à régler, je le refilais à mon agent, ou à mon directeur commercial, ou à mon avocat. Ce qui me permettait de continuer à écrire sans trop de distractions. Si c'était quelque chose que j'avais à gérer en personne, j'optais pour la solution la plus facile ou je ne m'en occupais pas du tout. Je t'en prie, ne me demande pas de laisser cette affaire entre tes mains en me tournant les pouces. Parce que je pourrais bien me laisser tenter.

— Mais alors que veux-tu que je fasse ? demanda-t-il, l'air un peu perdu.

— Que tu comprennes, murmura-t-elle. C'est important pour moi que tu comprennes. J'agirai de toute façon, même si tu ne me comprends pas, mais je serais plus heureuse si tu comprenais. Je suis désolée.

— Ce n'est pas que je ne comprends pas, c'est que je pense que c'est une erreur. Mets ça sur le compte de mon intuition.

— Si c'est une erreur, c'en est une que je dois commettre. Je ne pourrais pas reprendre le cours de ma vie, pas réellement, avant d'avoir fait ceci.

Ed aurait pu lui opposer une bonne dizaine d'arguments valables. Mais un seul comptait vraiment.

— S'il t'arrivait quelque chose, je ne le supporterais pas.

Elle parvint à sourire.

— Moi non plus. Écoute, je ne suis pas complètement stupide. Je peux te jurer que je n'agirai pas comme une héroïne idiote dans un film de série B. Tu sais, le genre qui sait qu'un maniaque meurtrier rôde et qui entend un bruit bizarre ?

— Et au lieu de fermer les portes à clé, elle sort voir ce qui se passe ?

— Exactement, répondit-elle avec un franc sourire, cette fois. Ça me rend dingue ! Je déteste quand le scénario est tiré par les cheveux.

— Tu ne dois pas oublier qu'il ne s'agit pas d'un scénario. Tu n'es pas en train de tourner un film, Grace.

— J'ai l'intention de me montrer très prudente. Et je compte sur l'aide des meilleurs flics de la ville.

— Si nous acceptons, tu feras exactement ce que nous te dirons ?

— Absolument.

— Même si ça ne te plaît pas ?

— Je déteste promettre un truc dont je ne sais rien, mais d'accord.

Il la souleva pour l'aider à redescendre du capot de la voiture.

— On va en discuter, dit-il.

13

Le voyage de Charlton P. Hayden dans les États du Nord était une vraie réussite. À Detroit, il avait remporté le soutien solide des syndicats. Les cols-bleus étaient derrière lui, attirés par sa campagne sur le thème de l'Amérique pour les Américains. Les Ford et Chevrolet s'ornaient d'autocollants vantant « L'Amérique de Hayden – Solidité, Stabilité, Succès ».

Il parlait en termes simples, avec les mots de l'homme de la rue, lors d'oraisons écrites par deux auteurs de discours et révisées par ses soins. Sa conquête de la Maison-Blanche était en préparation depuis plus de deux décennies. Hayden aurait pu préférer une Mercedes, mais il s'était assuré que son équipe lui loue une Lincoln.

Son apparition au Tiger Stadium avait été applaudie aussi chaleureusement que la victoire écrasante de l'équipe locale. Sa photo, où il passait un bras autour du lanceur triomphant, une casquette de baseball vissée sur le crâne, avait fait la une du *Free Press*. Les foules du Michigan et de l'Ohio avaient manifesté leur approbation : elles avaient cru ses promesses et applaudi ses discours.

Un voyage au cœur de l'Amérique était déjà en préparation : Kansas, Nebraska, Iowa. Il souhaitait rallier les agriculteurs à sa cause. Le destin voulait qu'il puisse s'appuyer sur son arrière-grand-père, ancien fermier. Ce qui faisait de lui le fils de l'Amérique, le sel de la terre, même si en réalité les Hayden sortaient diplômés de Princeton depuis trois générations.

Quand il remporterait l'élection – car Hayden ne pensait jamais au conditionnel –, il mettrait en branle son plan pour renforcer la colonne vertébrale du pays. Hayden croyait en l'Amérique, ce qui conférait des accents de sincérité à ses discours lyriques et ses plaidoyers passionnés. Sa croyance dans le destin – le sien et celui du pays – était innée, mais Hayden savait qu'il faudrait à la fois ruser et se battre pour le réaliser. C'était un homme habité par un unique objectif : gouverner, et gouverner bien. Certains souffriraient, certains seraient sacrifiés, certains verseraient des larmes. Hayden croyait fermement que les besoins de la majorité l'emportaient sur ceux des individus particuliers. Même quand ceux-ci faisaient partie de sa propre famille.

Il aimait sa femme. À vrai dire, il n'aurait pas pu tomber amoureux de quelqu'un d'indigne de lui. Il avait l'ambition trop chevillée au corps pour cela. Claire lui correspondait : son physique, ses origines, ses manières. C'était une Merriville et, comme les Vanderbilt et les Kennedy, elle avait grandi en profitant des avantages conférés par une fortune et un statut social bâtis à la sueur du front de ses ancêtres. Claire était une femme intelligente qui comprenait que dans leur univers, la planification d'un repas pouvait revêtir la même importance que la promulgation d'une loi.

Elle avait épousé Hayden en sachant que quatre-vingt-dix pour cent de son énergie seraient toujours consacrés à son travail. C'était un homme vigoureux et dévoué qui estimait que les dix pour cent restants couvraient largement les besoins de sa famille. Si quiconque l'avait accusé de les négliger, il aurait été plus amusé que contrarié.

Il les aimait. Naturellement, il attendait de chacun des performances d'exception, mais c'était une question de fierté autant que d'ambition. Il appréciait de voir sa femme magnifiquement vêtue. Il aimait savoir que son fils faisait partie des tout meilleurs éléments de sa classe. Hayden n'était pas du genre à faire des compliments pour ce qu'il considérait comme attendu. Mais si les notes de Jerald avaient chuté, cela aurait été très différent. Hayden voulait le meilleur pour son fils, et attendait que celui-ci donne le meilleur de lui-même.

Il veillait à ce que Jerald reçoive une excellente instruction et était fier de ce que sa progéniture semblait en faire. Hayden avait d'ores et déjà des plans pour la carrière politique de son héritier. Même s'il n'avait pas l'intention de transmettre le pouvoir pendant quelques décennies, lorsqu'il le ferait, il s'assurerait que ce soit au bénéfice de son fils.

Il attendait de Jerald qu'il soit prêt et désireux de reprendre le flambeau.

Jerald était un garçon bien élevé, intelligent, raisonnable. S'il passait trop de temps seul, Hayden n'y voyait en général qu'une phase propre à l'adolescence. Le gamin manifestait un attachement presque émotionnel à son ordinateur. Son intérêt pour les filles ne s'était pas encore manifesté, chose pour laquelle Hayden était plutôt reconnaissant. Les études et l'ambition passaient souvent en second plan après les filles chez les jeunes gens impressionnables. Bien sûr, le garçon n'était pas spécialement beau.

Son potentiel n'est pas encore arrivé à maturité, songeait souvent Hayden pour se rassurer. Jerald avait toujours été un garçon maigre et ordinaire qui se tenait voûté quand on ne lui rappelait pas de se redresser. Mais il recevait régulièrement les honneurs de son école, était toujours poli et attentif durant les réceptions et, à dix-huit ans, possédait déjà une bonne compréhension de la politique et de la ligne du parti.

Il avait rarement donné à son père une quelconque raison de s'inquiéter.

Jusqu'à récemment.

— Le gamin est renfermé, Claire.

Claire leva ses boucles d'oreilles en perles et celles en diamant pour voir lesquelles correspondraient mieux à sa robe du soir.

— Allons, Charlton... Il faut lui laisser le droit à ses petites humeurs.

— Et qu'est-ce que cette histoire de mal de tête qui l'empêcherait de participer au dîner de ce soir ?

Charlton avait du mal avec ses boutons de manchettes à monogramme. Une fois de plus, leur linge était trop amidonné. Il faudrait qu'il en parle à sa secrétaire.

Profitant de l'inattention momentanée de son mari, Claire lui décocha un regard inquiet.

— Je crois qu'il travaille trop dur. Il fait ça pour te plaire. (Elle opta pour les perles.) Tu sais à quel point il t'admire, ajouta-t-elle.

— C'est un garçon intelligent, admit Hayden, légèrement radouci. Il n'a pas besoin de se rendre malade.

— Ce n'est qu'un mal de tête, murmura-t-elle.

Ce dîner était important. Comme tous les autres, d'ailleurs, avec l'approche des élections. Si Claire avait des inquiétudes à propos de son fils, elle n'avait pas envie de les aborder ce soir. Son mari était un honnête homme et quelqu'un de bien, mais il n'avait guère de tolérance pour la faiblesse.

— Ne sois pas trop sévère avec lui, Charlton. Je pense qu'il traverse une phase délicate.

— Tu fais référence aux griffures sur son visage. (Satisfait de sa veste, Hayden s'assura du lustre de ses chaussures vernies. L'image. L'image était primordiale.) Tu crois vraiment qu'il a envoyé son vélo dans un rosier ?

— Pourquoi en douterais-je ? (Elle avait du mal avec le fermoir de son collier. C'était ridicule, mais elle avait les mains moites.) Jerald ne ment pas, ajouta-t-elle.

— Je ne l'ai jamais vu se montrer aussi mal à l'aise. Claire, si tu veux mon sentiment, il n'est plus le même depuis notre retour de voyage. Il paraît nerveux, tendu.

— Il s'inquiète pour l'élection, voilà tout. Il veut que tu gagnes, Charlton. Aux yeux de Jerald, tu es déjà Président. Tu veux bien m'aider, chéri ? J'ai deux mains gauches ce soir.

Hayden la rejoignit pour attacher le collier.

— Nerveuse ? demanda-t-il.

— Je ne peux pas nier que je serai soulagée quand l'élection sera passée. Je sais quelle pression s'exerce sur tes épaules, sur nos épaules à tous. Charlton… (Elle passa la main derrière elle pour prendre la sienne. Il fallait qu'elle en parle. Peut-être serait-il préférable de le mentionner maintenant pour jauger la réaction de son mari.) Est-ce que tu penses… Je veux dire, as-tu déjà envisagé que Jerald puisse faire… des expériences ?

— De quel genre ?

— Avec la drogue ?

Il était rare que Hayden se trouve pris de court. L'espace de dix secondes, il ne put que la regarder en silence.

— C'est absurde. Rappelle-toi qu'il a été l'un des premiers à se joindre à la campagne antidrogue de son lycée. Il a même écrit un article à propos des dangers et des effets à long terme des stupéfiants.

— Je sais, je sais. Je dis des bêtises. (Elle n'arrivait cependant pas à chasser complètement l'idée de son esprit.) Mais il se montre si changeant depuis quelque temps, notamment ces dernières semaines. Soit il s'enferme dans sa chambre, soit il passe la soirée à la bibliothèque. Charlton, il n'a pas d'amis. Personne n'appelle jamais pour lui parler. Il n'a jamais fait venir qui que ce soit. Et la semaine dernière, il s'est emporté contre Janet parce qu'elle avait rangé son linge.

— Tu sais qu'il est très attaché à son intimité. Nous avons toujours respecté cela.

— Je me demande si nous ne l'avons pas trop respecté.

— Aimerais-tu que je lui parle ?

Elle secoua la tête, paupières closes.

— Non. Je crois que j'ai un peu trop d'imagination. C'est la pression, rien de plus. Tu sais à quel point Jerald se renferme quand tu le sermonnes.

— Pour l'amour de Dieu, Claire, je ne suis pas un monstre.

Elle lui prit les mains et les serra avant de reprendre :

— C'est tout le contraire, mon chéri. Parfois il est difficile pour nous d'être aussi forts et aussi bons que toi. Laissons-le vivre sa vie pendant quelque temps. Les choses s'amélioreront une fois qu'il aura obtenu son diplôme.

Jerald attendit d'avoir entendu ses parents partir. Il avait craint un moment que son père ne vienne le voir pour insister afin qu'il les accompagne pour la soirée. Encore un dîner mondain sans intérêt, poulet caoutchouteux et asperges. Chacun y parlerait politique et évoquerait ses causes préférées tout en ouvrant l'œil pour savoir dans le sillage de quel puissant s'inscrire.

La plupart des gens se placeraient dans celui de son père. Beaucoup lui faisaient déjà de la lèche. Jerald en était malade. La majorité d'entre eux ne pensaient qu'à servir leurs petits intérêts. Comme ces journalistes que Jerald avaient repérés à l'extérieur de la maison. À la recherche d'infos scabreuses sur Charlton P. Hayden. Ils n'en trouveraient pas, car son père était parfait. Et quand il serait élu en novembre, les choses allaient changer. Son père n'avait besoin de personne. Il se débarrasserait de toutes les chiffes molles accrochées à leurs emplois pépères et reprendrait efficacement les rênes du gouvernement. Et Jerald serait à ses côtés, profitant de cet immense pouvoir. Et il rirait, oh oui. Il éclaterait de rire au nez de tous ces crétins.

Les femmes se feraient suppliantes, prêtes à tout pour avoir l'attention du fils du président des États-Unis. Mary Beth regretterait amèrement de l'avoir rejeté.

Il caressa de manière presque affectueuse les égratignures sur son visage. Elle tomberait à genoux pour lui demander pardon. Mais il ne pardonnerait rien. Le véritable pouvoir ne pardonnait pas, il punissait. Jerald punirait Mary Beth et toutes les autres salopes qui faisaient des promesses sans intention de les tenir.

Et personne ne pourrait rien contre lui car il serait au-delà de leur capacité si limitée de compréhension. Il pouvait encore sentir la douleur. À cet instant précis, un élancement sourd lui traversait la jambe. Bientôt, même cela cesserait. Il connaissait le secret et le secret se trouvait au cœur de l'esprit. Il était né pour accomplir de grandes choses. Exactement comme son père le lui avait toujours dit. C'était pour cela que les petits froussards à l'esprit étriqué en cours avec lui n'avaient aucune chance de devenir ses amis. Les individus vraiment grandioses, vraiment puissants, étaient toujours des incompris. Mais on les admirait. On les révérait. Un jour viendrait où il tiendrait le monde entre ses mains, comme son père. Il aurait le pouvoir de le transformer. Ou de le détruire.

Il laissa échapper un petit ricanement puis plongea la main dans son stock. Jerald ne fumait jamais chez lui : il savait que l'odeur douceâtre du cannabis était facile à repérer et qu'elle serait signalée à ses parents. Quand il ressentait le besoin d'un joint, il allait dehors. Il évitait les cigarettes.

Ses deux parents étaient très actifs pour la défense des non-fumeurs. Toute trace de fumée, de tabac ou de quoi que ce soit de ce genre viendrait ternir l'air pur de l'univers des Hayden.

Jerald ricana de nouveau en sortant un magnifique joint imprégné de poudre d'ange. PCP. Supergrass. Il sourit en faisant courir son doigt le long du cylindre. Quelques bouffées et il aurait l'impression d'être un chérubin. Ou Satan en personne.

Ses parents ne reviendraient pas avant plusieurs heures. Les domestiques étaient tous réunis dans leur aile de la maison. Il avait besoin de décoller un peu.

Non, pas « besoin », se corrigea-t-il.

Les besoins étaient pour les gens ordinaires. Il avait *envie* de décoller. De flotter dans le ciel tout en écoutant la prochaine. Car la prochaine allait souffrir. Jerald sortit l'arme de service de son père, le revolver dont le capitaine Charlton P. Hayden avait fait si bon usage durant la guerre. Son père avait reçu des médailles pour avoir abattu des inconnus. Il y avait quelque chose de glorieux là-dedans.

Jerald n'avait pas envie de médaille, seulement d'un peu d'excitation. De beaucoup d'excitation. L'adolescent en lui ouvrit la fenêtre avant d'allumer le joint puis le fou dans son esprit alluma l'ordinateur pour se mettre en quête d'une victime.

Grace passa sa première soirée d'appels partagée entre amusement et stupéfaction. Elle se réjouissait qu'on puisse encore la surprendre. Travailler dans le milieu artistique et vivre à New York ne signifiait donc pas qu'elle avait tout vu et tout entendu. Loin de là.

Elle avait reçu des appels d'hommes geignards, rêveurs, bizarres ou très ordinaires. Pour une femme qui se pensait sophistiquée et calée en matière de sexualité, elle s'était plusieurs fois retrouvée interloquée. Un homme qui appelait depuis la Virginie occidentale avait compris qu'elle était novice.

— Ne t'inquiète pas, poulette, lui avait-il dit. Je vais te guider.

Elle travailla ainsi pendant trois heures, à un rythme raisonnable, en faisant de son mieux pour maîtriser ses fous rires, sa surprise et le malaise persistant à l'idée qu'Ed l'attendait au rez-de-chaussée.

Elle termina son dernier appel à vingt-trois heures. Après avoir rangé ses notes – on ne savait jamais ce qui pourrait resservir dans un roman – elle redescendit jusqu'au salon. Elle aperçut d'abord Ed, puis son partenaire.

— Bonsoir Ben. Je ne savais pas que vous étiez là.

— Vous avez droit à l'équipe au complet, répondit Ben. (En regardant sa montre, il constata que l'heure la plus tardive à laquelle le suspect avait précédemment frappé était largement dépassée. Ils lui laisseraient néanmoins une demi-heure de plus.) Comment ça s'est passé ?

Grace s'assit sur l'accoudoir d'un fauteuil. Elle lança un coup d'œil vers Ed puis haussa les épaules.

— Drôle d'expérience. Vous avez déjà été excité en entendant une femme éternuer ? Non, ne répondez pas...

Ed l'observa pendant qu'elle parlait. Il aurait juré qu'elle avait l'air embarrassée.

— Est-ce que l'un d'eux t'a mise mal à l'aise ? demanda-t-il. Des paroles ou demandes suspectes ?

— Non. Pour la plupart, ces hommes cherchent un peu de compagnie, d'écoute et j'imagine – d'une manière bizarre – un moyen de rester fidèles à leur femme. Parler au téléphone est beaucoup plus sûr, et moins drastique, que de payer une prostituée. (Mais ce n'était pas non plus le genre de chose dont on se vantait en public, songea-t-elle.) Vous enregistrez tout quoi qu'il arrive, n'est-ce pas ?

— Absolument. C'est ça qui te dérange ? demanda Ed en haussant un sourcil.

Elle tripota les coutures de sa manche.

— Peut-être, avoua-t-elle. Ça me fait un drôle d'effet de penser que les policiers du commissariat vont réécouter tout ce que j'ai dit. (Mais elle ne se laisserait pas arrêter par ce détail. Elle haussa de nouveau les épaules.) J'ai du mal à croire moi-même à ce que j'ai dit. J'ai parlé à un type qui taille des bonsaïs, les petits arbres japonais. Il a passé la majeure partie de l'appel à me dire à quel point il les adore.

— Il faut de tout pour faire un monde, commenta Ben avant de lui tendre une cigarette. Est-ce que l'un d'eux a demandé à vous rencontrer ?

— Des allusions, mais rien de direct. D'ailleurs, durant ma séance de formation cette après-midi, on m'a donné des astuces sur la manière de gérer ça et beaucoup d'autres trucs. (Elle était de nouveau détendue, amusée même.) J'ai passé l'après-midi avec Jezebel. Ça fait cinq ans qu'elle fait ça. Après l'avoir écoutée prendre des appels pendant quelques heures, j'ai compris l'essentiel. Et puis il y a ceci : mon manuel de formation, dit-elle en soulevant un classeur bleu posé sur la table basse.

— Sérieux ?

Ravi, Ben le lui prit des mains.

— Il y a une liste de penchants sexuels, dont les classiques et d'autres dont je n'avais jamais entendu parler.

— Moi non plus, murmura Ben en tournant une page.

— On y apprend aussi plusieurs manières de dire la même chose. Un peu comme un dico de synonymes. (Elle laissa échapper un nuage de fumée en même temps qu'un petit rire.) Vous savez de combien de façons on peut dire... (Elle s'interrompit en regardant Ed. Il ne lui fallut qu'un instant pour comprendre qu'il n'aurait certainement pas envie de connaître tous les détails.) Bref, c'est pratique. Parce que croyez-moi, c'est beaucoup plus facile de faire l'amour que d'en parler. Quelqu'un veut des cookies au chocolat un peu rassis ?

Ed secoua la tête et Ben, qui feuilletait toujours le manuel, se contenta d'un grognement.

— Attention, tu vas avoir les poils qui poussent aux creux de tes paumes, l'avertit Ed alors que Grace quittait la pièce.

Ben releva la tête, le sourire aux lèvres.

— Ça pourrait en valoir le coup. Tu ne croirais pas à certains de ces trucs. Comment ça se fait qu'on bosse pas à la brigade des mœurs ?

— Ta femme est psy, lui rappela Ed. Rien de ce que tu pourrais trouver là-dedans ne l'étonnerait.

— Ouais, t'as raison, dit Ben en reposant le classeur. J'ai l'impression que Grace s'en est bien sortie.

— On dirait.

— Sois pas si dur avec elle, Ed. C'est important pour elle de faire ça. Et elle pourrait bien nous aider à secouer le cocotier.

— Au risque que le cocotier lui tombe dessus.

— Nous sommes là pour éviter que ça arrive. (Ben se tut quelques instants. Il savait ce que cela faisait d'avoir envie de shooter dans quelque chose sans avoir de cible assez grosse autour de soi.) Tu te souviens de ce que j'ai ressenti quand Tess s'est retrouvée impliquée l'hiver dernier ?

— Je m'en souviens.

— Je suis de ton côté, mon pote. Comme toujours.

Ed cessa de faire les cent pas pour simplement regarder autour de lui. Étonnant de voir à quelle vitesse la maison était devenue celle de Grace. Kathleen n'était plus là ; peut-être Grace ne s'en rendait-elle pas compte, mais elle avait chassé sa sœur à coups de magazines laissés ouverts et de chaussures abandonnées dans les coins. Il y avait des fleurs fanées dans un vieux bocal et de la poussière sur les meubles. En quelques jours, sans même le vouloir, elle avait créé un foyer.

— Je veux l'épouser.

Ben dévisagea son partenaire pendant quelques instants puis se rassit.

— Alors ça... On dirait que la Doc avait encore vu juste. Tu lui as demandé ?

— Ouais, je lui ai demandé.
— Et ?
— Elle a besoin de temps.
Ben hocha simplement la tête. Il comprenait parfaitement. Elle avait besoin de temps, Ed non.
— Tu veux un conseil ?
— Pourquoi pas.
— Ne la laisse pas réfléchir trop longtemps. Elle pourrait découvrir que t'es un vrai connard. (Ed eut un sourire amusé et Ben se leva pour récupérer sa veste.) Par ailleurs, ça ne te ferait pas de mal de jeter un œil sur ce manuel. La page six me semble très prometteuse.
— Vous partez ?
Grace était de retour avec un plateau de cookies et trois bières.
— Jackson devrait être capable de gérer le tour de garde nocturne, répondit Ben. (Il s'empara d'un cookie et mordit dedans.) Ils sont infects.
— Je sais. (Elle rit en le voyant en prendre un second.) Vous avez le temps de boire une bière ?
— Je l'emporte avec moi. (Ben glissa la bouteille dans sa poche.) Vous avez fait du bon boulot, Gracie, dit-il. (Et, parce qu'elle avait l'air d'en avoir besoin, il se pencha par-dessus le plateau pour lui faire une bise.) À plus tard.
— Merci. (Grace attendit d'entendre la porte d'entrée se refermer avant de poser le plateau.) Sacré mec.
— C'est le meilleur.
Et tant qu'il avait été là, ils n'avaient pas eu à se parler directement l'un à l'autre. Grace s'installa au bout du sofa en grignotant un cookie.
— J'imagine que tu le connais depuis très longtemps.

— Assez pour savoir que Ben a l'intuition la plus aiguisée de tous les flics du commissariat.

— La tienne n'a pas l'air mauvaise non plus.

Ed la regarda en prenant sa bouteille de bière.

— La mienne me souffle de te faire monter dans le prochain avion pour New York.

Grace haussa un sourcil. Apparemment, l'heure n'était plus à tourner autour du pot.

— Tu m'en veux toujours ?

— Je m'inquiète pour toi.

— Ce n'est pas ce que je cherche. (Puis elle sourit et tendit la main vers lui.) Bon, en fait si, un peu. (Quand Ed enchevêtra ses doigts avec les siens, elle les porta à ses lèvres.) J'ai le sentiment que tu es la meilleure chose qui me soit jamais arrivée. Je suis désolée de ne pas pouvoir te rendre les choses plus simples.

— T'as fichu mes plans en l'air, Grace.

Grace inclina la tête sur le côté, un demi-sourire flottant sur ses lèvres.

— Ah oui ?

— Viens là. (Elle se tortilla sur le sofa de façon à se blottir contre lui.) Quand j'ai acheté la maison, l'avenir me semblait super clair. J'allais la remettre en état en faisant les choses comme il faut, jusqu'à obtenir ma maison idéale. Et quand ce serait fait, je me mettrais en quête de la femme idéale. Je ne savais pas à quoi elle ressemblerait, mais ça n'était pas important. Elle serait douce et patiente, elle voudrait que je prenne soin d'elle. Elle n'aurait jamais à travailler comme l'a fait ma mère. Elle resterait à la maison et prendrait soin du foyer, du jardin, des enfants. Elle aimerait cuisiner et repasser mes chemises.

Grace plissa le nez.

— Tu avais besoin qu'elle aime faire ça ?
— Qu'elle adore ça.
— À la façon dont tu en parles, je dirais qu'il faudrait que tu te trouves une gentille fermière du Nebraska restée coincée au siècle dernier.
— C'est mon fantasme, je te rappelle.
Elle sourit de nouveau.
— Pardon. Continue...
— Chaque soir, quand je rentrerais à la maison, elle serait là pour m'attendre. On s'assiérait confortablement, les pieds posés sur la table basse, pour discuter. Pas de mon travail. Je ne voudrais pas la mêler à ça. Elle serait trop fragile. Et quand viendrait le temps pour moi de prendre ma retraite, on s'occuperait tous les deux dans la maison, tranquilles. (Il caressa sa chevelure d'une main douce puis lui souleva le menton du bout des doigts. Pendant plusieurs longues secondes, il se contenta de la regarder en silence : ses pommettes marquées, ses grands yeux, ses cheveux en désordre.) Tu n'es pas cette femme, Grace.
Elle se sentit traversée par un éclair de regret.
— Non, c'est vrai.
— Mais tu es celle que je veux. (Il posa ses lèvres sur les siennes dans un geste doux, affectueux, qui fit battre son cœur un peu plus vite.)
— Tu vois, tu as fichu mes plans en l'air. Et je te dis merci.
Elle enroula ses bras autour de lui et se laissa aller.

Grace se réveilla à l'aube, aux creux des bras d'Ed. Les draps lui remontaient jusqu'au nez et sa tête était nichée contre le torse de ce dernier. La première chose qu'elle entendit fut le martèlement lent et régulier de son cœur. Cela la fit sourire. Une lumière tamisée et brumeuse s'immisçait à l'intérieur depuis les fenêtres, adoucie par les premiers chants d'oiseau du jour. Ses jambes emmêlées avec celles d'Ed, elle se sentait au chaud et en sécurité jusqu'aux orteils.

Tournant la tête, elle déposa un baiser sur sa poitrine. Elle se demanda s'il existait sur terre une seule femme qui n'aimerait pas se réveiller ainsi, satisfaite et rassurée entre les bras de son amant.

Il bougea et l'attira un peu plus près de lui. Son corps était si dur, tout en force maîtrisée. Chaque centimètre carré des endroits où leurs peaux se touchaient était moite, chaud, électrique. Les brumes de sommeil n'étaient pas encore dissipées que déjà Grace sentit monter l'excitation.

Le souffle court, elle fit courir ses mains sur le corps d'Ed ; une façon de l'explorer, le tester, le savourer. Avec des gestes paresseux, elle constella sa peau d'une multitude de petits baisers puis laissa échapper un murmure de satisfaction en entendant son pouls s'accélérer. Elle tourna la tête pour le regarder, un demi-sourire aux lèvres.

Elle croisa l'intensité de son regard sombre puis tout devint flou quand il se rapprocha pour plaquer sa bouche sur la sienne. Le geste n'était plus empreint d'affection, cette fois, mais de désir et d'exigence. Un élan né d'une envie puissante. Grace fut emportée par une vague d'excitation teintée d'une pointe de panique.

Le contrôle de lui-même sur lequel il s'appuyait si souvent avait disparu. Ed était un homme qui se mouvait avec précaution, très conscient de sa taille et de sa force. Mais plus maintenant. Ils roulèrent sur le lit comme enchaînés l'un à l'autre et il prit exactement ce qu'il voulait.

Elle était tremblante sans être faible pour autant. La passion qui l'habitait s'enflamma et elle répondit à ses désirs par les siens. Il lui avait témoigné une tendresse et un respect profond qui l'avaient émerveillée. À présent, il lui laissait voir la partie sombre et dangereuse de son amour.

Ses bras massifs appuyés de chaque côté de la tête de Grace, il plongea en elle. Les doigts de Grace, humides de sueur, glissèrent le long des flancs d'Ed puis trouvèrent une prise et s'y cramponnèrent. Au final, ils trouvèrent plus qu'une réponse explosive à leurs désirs. Ce fut comme une délivrance.

Elle était toujours haletante lorsqu'il se laissa aller contre elle, la tête posée entre ses seins, les mains de Grace plongées dans ses cheveux.

— Je crois que j'ai trouvé un substitut à mon café du matin, souffla-t-elle avant d'éclater de rire.

— Il n'y a pas de quoi rire à propos de la caféine, maugréa Ed. Ça finira par te tuer.

Elle s'étira, bras levés au-dessus de sa tête.

— Non, je me disais simplement que si on continue comme ça je vais pouvoir écrire mon propre manuel d'instructions. Je me demande si mon agent pourrait trouver un moyen de le faire éditer.

Il releva la tête et le bout de sa barbe vint chatouiller la peau de Grace.

— Tiens-t'en aux polars.

Il s'apprêtait à ajouter quelque chose quand la radio à côté du lit s'alluma dans une explosion de rock'n'roll.

— Bon sang, comment peux-tu avoir envie de te réveiller dans un vacarme pareil ?

— Personne ne me fouette mieux les sangs que Tina Turner. (Ed la souleva, la retourna et la déposa gentiment contre les oreillers.) Pourquoi tu ne dors pas encore quelques heures ? Je dois me préparer pour le boulot.

Elle garda les bras serrés autour de son cou. Il était tellement mignon quand il essayait de la dorloter.

— Je préférerais prendre une douche avec toi.

Coupant prestement le sifflet de Tina en plein miaulement, Ed emmena immédiatement Grace jusqu'à la salle de bains.

Une demi-heure plus tard, elle était assise à la table de la cuisine, occupée à trier le courrier de la veille pendant qu'Ed mangeait ses flocons d'avoine.

— Tu es sûr que tu ne veux pas de mes viennoiseries à peine rassies ?

— Aucune chance. Je les ai mises à la poubelle.

Grace releva la tête.

— La moisissure verte n'avait attaqué que les bords, dit-elle avant de hausser les épaules et de se replonger dans sa lecture. Ah, on dirait que ce sont mes droits d'auteur. C'est le retour de la période faste ! (Elle ouvrit l'enveloppe, mit le chèque de côté et étudia les formulaires.) Dieu merci, mes bouquins continuent à se vendre. Tu veux des cookies ?

— Grace, un de ces jours il faudra qu'on discute sérieusement de ton régime.

— Je n'ai pas de régime.

— Exactement.

Elle le regarda servir plusieurs cuillerées de flocons d'avoine dans le bol qu'il avait posé devant elle.

— Tu es trop bon avec moi, dit-elle.

— Je sais.

Avec un sourire, il se resservit dans son bol. Alors qu'il raclait la bouillie dans la casserole, son regard se posa sur le chèque que Grace avait posé près d'elle. Les flocons d'avoine atterrirent sur la table avec un « plop » gluant.

— Raté, lança-t-elle amusée, avant de goûter.

— Tu... heu... tu en reçois beaucoup de ce genre ?

— De quoi ? Des chèques de droits d'auteur ? Deux fois par an. Bénis soient-ils tous. (Elle avait plus faim qu'elle ne l'aurait cru et plongea réellement sa cuiller dans le bol. Si elle ne faisait pas attention, songea-t-elle, elle pourrait prendre goût à cette fichue bouillie.) Plus les avances, évidemment. Tu sais, ce truc ne serait pas mauvais avec un peu de sucre. (Elle tendit la main vers le bol de sucre mais suspendit son geste en voyant l'expression d'Ed.) Quelque chose ne va pas ?

— Quoi ? Non... (Il reposa la casserole et s'empara d'un torchon pour nettoyer la tache.) Je crois que je n'avais pas réalisé les sommes qu'on peut gagner en écrivant des livres.

— C'est une loterie. Et parfois, on a du pot. (Elle n'en était qu'à sa première tasse de café mais remarqua néanmoins qu'il était étonnamment concentré pour nettoyer une simple éclaboussure de bouillie.) C'est un problème ? demanda-t-elle.

Il songea à la maison voisine, celle pour laquelle il avait fait des économies. Elle aurait pu l'acheter comme on dépense son argent de poche.

— Je ne sais pas. A priori, je me dis qu'il n'y a pas de raison.

Elle ne s'était pas attendue à cela. Pas de sa part. La vérité était que Grace ne faisait pas attention à son argent. Sans être négligente à la manière de certaines personnes richissimes, mais elle dépensait sans se poser de question. Elle agissait de la même façon à l'époque où elle était pauvre.

— Exactement, il n'y a pas de raison. Ces dernières années, l'écriture m'a rendue riche. Ce n'est pas pour ça que je me suis mise à écrire. Et ce n'est pas pour ça que je continue. Et je serais triste de penser que ça puisse te faire changer d'avis à mon sujet.

— C'est surtout que je me sens bête d'avoir cru que tu serais heureuse ici, dans un endroit comme celui-ci, avec moi.

Elle le regarda en fronçant les sourcils, les yeux étrécis.

— C'est sans doute le premier truc véritablement stupide que je t'entends dire. Je ne sais peut-être pas encore ce qu'il nous faut, ni à toi ni à moi, mais quand je le saurai, ce ne sera certainement pas une question de logement ou de région. Alors, pour le moment, je te propose de te muscler un peu la langue, par exemple en la tournant sept fois dans ta bouche avant de parler. (Elle en avait terminé avec le courrier et s'empara du journal. La première chose qu'elle vit en le dépliant fut le portrait-robot de l'assassin de Kathleen.) Vous avez fait vite, souffla-t-elle.

— On voulait qu'il soit diffusé. Il apparaîtra aussi plusieurs fois à la télé durant les flashs d'infos. Ça nous fournit quelque chose de tangible pour la conférence de presse.

— Ça pourrait être à peu près n'importe qui.

— Mme Morrison n'a pas été en mesure de se remémorer beaucoup de détails. (Il n'aimait pas la manière dont Grace examinait le dessin, comme si elle cherchait à en mémoriser chaque trait, chaque courbe.) Elle pense que la forme du visage et les yeux correspondent.

— Ce n'est qu'un gamin. En faisant le tour des lycées du coin, on pourrait trouver deux cents garçons ressemblant à cette description.

L'estomac noué, elle se leva pour se verser un peu d'eau. Mais Ed avait vu juste : elle avait mémorisé le visage. Qu'elle dispose ou non du portrait-robot, elle ne l'oublierait pas.

— Un gamin, répéta-t-elle. Je n'arrive pas à croire qu'un ado ait pu faire ça à Kathleen.

— Tous les adolescents ne passent pas sagement leur temps au bal du lycée et à la pizzeria, Grace.

— C'est bon, je ne suis pas idiote ! (Soudain furieuse, elle se tourna brusquement vers lui.) Je sais bien à quoi on peut se retrouver confrontés là-dehors. Je n'ai peut-être pas envie de consacrer ma vie à fouiller les ruelles sombres et les coins louches, mais je sais. Je couche ça sur le papier tous les jours et si je suis naïve, c'est par choix. Il m'a déjà fallu accepter le fait que ma sœur a été assassinée et maintenant je dois faire face au fait qu'elle a été assassinée – violée, battue *et* assassinée – par un jeune délinquant.

— Psychotique, la corrigea Ed d'une voix très douce. La folie ne se soucie pas des catégories d'âge.

Mâchoires serrées, Grace revint se plonger dans le journal. Elle avait déclaré vouloir une image du tueur ; à présent, elle en avait une. Elle allait l'étudier. Découper la page concernée et l'afficher dans sa chambre, même. Quand elle en aurait terminé, elle connaîtrait ce visage aussi bien que le sien.

— Je peux t'assurer d'une chose : je n'ai parlé à aucun ado hier soir. J'ai bien écouté toutes les voix qui sortaient de ce téléphone, leurs nuances, leurs changements de ton. J'aurais reconnu quelqu'un d'aussi jeune.

— La voix change chez les garçons à partir de douze ou treize ans.

En la voyant tendre la main vers une cigarette, il faillit faire la grimace. Elle ne pouvait pas continuer à vivre de café et de tabac.

— Ce n'est pas qu'une histoire de voix grave ou non, il y a un rythme, un phrasé. Les dialogues constituent l'une de mes spécialités, figure-toi. (Grace se passa les mains sur le visage ; elle avait du mal à garder son sang-froid.) J'aurais reconnu un gamin, affirma-t-elle encore.

— Possible. Tu l'aurais peut-être reconnu. Tu es attentive aux détails et tu les gardes précieusement dans un coin de ta tête. Je l'ai bien remarqué.

— Ça fait partie du métier, marmonna-t-elle.

Elle oublia la cigarette, son attention tournée vers le portrait. De nombreux détails étaient manquants. Si elle l'observait suffisamment longtemps, avec suffisamment d'acuité, elle pourrait peut-être leur donner vie, comme elle le faisait d'un personnage issu de son propre cerveau.

— Il a les cheveux courts. Coupe militaire, traditionnelle. Il ne ressemble pas à un gamin des rues.

Ed s'était dit la même chose. Mais une coupe de cheveux ne les aiderait pas à réduire le nombre de suspects potentiels.

— Prends un peu de recul, Grace.

— Je te rappelle que je suis impliquée dans l'enquête.

— Ça ne signifie pas que tu peux rester objective vis-à-vis de tout ça. (Il retourna le journal, la une face à la table.) Ni moi, d'ailleurs. Bon sang, c'est mon boulot et tu es en train de tout chambouler.

— Comment ça ?

— « Comment ça » ? (Il se pinça le nez entre le pouce et l'index et faillit éclater de rire.) Peut-être parce que je suis dingue de toi. Même sans avoir terminé de tourner sept fois ma langue dans ma bouche, je pense pouvoir le dire. Je n'aime pas l'idée que tu échanges avec tous ces hommes.

Grace se passa la langue sur les dents de devant.

— Je vois.

— Pour tout dire, je déteste ça. Je peux comprendre pourquoi tu le fais et, du point de vue policier, je vois l'avantage que ça nous apporte. Mais…

— Tu es jaloux.

— Horriblement.

— C'est clair, dit-elle en lui tapotant gentiment la main. Merci. Tu sais quoi ? Si l'un d'eux m'excite, je viendrai directement te voir.

— Ce n'est pas une blague.

— Bon sang, Ed, j'espère que tu plaisantes. Parce que sinon je vais devenir folle. Je ne sais pas si je peux te faire comprendre ça, mais c'était bizarre de les écouter en sachant que quelqu'un d'autre les épiait en même temps. J'étais là, concentrée sur chacune de ces voix au téléphone, et je me demandais sans cesse ce que les autres – ceux qui écoutaient pour enregistrer les preuves – allaient penser. (Elle poussa un soupir et décida d'être le plus honnête possible.) En fait je me demandais ce que tu en aurais pensé si tu avais écouté toi aussi. Ce qui me poussait à rester d'autant plus concentrée. (Avec des gestes lents, elle retourna le journal et reporta son attention sur le portrait-robot.) Tout en ayant conscience du côté ridicule de la chose, je devais me rappeler pourquoi je le faisais. Crois-moi : si je l'ai au téléphone, je saurai que c'est lui. Je te le promets.

Mais Ed se contenta de la regarder sans rien dire. Les paroles de Grace avaient ouvert un nouveau fil de réflexion dans son esprit. C'était logique. Peut-être même plus logique que le reste de leurs hypothèses. Il était sur le point de se lever pour partir quand on frappa à la porte.

— Ça doit être la relève. Ça va aller pour toi ?

— Oui. Je vais essayer de travailler un peu. Je me dis que je m'en sortirai mieux si je retrouve mes habitudes.

— Tu peux m'appeler en cas de besoin. Si je ne suis pas sur place, le standard saura où me joindre.

— Ça ira, je t'assure.

Il lui inclina le menton en arrière pour plonger ses yeux dans les siens.
— Appelle-moi quand même.
— D'accord. Allez, file, sinon les méchants vont s'échapper.

14

Quand Ed arriva au commissariat, Ben menaçait déjà de perdre pied au milieu de la paperasse et des coups de téléphone. Avisant son partenaire, Ben déglutit le gros morceau de donut qu'il avait dans la bouche.

— Je sais, lança-t-il en couvrant le combiné de sa main. Ton réveil n'a pas sonné. Tu as eu un pneu crevé. Ton chien a mangé ton insigne.

— Je me suis arrêté au cabinet de Tess, répondit Ed.

Plus encore que les mots, c'était le ton qu'Ed avait employé qui incita Ben à se redresser sur son siège.

— Je vous rappelle, dit-il simplement avant de raccrocher. Tess ? Pourquoi ?

— Quelque chose que Grace m'a dit ce matin. (Après un rapide examen des messages et des dossiers posés sur son bureau, Ed décida qu'ils pourraient attendre.) J'ai eu envie d'exposer l'idée à Tess, pour voir si elle estimait que ça pouvait correspondre au profil psychiatrique de notre homme.

— Et ?

— Bingo. Tu te souviens de Billings ? De la brigade de lutte contre le banditisme ?

— Ouais. Un casse-couilles. Il est parti monter une boîte privée il y a deux ans. Spécialiste en surveillance.

— Rendons-lui une petite visite.

— On dirait que ça paie de poser des micros, commenta Ben en parcourant du regard le bureau de Billings.

Les murs étaient recouverts d'un tissu de soie ivoire et on s'enfonçait jusqu'aux chevilles dans la moquette couleur d'étain. Parmi les tableaux accrochés aux murs s'en trouvaient deux qui auraient plu à Tess. Des toiles aux teintes douces, très françaises. Les vastes fenêtres fumées offraient une vue classieuse sur le fleuve Potomac.

— Les joies du secteur privé, mon pote. (D'une pression d'un bouton sur son bureau, Billings fit coulisser un panneau pour laisser apparaître une série d'écrans de surveillance.) Le monde m'appartient. Si un jour vous décidez de laisser tomber le secteur public, faites-moi signe. Je suis toujours prêt à filer un coup de pouce à deux mecs malins dans votre genre.

Comme l'avait dit Ben, Billings avait toujours eu le don pour leur taper sur les nerfs. Refusant de céder à l'irritation, Ed s'assit sur le coin de son bureau.

— Chouette installation.

Plus encore que de jouer les espions high-tech, Billings adorait se vanter.

— T'as pas idée. J'ai cinq bureaux à cet étage et j'envisage d'ouvrir une nouvelle branche. Que ce soit entre politiciens, entre amis ou entre voisins, il y a toujours quelqu'un prêt à sortir le chéquier pour prendre l'avantage sur les autres.

— Drôle de métier, Billings.

Celui-ci se contenta d'un grand sourire à l'intention de Ben. Il s'était récemment fait refaire les dents pour plusieurs milliers de dollars et ses quenottes s'alignaient comme autant de soldats au garde-à-vous.

— Ouais, hein ? Alors, que viennent faire ici deux des meilleurs éléments du service ? Vous voulez que je découvre qui fait mumuse avec le préfet quand sa femme part en voyage ?

— Peut-être une autre fois, répondit Ed.

— Je te ferai un prix, Jackson.

— Je garderai ça à l'esprit. D'ici là, j'aimerais te raconter une petite histoire.

— Je t'écoute.

— Disons qu'on a un fouineur. Un mec malin mais au cerveau bizarrement câblé. Il aime écouter les autres. J'imagine que tu vois le genre.

— Bien sûr, répondit Billings en se calant contre le dossier de son fauteuil sur mesure.

— Il aime écouter les femmes, poursuivit Ben. Les écouter parler de sexe, mais sans leur répondre. Et un jour, il tombe sur une mine d'or : un téléphone rose. Ça lui permet de s'asseoir tranquillement et d'épier les conversations jusqu'à tomber sur la voix qui l'excite et l'écouter pendant des heures tandis qu'elle s'adresse à d'autres hommes. Est-ce qu'il pourrait faire ça, d'après toi, sans que l'autre mec ou que la femme soient au courant ?

— Avec le bon équipement, il peut espionner n'importe quelle discussion. J'ai des trucs en stock qui pourraient vous connecter à tout le pays, d'ici à la Côte Ouest. Mais ça coûte bonbon.

Billings était intéressé. Tout ce qui avait un rapport avec l'espionnage l'intéressait. Il serait volontiers devenu un espion s'il avait pu trouver un gouvernement susceptible de lui faire confiance.

— Sur quel genre d'affaire vous bossez, les mecs ?

Ben saisit une pyramide de cristal sur le bureau de Billings et la fit tournoyer entre ses doigts.

— Poussons un peu plus loin notre histoire, dit-il. Et si notre fouineur voulait retrouver l'une de ces femmes ? Il ne connaît ni son nom, ni son adresse, ni son apparence, mais il veut la rencontrer en chair et en os et n'a que sa voix et ses écoutes illégales. Est-ce qu'il peut la trouver ?

— Il est intelligent ?

— À toi de me le dire.

— S'il a un cerveau et un bon PC, le monde est à ses pieds. Donne-moi ton numéro de téléphone, Paris. (Billings se tourna vers sa station de travail pour taper les chiffres que Ben lui dicta. La machine émit une série de bip.) Liste rouge, maugréa-t-il. Ce qui ne fait qu'épicer le défi. (Ben alluma une cigarette. Il n'en avait pas fumé la moitié que son adresse s'afficha à l'écran.) Ça te dit quelque chose ? s'amusa Billings.

— N'importe qui peut faire ça ? demanda Ben.

— N'importe quel hacker s'y connaissant un peu. Soyons clairs : avec cet ordi et un peu d'imagination, je peux découvrir tout ce que je veux. Donnez-moi une minute de plus... (Il se remit au travail en se servant du nom et de l'adresse de Ben.) Ton compte en banque est un peu à sec, Paris. À ta place, je n'achèterais rien au-dessus de cinquante-cinq dollars. (Il s'écarta de nouveau du moniteur.) Un vrai bon fouineur doit s'armer de patience et de talent en plus du matériel adéquat.

Encore une ou deux heures sur la machine et je pourrais te donner la pointure de ta mère.

Ben éteignit sa cigarette.

— Si on te connectait à la ligne qui nous sert d'appât, tu pourrais identifier notre fouineur ?

Billings sourit en songeant qu'il avait bien fait de leur ouvrir sa porte.

— Par respect pour un vieux copain comme toi – et pour un forfait raisonnable – je te dirai même ce qu'il a pris au petit-déj.

— Je suis vraiment navrée de vous déranger, sénateur, mais Mme Hayden est en ligne. Elle dit que c'est important.

Hayden n'interrompit pas sa relecture du discours révisé qu'il donnerait dans l'après-midi au cocktail de la Ligue des électrices.

— Quelle ligne, Susan ?

— La trois.

Hayden appuya sur la touche concernée tout en gardant le combiné coincé contre son épaule.

— Oui, Claire ? Je suis un peu pris par le temps.

— Charlton, c'est Jerald.

Au terme de vingt ans de mariage, Hayden connaissait assez bien sa femme pour savoir quand elle était véritablement alarmée.

— Qu'est-ce qu'il y a ?

— Je viens de recevoir un appel de son lycée. Il a été impliqué dans une bagarre.

— Une bagarre ? Jerald ? (Avec un petit rire moqueur, Hayden reprit la lecture de son discours.) Ne sois pas ridicule.

— Charlton, c'est le doyen Wight en personne qui m'a téléphoné. Jerald s'est battu à coups de poing avec un autre élève.

— Claire, non seulement j'ai du mal à le croire étant donné le tempérament de Jerald, mais c'est assez agaçant d'être dérangé simplement parce qu'un autre garçon et lui ont eu je ne sais quelle petite querelle. Nous en parlerons quand je rentrerai à la maison.

— Charlton ! (Le ton tranchant dans la voix de sa femme empêcha Hayden de raccrocher.) D'après Wight, dit-elle, ça n'avait rien d'une petite querelle. L'autre garçon... a été transporté à l'hôpital.

— Ridicule, répliqua Hayden en reposant néanmoins son texte. Si tu veux mon avis, ils font tout un plat de quelques bleus et égratignures.

— Charlton... répondit Claire, l'estomac noué. Ils disent que Jerald a essayé de l'étrangler.

Vingt minutes plus tard, Hayden se tenait assis, droit comme un i, dans le bureau du doyen Wight. Assis à côté de lui, Jerald avait les yeux baissés et la mâchoire serrée. Sa chemise blanche était froissée et salie, mais il avait pris le temps de remettre d'aplomb sa cravate. Les griffures sur son visage s'accompagnaient désormais d'hématomes allant s'assombrissant. Les articulations de ses doigts étaient raidies et gonflées.

Un regard à son fils avait confirmé l'opinion de Hayden : l'incident n'était rien de plus qu'une petite bagarre. Naturellement, Jerald en subirait les conséquences. Un sermon et une réduction de ses privilèges pendant quelque temps. Quoi qu'il en soit, Hayden était déjà en train de définir la position qu'il adopterait publiquement si l'information se répandait dans la presse.

— J'espère que nous allons pouvoir rapidement régler cette affaire, dit-il.

Wight faillit soupirer. Il n'était plus qu'à deux ans de la retraite et de la pension généreuse qu'elle lui promettait. Durant ses vingt années passées à St. James, il avait fait cours mais aussi sermonné et sanctionné les fils des riches et des privilégiés. Nombre de ses anciens étudiants étaient eux-mêmes devenus des personnages publics par la suite. S'il y avait une chose qu'il savait à propos de ceux qui lui confiaient leurs héritiers, c'était qu'ils n'aimaient guère la critique.

— J'ai conscience que votre agenda doit être bien rempli, sénateur Hayden. Je n'aurais pas demandé à vous rencontrer si je n'estimais pas cela préférable pour tous.

— Je n'ai aucun doute sur le fait que vous connaissez votre métier, doyen Wight. Sans quoi Jerald ne serait pas chez vous. Cependant, je me vois contraint de dire que l'on fait ici grand cas d'une histoire qui ne le mérite pas. Il est évident que je n'approuve pas le fait que mon fils se soit battu. (Il avait prononcé ces mots à l'intention directe du front baissé de Jerald.) Et je peux vous assurer que nous aborderons cet incident à la maison et qu'il y aura des conséquences, ajouta-t-il.

Wight rajusta ses lunettes. Un geste que Hayden et Jerald identifièrent comme un signe de nervosité. Hayden demeura patiemment assis ; Jerald sourit d'un air narquois.

— J'en suis certain, sénateur. Cependant, en tant que doyen, j'ai une responsabilité envers St.þJames et l'ensemble des étudiants. Je n'ai d'autre choix que de renvoyer Jerald, au moins provisoirement.

Du coin de l'œil, Jerald vit son père pincer les lèvres.

Le gros doyen va en prendre pour son grade, se dit-il.

— La sanction me semble plutôt extrême. J'ai fait une école préparatoire, moi aussi. Les bagarres étaient certainement réprouvées mais elles ne déclenchaient pas un renvoi.

— Il ne s'agissait pas d'un simple échange de coups, sénateur.

Wight avait vu le regard de Jerald alors qu'il avait refermé les mains sur le cou du jeune Lithgow. Et il avait eu peur, très peur. Même à présent, en scrutant le visage baissé du garçon, il se sentait mal à l'aise. Randolf Lithgow avait souffert de sérieuses blessures au visage. Quand M. Burns avait tenté de séparer les deux jeunes gens, Jerald l'avait agressé avec une férocité qui avait fait tomber le professeur. Il avait ensuite tenté d'étrangler un Lithgow à peine conscient jusqu'à ce que plusieurs élèves parviennent à le maîtriser.

Wight toussa au creux de son poing. Il avait conscience du pouvoir et de la fortune que possédait l'homme assis en face de lui. Il était fort probable que Hayden soit élu. Compter le fils du Président parmi les diplômés aurait été un superbe coup de pub pour St. James. C'était la seule et unique raison pour laquelle Wight n'avait pas immédiatement exclu Jerald.

— Durant les quatre années que Jerald a passées avec nous, nous n'avons jamais eu le moindre problème avec sa conduite ou son travail.

Naturellement, Hayden n'en attendait pas moins de son fils.

— Dans ce cas, il semble évident que Jerald a dû faire l'objet d'une terrible provocation.

— Peut-être... (Wight toussa de nouveau.) Même si la gravité de l'agression ne saurait être tolérée, nous sommes prêts à entendre la version des faits de Jerald avant de décider d'une action disciplinaire. Je vous assure, sénateur, que nous ne renvoyons pas nos étudiants à la légère.

— Et alors ?

— Jerald a refusé de s'expliquer.

Hayden réprima un soupir. Il payait plusieurs milliers de dollars par an pour qu'on s'occupe comme il se doit de son fils et voilà que cet homme n'avait même pas la capacité de soutirer des explications à un lycéen.

— Si vous voulez bien nous accorder quelques instants en tête à tête, doyen Wight ?

— Bien sûr.

Wight se leva, trop heureux de prendre ses distances avec le regard silencieux et glacial du fils du sénateur. La voix autoritaire de Hayden l'arrêta à la porte.

— Monsieur le doyen ? Je ne doute pas de pouvoir compter sur votre discrétion dans cette histoire.

Wight était on ne peut plus conscient des généreuses contributions que les Hayden avaient faites auprès de St.þJames durant les quatre années écoulées. Il savait également très bien avec quelle facilité la vie privée d'un candidat pouvait nuire à son existence politique.

— Ce qui se produit au sein du lycée ne quitte pas l'enceinte du lycée, sénateur, affirma-t-il.

Hayden se leva dès que Wight eut quitté la pièce. C'était un geste automatique, même profondément enraciné. Se lever renforçait simplement son autorité.

— Très bien, Jerald. Je suis prêt à entendre tes explications.

Jerald, les mains poliment posées sur les genoux comme on le lui avait appris, releva la tête vers son père. Il vit plus qu'un bel homme de grande taille et vigoureux. Il vit un roi, avec du sang sur sa lame et le manteau de la justice drapé sur ses épaules.

— Pourquoi tu ne lui as pas dit d'aller se faire foutre ? demanda-t-il d'une voix tranquille.

Hayden le dévisagea fixement. Il n'aurait pas été moins surpris si son fils s'était dressé pour le gifler.

— Je te demande pardon ?

— Ce que nous faisons ne le regarde pas, reprit Jerald sur le même ton raisonnable. Ce n'est qu'une petite fouine dodue qui reste assise derrière son bureau en se donnant des airs. Il ne sait rien de la réalité des choses. Il est insignifiant.

Le ton de Jerald était si poli, son sourire si sincère, que Hayden se surprit à rester coi.

— Le doyen Wight est à la tête de cet établissement et, aussi longtemps que tu seras scolarisé à St. James, il mérite ton respect.

Aussi longtemps qu'il serait scolarisé. Un mois de plus. Si son père préférait attendre quelques semaines avant de donner une leçon à Wight, Jerald saurait se montrer patient.

— Oui papa.

Soulagé, Hayden hocha la tête. De toute évidence, le garçon était profondément troublé, peut-être même avait-il subi un choc. Hayden aurait préféré ne pas se montrer insistant mais il fallait obtenir des réponses.

— Raconte-moi ce qui s'est passé avec Lithgow.

— Il m'a tapé sur les nerfs.

— Oui, de toute évidence. (Hayden se sentait à présent en terrain plus connu. Les adolescents étaient habités d'un excès d'énergie qu'ils évacuaient souvent en s'en prenant aux autres.) Dois-je comprendre que c'est lui qui a déclenché l'incident ?

— Il n'arrêtait pas de me provoquer. Il se comportait comme un crétin. (Impatient et agacé, Jerald se tortilla un instant sur son siège avant de reprendre le contrôle. Maîtrise. Son père exigeait une parfaite maîtrise de soi.) Je l'ai prévenu en lui disant de me laisser tranquille. Ça m'a paru de bonne guerre de l'avertir. (Jerald sourit à son père. Pour une raison qu'il n'aurait pas su définir, celui-ci sentit son sang se glacer.) Il m'a dit que si j'étais sans personne pour m'accompagner au bal de fin d'année, il avait une cousine avec un pied-bot. À ce moment-là, j'ai eu envie de le tuer, de lui éclater sa jolie petite tronche.

Hayden aurait aimé croire que c'était l'expression d'une colère adolescente, des paroles de jeune homme emporté. Mais il n'en était pas capable. Pas vraiment.

— Jerald, laisser parler ses poings n'est pas toujours la solution. Notre société offre un cadre, à nous d'agir dans ce cadre.

— C'est nous qui dirigeons la société !

Jerald avait brusquement redressé la tête. Et ses yeux ! Même son père vit qu'il avait le regard d'un sauvage, d'un fou. Puis il se reprit. Hayden put se convaincre – dut se convaincre – qu'il avait imaginé ce regard.

— Je lui ai dit. Je lui ai dit que je n'avais aucune envie d'aller à un bal de lycée guindé pour boire du punch et peloter une fille pendant trois secondes. Il s'est mis à rire. Il n'aurait pas dû se moquer de moi. Il a suggéré que peut-être je n'aimais pas les filles. (Avec un ricanement, Jerald essuya les postillons sur ses lèvres.) Et là j'ai su que j'allais le tuer. Je lui ai dit que je n'aimais pas les filles mais les femmes. Les vraies femmes. Et puis je l'ai frappé pour que le sang lui sorte du nez et éclabousse sa bouille de minet. Et je ne me suis pas arrêté de frapper. (Son père avait blêmi mais Jerald souriait toujours.) Je ne lui en voulais pas d'être jaloux mais il n'aurait pas dû se moquer de moi. Tu aurais été fier de la façon dont je l'ai puni pour s'être moqué.

— Jerald...

— J'aurais pu tous les tuer, continua Jerald. J'aurais pu mais je ne l'ai pas fait. Ça n'aurait pas valu le coup, n'est-ce pas ?

L'espace d'un terrible instant, Hayden eut l'impression d'être en face d'un inconnu. Mais non, il s'agissait de son fils, de son fils instruit et bien élevé.

C'est toute cette agitation, se dit-il comme pour se rassurer. Ce n'était que le résultat de la tension de cette journée.

— Jerald, je n'approuve pas le fait que tu aies perdu ton sang-froid, mais cela nous arrive à tous. Je comprends également que lorsque nous sommes provoqués, nous pouvons dire et faire des choses qui ne nous ressemblent pas.

Un sourire presque affectueux se dessina sur les lèvres de Jerald. Il aimait la voix d'orateur de son père.

— Oui papa.

— Wight a dit que tu avais tenté d'étrangler l'autre garçon ?

— Vraiment ? (Le regard de Jerald demeura vide pendant une seconde avant qu'il hausse les épaules.) Cela dit, c'est la meilleure manière de faire.

Hayden s'aperçut qu'il transpirait ; ses aisselles étaient ruisselantes de sueur. Avait-il peur ? C'était ridicule : il était le père du garçon. Il n'avait aucune raison de craindre quoi que ce soit. Mais un filet de transpiration s'écoulait le long de son échine.

— Je te ramène à la maison.

Une petite crise de nerfs, songea-t-il en escortant Jerald hors du bureau.

Son fils avait travaillé trop dur. Il avait seulement besoin de repos.

Grace soupira quand le téléphone sonna. Pour la première fois de la journée, elle avait réussi à se remettre au travail. À sérieusement travailler. Pendant des heures, elle s'était immergée dans son imagination et avait produit quelque chose qui la satisfaisait vraiment.

Secrètement, elle avait eu très peur de ne plus jamais pouvoir écrire. En tout cas pas à propos de meurtres ou de victimes. Mais c'était revenu, difficilement au départ puis de façon de plus en plus fluide. Le scénario, l'acte d'écrire, le monde qu'elle créait n'avaient rien à voir avec Kathleen et tout à voir avec elle-même. Encore une heure, peut-être deux, et elle aurait assez de matière pour envoyer à New York de quoi apaiser la nervosité grandissante de son éditeur.

Mais voilà que le téléphone sonnait et la ramenait à la réalité. Et au destin de Kathleen.

Grace répondit et nota le numéro. Après avoir extrait une cigarette de son paquet, elle décrocha son combiné.

— Appel en PCV de la part de Desiree.

Elle attendit que l'appel ait été accepté et que l'opératrice ait raccroché.

— Bonsoir Mike, que puis-je faire pour vous ?

Sacrée manière de passer la soirée, se dit-elle quelques minutes plus tard.

Ed était en bas, occupé à jouer aux cartes avec Ben, tandis qu'elle endossait le rôle d'une jeune paysanne face à un chevalier noir du nom de Michael.

Inoffensif. La plupart des hommes qui téléphonaient n'auraient pas fait de mal à une mouche.

Ils se sentaient seuls, étaient en quête d'un peu de compagnie.

Ils étaient prudents et préféraient une forme de sexe virtuelle, sans risque.

Ils étaient tendus, stressés par leur vie familiale et professionnelle, et estimaient qu'un coup de fil revenait moins cher que d'embaucher une prostituée ou un psychiatre.

C'était une façon simple de voir les choses. Mais Grace savait, mieux que la plupart des gens, que ce n'était pas si simple.

La reproduction du portrait-robot du dessinateur de la police était posée sur sa table de nuit. Combien de fois l'avait-elle scruté ? Combien de fois l'avait-elle observé en tâchant d'y apercevoir... quelque chose ?

Les meurtriers, les violeurs, auraient dû paraître différents des autres hommes au sein de la société. Et pourtant ils avaient le même aspect normal, ordinaire. C'était terrifiant. Elle aurait pu les croiser dans la rue, se tenir près d'eux dans un ascenseur, leur serrer la main lors d'un cocktail sans jamais savoir.

Le reconnaîtrait-elle quand elle l'entendrait ? Sa voix serait aussi banale, aussi inoffensive, que celle de Michael le chevalier noir. Et pourtant, elle était persuadée qu'elle saurait. Elle saisit le portrait pour l'étudier de nouveau. La voix correspondrait et elle l'associerait au dessin de son visage.

À l'extérieur, Ben traversa la rue jusqu'à une camionnette d'apparence ordinaire. Ed lui avait déjà piqué douze dollars cinquante au gin rami et il estimait qu'il était temps de voir où en était Billings. Il ouvrit la porte latérale. Billings releva la tête et le salua.

— C'est incroyable ce truc, ricana-t-il pour lui-même. Franchement, incroyable avec un i majuscule. Tu veux écouter ?

— T'es un malade, Billings.

L'interpellé se contenta de sourire en ouvrant la coque d'une cacahuète.

— Cette dame sait se servir de son téléphone, mon pote. Je suis obligé de te remercier de me l'avoir présentée. Pour tout dire, je suis tenté de l'appeler directement.

— Pourquoi pas, après tout ? J'adorerais voir Ed t'arracher les bras pour te tabasser avec.

Mais c'était précisément pour éviter qu'une telle chose n'arrive que Ben s'était déplacé jusqu'à la camionnette.

— À part te pignoler, tu fais quelque chose d'utile de l'argent de nos impôts ?

— Calmos, Paris. Je te rappelle que c'est vous qui êtes venus me chercher, répliqua Billings en avalant sa cacahuète. Ah ouais… Elle l'a vraiment excité, celui-là. Il est sur le point de… (Billings s'interrompit brusquement. Une main pressée contre son casque, il se mit à manipuler les cadrans des appareils en face de lui.) Attends. On dirait que quelqu'un cherche à s'incruster.

Ben se rapprocha jusqu'à se pencher par-dessus l'épaule de son ancien collègue.

— Tu l'as ?

— Possible. Pas sûr. Un petit clic, un petit pic électrique. Regarde l'aiguille. Ouais, ouais, il est là. (Billings actionna plusieurs interrupteurs en ricanant.) On a droit à un petit *ménage à trois*[1].

— Tu peux remonter jusqu'à la source ?

— Est-ce que le pape peut réciter une prière ? Merde, c'est un malin. Un putain de petit malin. Il s'est muni d'un brouilleur. Purée !

— Quoi ?

— Elle a raccroché. J'imagine que les trois minutes du mec étaient écoulées.

— T'as remonté sa piste ou pas ?

— Je peux pas faire ça en trente secondes, bon Dieu ! On va devoir attendre pour voir s'il revient. (Billings plongea de nouveau la main dans son sachet de cacahuètes.) Tu sais, Paris, si ce type fait ce que vous le soupçonnez de faire, il n'est

---

1. En français dans le texte. (*N.d.T.*)

pas stupide. Non, mec, il est malin, très malin. À mon avis, il a un équipement top niveau et il sait s'en servir. Il va couvrir ses traces.

— T'es en train de me dire que tu ne seras pas en mesure de le coincer ?

— Non, je te dis qu'il est doué. Vraiment doué. Mais pas autant que moi... Ça y est, le téléphone sonne.

Jerald n'arrivait pas à le croire. Il avait les mains moites. C'était un miracle et il en était à l'origine. Il n'avait jamais cessé de penser à elle, de la désirer. Et voilà qu'elle était de retour, rien que pour lui. Desiree était revenue. Et elle l'attendait.

Pris de vertige, il remit ses écouteurs et se connecta de nouveau.

Cette voix. La voix de Desiree. Le simple fait de l'entendre lui mettait les nerfs à fleur de peau. Il transpirait, devenait fébrile. C'était la seule à pouvoir lui faire un tel effet. L'emmener jusqu'à l'extrême limite. Le pouvoir était en elle exactement comme il était en lui. Fermant les yeux, il le laissa l'inonder, le soulever, l'emporter.

Elle était de retour. Elle était revenue pour lui parce qu'il était le meilleur.

Oui, tout était en train de prendre forme. Il avait eu raison de laisser tomber le masque en montrant à ces couilles molles de l'école de quelle étoffe il était réellement fait. Desiree était revenue. Elle avait envie de lui. Elle voulait qu'il entre en elle, qu'il lui procure l'ultime frisson.

Il pouvait presque la sentir sous lui, en train de ruer et de hurler, de le supplier de la tuer. Elle était revenue pour lui montrer qu'il régnait non seulement sur la vie mais aussi sur la mort. C'était lui qui l'avait ramenée. Lorsqu'il la rejoindrait cette fois, ce serait encore meilleur qu'avant. L'apothéose.

Les autres n'avaient été qu'un test, c'était clair à présent. Elles n'avaient été là que pour lui démontrer à quel point Desiree et lui étaient faits l'un pour l'autre. Et maintenant elle s'adressait de nouveau à lui et lui promettait d'être sienne pour l'éternité.

Il allait devoir la rejoindre. Mais pas ce soir. Il devrait d'abord se préparer.

— Il s'est barré ! s'exclama Billings avant de triturer ses boutons en jurant. Ce petit salopard s'est barré. Reviens, allez reviens, je te tenais presque…

— Donne-moi déjà ce que tu as, Billings.

Sans cesser de jurer, l'ex-flic sortit un plan de la ville. Ses écouteurs toujours en place, il traça quatre lignes rouges pour former un rectangle de six pâtés de maisons.

— Il est dans ce secteur-là. Impossible d'être plus précis sans le choper de nouveau. Purée, pas étonnant qu'il se soit tiré, l'autre mec est en train de pleurnicher comme un bébé !

— Reste dessus.

Ben glissa la carte dans sa poche et sauta hors de la camionnette. Ce n'était pas suffisant mais c'était plus que ce dont ils disposaient une heure plus tôt. Il frappa à la porte d'entrée et se précipita à l'intérieur quand Ed lui ouvrit.

— On a réduit le champ de recherche à un groupe d'à peu près six pâtés de maisons.

Après avoir jeté un coup d'œil vers l'étage, Ben s'avança dans le salon pour étaler le plan sur la table basse. Perché sur le rebord du canapé, Ed se pencha pour regarder.

— C'est dans un quartier chic.

— Ouais. Le grand-père de Tess habite là-bas. (Du bout du doigt, Ben désigna un endroit tout près du secteur en question.) Et l'adresse de Morgan Washington, le membre du Congrès que nous avons interrogé, est juste à côté.

Son doigt retourna à l'intérieur du rectangle rouge.

— L'utilisation de sa carte de crédit pour les fleurs n'était peut-être pas une coïncidence, murmura Ed. Peut-être que notre suspect le connaît. Lui ou ses enfants.

Ben se saisit d'un verre de Pepsi posé sur la table.

— Le fils de Morgan a le bon âge, dit-il.

— Son alibi tient la route et la description ne lui correspond pas.

— Ouais, mais je me demande ce qu'il pourrait nous dire si on lui demandait de regarder attentivement le portrait-robot.

— C'est quoi l'école que fréquente le fils de Morgan ? St. James, non ?

— Un lycée privé huppé. Réservé à la crème de la crème et très conservateur.

Ed se souvint de la coupe de cheveux du portrait. Il se leva et sortit son carnet.

— Je les appelle.

Ben se rapprocha de la fenêtre. La camionnette était visible de l'autre côté de la rue. À l'intérieur, Billings devait être en train de gober des cacahuètes et, avec un peu de chance, de réduire encore le champ de leurs recherches. Ils n'avaient plus beaucoup de temps. Il le sentait. Il allait se passer quelque chose, et très bientôt. Si ça tournait mal, Grace allait se retrouver prise entre le marteau et l'enclume.

D'un regard par-dessus son épaule, il vit Ed qui parlait au téléphone. Il savait ce que l'on ressentait, la peur et la frustration de voir la femme que l'on aimait au cœur d'événements impossibles à contrôler. On essayait d'agir en flic, en bon flic, mais conserver son objectivité dans une telle situation était aussi difficile que de se cramponner à une corde humide. On perdait vite prise.

— La mère de Morgan est décédée ce matin, déclara Ed après avoir raccroché. La famille ne sera pas de retour avant deux jours. (Ed lut dans les yeux de Ben le reflet de ce que lui-même ressentait dans ses tripes. Ils ne pourraient pas attendre deux jours.) Je veux mettre Grace à l'abri.

— Je sais.

— Merde, elle n'aurait jamais dû se mettre en danger de cette façon ! Elle ne devrait même pas être ici. Elle aurait dû retourner dans son grand appartement new-yorkais. Plus longtemps elle restera...

— Plus ce sera dur de la voir partir, termina Ben à sa place. Elle ne partira peut-être pas, Ed.

Inutile d'espérer échapper au regard de son partenaire, comprit ce dernier.

— Je l'aime assez pour que ce soit plus facile de la savoir loin et en sécurité plutôt qu'ici avec moi.

Ben s'assit sur l'accoudoir du canapé et sortit une cigarette. La dix-huitième de la journée. Satané Ed qui lui avait inculqué l'habitude de compter.

— Tu sais, il y a un truc que j'ai toujours admiré chez toi. Non, pas tes talents en matière de bras de fer. Tu es super fort pour cerner les gens, Ed. En général, il ne te faut pas plus de dix minutes pour comprendre l'essentiel. Donc je me dis que tu sais déjà que Grace ne bougera pas d'un pouce.

— Peut-être qu'elle a besoin qu'on la bouscule un peu plus, rétorqua Ed en fourrant ses grandes mains au fond de ses poches.

— Il y a quelques mois, j'ai sérieusement envisagé de mettre les menottes à Tess et de la faire escorter à l'écart. N'importe où tant que c'était loin d'ici, raconta Ben, le regard braqué sur l'extrémité de sa cigarette. En y repensant, je vois les choses un peu plus clairement. Ça n'aurait pas marché. C'est sa nature même qui la rendait si déterminée à faire ce qu'elle faisait. Ça m'a foutu la trouille et ça m'a rendu très désagréable envers elle.

— Peut-être que si tu t'étais montré plus véhément, tu n'aurais pas failli la perdre, répliqua Ed. (Il se détesta immédiatement d'avoir dit ça.) C'était déplacé. Excuse-moi.

Face à n'importe qui d'autre, Ben aurait laissé sa colère s'exprimer librement. Mais parce qu'il s'agissait d'Ed, il la ravala.

— Ce n'est pas comme si je ne m'étais pas posé la même question quelques centaines de fois. Je n'ai pas oublié ce que j'ai ressenti en apprenant qu'il la tenait. Jamais je ne l'oublierai. (Il écrasa sa cigarette puis se leva pour faire les cent pas.) Tu voudrais garder Grace complètement à l'écart de cette partie de ta vie, séparer totalement les deux. Tu ne veux pas qu'elle soit touchée, souillée par la merde dans laquelle tu patauges jour après jour. Les meurtres commandités par les gangs, les explosions domestiques, les prostituées et leurs maquereaux. Laisse-moi te dire une chose : ça ne marchera jamais. Parce que quel que soit le métier qu'on exerce, on en rapporte toujours un peu avec soi à la maison.

— Ce qu'on rapporte n'a pas à mettre les autres en danger.

Ben se passa une main dans les cheveux.

— C'est vrai. Mais elle est impliquée dans cette affaire. Franchement, je sais ce que tu traverses et je déteste ça. Pas seulement pour toi mais aussi pour moi, parce que ça me rappelle tout ce qui s'est passé. Mais on ne peut pas nier qu'elle l'a hameçonné et qu'elle est en train de nous le ramener. Tu auras beau souhaiter qu'il en soit autrement, c'est bel et bien elle qui va coincer ce type.

— J'y compte bien, lança Grace depuis le seuil. (Les deux hommes se tournèrent vers elle mais elle ne regarda qu'Ed.) Désolée. Le temps que je comprenne qu'il s'agissait d'une conversation personnelle, j'en avais déjà trop entendu. J'allais me chercher du café mais, avant ça, j'aimerais mettre mon grain de sel. Sachez que je finis ce que j'ai commencé. Toujours.

Comme elle se dirigeait vers la cuisine, Ben récupéra sa veste.

— Écoute, je vais sortir dire à Billings qu'on s'arrête pour ce soir.

— Ouais. Merci.

— On se retrouve demain matin. (Il se dirigea vers la porte puis s'arrêta.) Je te dirais bien d'y aller mollo mais je vais m'abstenir. Si je devais en repasser par là, je referais exactement la même chose.

Grace entendit la porte se refermer. Quelques minutes plus tard, le pas d'Ed résonna en direction de la cuisine. Immédiatement, elle posa les mains sur la cafetière qu'elle s'était jusque-là contentée de regarder fixement sans bouger.

— Je ne sais vraiment pas pourquoi Kathleen ne s'est pas acheté un micro-ondes. À chaque fois que je dois cuire un truc, j'ai l'impression d'être repartie à l'époque des pionniers. Je pensais préparer une pizza surgelée. Tu as faim ?

— Non.

— Le café ne doit plus être bon, commenta-t-elle tout en s'emparant bruyamment de deux tasses dans le placard. Il doit y avoir du jus de fruits dans le frigo.

— Je n'ai besoin de rien. Et si tu t'asseyais et me laissais faire ?

— Arrête ! (Elle se retourna si vivement que l'une des tasses chuta et se brisa dans l'évier.) Bon sang ! Arrête de vouloir me border en me tapotant gentiment la tête. Je ne suis pas une gamine. Ça fait des années que je me débrouille toute seule, et avec succès. Je n'ai aucune envie que tu me prépares mon café ou quoi que ce soit d'autre !

— D'accord. (Elle voulait une dispute. Très bien. Il était lui-même plus que prêt.) Alors dis-moi un peu... De quoi tu as envie, en fait ?

— Je veux que tu me lâches, que tu me laisses respirer. Je veux que tu arrêtes de me surveiller comme si j'allais m'étaler par terre à chaque pas que je fais.

— Ce serait facile si tu regardais où tu allais.

— Je sais ce que je fais et je n'ai pas besoin que tu me suives comme mon ombre en attendant que je trébuche. Je suis une femme capable et raisonnablement intelligente.

— Sans doute, quand tu ne portes pas d'œillères. Tu regardes droit devant, Grace, mais tu ne sais rien de ce qui se passe sur les côtés ou dans ton dos. Personne ne te lâchera, et surtout pas moi, avant que cette affaire soit terminée.

— Alors arrête de me culpabiliser parce que je fais la seule chose que je puisse faire.

— Qu'est-ce que tu voudrais ? Que je cesse de m'inquiéter pour toi, que je ne me soucie plus de ce qui pourrait t'arriver ? Tu penses que mes sentiments se désactivent sur commande ?

— Tu es un flic, répliqua-t-elle. Tu es censé rester objectif. Tu es censé vouloir l'appréhender quoi qu'il arrive.

— Oui, je veux qu'on l'arrête.

Elle vit l'expression d'Ed s'adoucir. Ce fut ce changement qui l'aida à comprendre jusqu'où il pouvait aller si on le poussait.

— Alors tu sais que ce que je fais pourrait nous le livrer sur un plateau d'argent. Réfléchis une minute, Ed. Peut-être qu'une autre femme est encore en vie ce soir parce qu'il s'est connecté sur ma ligne.

Il y croyait volontiers. Mais le problème était qu'il n'arrivait pas à oublier qu'il s'agissait de Grace.

— Ce serait mille fois plus facile pour moi si je n'étais pas amoureux de toi.

— Est-ce que ton amour ne peut pas t'aider à comprendre ?

Il aurait voulu se montrer raisonnable. Prendre du recul, redevenir l'homme logique et mesuré qu'il se savait être. Mais il n'était pas raisonnable.

Si cela ne prenait pas fin rapidement, il pourrait bien être changé à jamais. Soudain fatigué, il se massa les paupières du bout des doigts.

Six pâtés de maisons et un vague portrait. Il faudrait faire avec. Il allait mettre un terme à cette affaire. Soit il trouverait le moyen de la résoudre rapidement, soit il ferait en sorte que Grace soit dans un avion en partance pour New York dès le lendemain soir.

Il laissa retomber ses mains.

— Ton café va bouillir.

Ravalant un juron, Grace se retourna pour éteindre le feu. Elle tendit la main vers la poignée, se rata et se brûla l'extrémité de trois doigts.

— Non ! dit-elle immédiatement comme Ed s'avançait vers elle. Je me suis brûlée, je m'en occupe. (Avec un regard noir à son intention, elle plaça sa main sous le robinet d'eau froide.) Tu vois ? Je suis capable de gérer. Je n'ai pas besoin que tu embrasses mes petits bobos pour les faire s'envoler. (Elle ferma le robinet d'un mouvement brusque et s'immobilisa, le regard braqué sur ses doigts dégoulinants d'eau.) Je suis désolée... Mon Dieu, je suis vraiment désolée. Je me déteste quand je deviens affreuse comme ça.

— Tu vas me donner un coup de pied si je te propose de t'asseoir ?

Elle se dirigea vers la table en secouant la tête.

— Je devais déjà être sur les nerfs et quand je suis descendue et que je t'ai entendu discuter avec Ben, ça a ouvert les vannes. (Elle ramassa un torchon qu'elle entortilla sur lui-même.) Je ne sais pas comment gérer tes sentiments et les miens. Pour autant que je sache, personne n'a jamais ressenti de telles choses pour moi jusqu'à aujourd'hui.

— Tant mieux, dit-il.

Cette réponse lui arracha un petit rire. Elle trouva moins difficile de le regarder.

— Autant passer au niveau supérieur et t'avouer que je n'ai jamais ressenti pour aucun homme ceþque je ressens pour toi.

Un silence.

— Mais ? demanda Ed.

— Si je scénarisais cette situation, je trouverais le moyen de faire en sorte que ça marche. Le truc, c'est que j'ai envie de te dire ce que je ressens mais que j'ai peur que ça ne fasse que rendre les choses plus dures pour nous deux.

— Tente le coup.

— J'ai peur. (Elle ferma les yeux mais ne recula pas quand la main d'Ed chercha la sienne.) J'ai tellement peur. Quand j'étais en haut, en train de parler dans ce foutu téléphone, j'avais envie de raccrocher et de tout envoyer balader. Mais je n'ai pas pu. Je ne suis même plus très sûre que ce que je fais est bien. Je n'ai même plus ce confort-là. Mais je dois aller jusqu'au bout. C'est pire, bien pire, parce que tu me tires dans l'autre sens et que je ne veux pas te blesser.

— Tu voudrais que je te soutienne, que je te dise que tu fais ce qu'il faut faire. Je ne sais pas si je peux.

— Alors évite simplement de me dire que c'est la mauvaise chose à faire. Parce que si tu me le répètes suffisamment, je finirai par te croire.

Il examina leurs mains jointes. Celles de Grace étaient petites, délicates même, avec des ongles courts dénués de vernis. Une bague d'or et de diamant décorait son auriculaire.

— Tu es déjà allée camper ? demanda-t-il.

Un peu surprise, elle secoua la tête.

— Dans une tente ? Non. Je n'ai jamais compris comment les gens pouvaient s'éclater à dormir à même la terre.

— Je connais un endroit en Virginie occidentale. Il y a une rivière, beaucoup de rochers. Des fleurs sauvages. J'aimerais bien t'emmener là-bas.

Elle sourit. C'était sa manière à lui de faire la paix.

— Dans une tente ?

— Ouais.

— J'imagine qu'il ne faut pas compter sur un quelconque service en chambre.

— Je pourrais apporter une tasse de thé jusqu'à ton sac de couchage.

— D'accord. Ed ? (Elle retourna sa main, comme une offrande.) Tu veux bien m'embrasser les doigts pour chasser les bobos ?

15

— Tess, vous êtes superbe. (Claire Hayden effleura la joue de Tess avec la sienne puis s'assit à la petite table dans le coin de la salle du Mayflower.) Je vous suis reconnaissante de vous être ainsi libérée à la fin d'une de vos longues journées de travail, dit-elle.

Tess sourit en tâchant d'oublier ses pieds endoloris et le bon bain chaud dont elle rêvait.

— C'est toujours un plaisir de vous voir, Claire. Et à vous entendre, c'était important.

— Je réagis sans doute de manière un peu excessive, répondit Claire en ajustant sa veste de tailleur. (Elle leva la tête vers le serveur.) Je prendrai un martini dry, dit-elle. (Puis, se tournant vers Tess :) Deux ?

— Non, je vais me contenter d'un Perrier. (Tess remarqua que Claire jouait avec l'épaisse alliance passée à son annulaire.) Comment va Charlton, Claire ? Cela fait des mois que je ne vous ai vus ni l'un ni l'autre, excepté au journal télévisé. Ce doit être une période exaltante pour vous tous.

— Vous connaissez Charlton, il prend toujours les choses avec beaucoup de flegme. Quant à moi, je tâche de me préparer à la folie qui nous attend cet été. Sourires, discours et podiums inondés de soleil. Notre maison est déjà assiégée par la presse. (Elle eut un haussement d'épaules comme pour minimiser la gêne causée par les médias.) Cela fait partie du jeu, dit-elle. Vous savez, Charlton dit toujours que les problématiques sont plus importantes que le candidat, mais je m'interroge. S'il claque une porte, il y aura toujours vingt reporters prêts à dire qu'il a fait un scandale.

— Il n'est jamais simple de mener une existence publique. Être l'épouse du favori d'un parti peut être source de stress.

— Oh, ce n'est pas le problème. Je l'ai accepté depuis longtemps.

Elle s'interrompit tandis qu'on les servait. Elle ne boirait qu'un verre, aussi tentée soit-elle d'en commander un second. Il n'aurait pas fallu qu'un journaliste annonce que la femme du candidat était une obsédée de la bouteille.

— Je peux bien vous avouer que de temps en temps je me prends à souhaiter que nous puissions nous enfuir vers une petite ferme tranquille quelque part à la campagne, dit-elle en prenant une gorgée. Cela dit, je me lasserais sans doute très vite. J'adore Washington. J'adore être une épouse washingtonienne. Et je suis certaine que j'adorerais devenir première dame.

— Si mon grand-père a vu juste, vous ne tarderez pas à en avoir confirmation.

— Ce cher Jonathan. Comment va-t-il ?

Claire souriait de nouveau mais Tess ne put s'empêcher de lire l'ombre du stress dans son regard.

— Très bien, comme toujours. Il sera ravi d'apprendre que nous nous sommes retrouvées.

— J'ai bien peur que cette rencontre ne soit pas strictement amicale. Et ce n'est pas quelque chose que je souhaiterais vous voir discuter avec votre grand-père. Ni qui que ce soit d'autre.

— Très bien, Claire. Et si vous me disiez ce qui vous perturbe ?

— Tess, j'ai toujours eu beaucoup de respect pour votre réputation professionnelle et je sais pouvoir compter sur votre discrétion.

— Si vous me demandez de considérer tout ce que vous allez me dire comme protégé par le secret professionnel, je comprends.

— Oui, je savais que vous comprendriez. (Claire s'interrompit de nouveau pour boire puis fit courir son doigt le long du pied de son verre.) Comme je vous l'ai dit, ce n'est sans doute rien de grave. Charlton n'aimerait pas que j'en fasse une histoire mais je ne peux plus rester sans rien faire.

— Donc Charlton ne sait pas que vous êtes ici ?

— Non.

Claire releva de nouveau la tête. Son regard n'était plus simplement inquiet, il était franchement affolé.

— Je ne veux pas qu'il soit au courant. Pas encore. Vous devez imaginer l'énorme pression qu'il a sur les épaules pour être, eh bien, l'homme idéal. De nos jours, les gens ne veulent pas voir la moindre imperfection chez ceux qui les gouvernent. Une fois qu'un défaut est révélé, comme la presse s'échine tant à le faire, il est déformé, maximisé, jusqu'à devenir un problème qui éclipse tous les accomplissements d'un homme. Tess, vous savez les dégâts que des calomnies sur la vie de famille ou les relations privées d'un candidat peuvent causer à sa campagne.

— Mais vous ne m'avez pas fait venir ici pour me parler de la campagne de Charlton.

— Non...

Claire hésita. Une fois qu'elle aurait dit ce qu'elle avait sur le cœur, elle ne pourrait plus revenir en arrière. Vingt ans de sa vie, et cinq années supplémentaires de celle de son mari, pouvaient être suspendus à cette seule décision.

— C'est à propos de Jerald. Mon fils. J'ai peur qu'il... eh bien, j'ai l'impression que Jerald n'est plus lui-même ces derniers temps.

— Dans quel sens ?

— Il a toujours été un garçon discret, solitaire. Vous ne vous souvenez probablement pas de lui, bien qu'il ait souvent pris part à divers dîners et réceptions officielles avec nous.

Tess avait le souvenir d'un jeune homme mince qui se fondait dans le décor.

— J'ai bien peur de ne pas me souvenir très bien de lui.

— C'est souvent le cas. (Le sourire de façade de Claire disparut presque aussi vite qu'il était apparu. Les mains posées sur ses cuisses, elle plissait nerveusement le tissu de la nappe.) Il est très effacé. Intelligent. Jerald est un jeune garçon terriblement intelligent. Il fait partie des tout meilleurs élèves de sa promotion et reçoit régulièrement les félicitations du doyen depuis son entrée au lycée. Plusieurs excellentes universités privées l'ont accepté, même s'il va suivre la tradition et se rendre à Princeton. (Elle s'était mise à parler vite, trop vite, comme si elle était sur la pente descendante d'un grand huit et craignait de ne pas avoir assez de souffle pour aller jusqu'au bout.) J'ai bien peur qu'il passe plus de temps avec son ordinateur qu'avec les autres. Pour ma part, je ne comprends pas grand-chose à ces machines mais Jerald est un petit génie en la matière. Je peux dire en toute honnêteté que je n'ai jamais eu le moindre souci avec lui. Il n'a jamais été rebelle ou même grossier. Quand des amis me faisaient part de leur frustration face à leurs enfants adolescents, je ne pouvais que m'émerveiller que Jerald ait toujours été un garçon aussi calme et agréable. Peut-être pas très affectueux, mais facile à vivre.

— Le fils idéal ? murmura Tess.

Elle savait à quel point la « perfection » pouvait s'avérer trompeuse, combien de terrifiants défauts elle pouvait dissimuler.

— Oui, oui, exactement. Il est en admiration devant Charlton. Presque trop, si vous voyez ce que je veux dire. Parfois, cela me met un peu mal à l'aise mais c'est tellement gratifiant quand un garçon admire son père. Quoi qu'il en soit, nous n'avons jamais eu à faire face aux problèmes que tant de parents semblent rencontrer de nos jours. Aucun problème de drogues, d'expériences sexuelles ou d'insolence. Et puis, récemment…

— Prenez votre temps, Claire.

— Merci. (Claire reprit son verre et but pour humecter sa gorge desséchée.) Ces derniers mois, Jerald s'est mis à passer de plus en plus de temps seul. Tous les soirs, il s'enferme dans sa chambre. Je sais qu'il travaille très dur et j'ai même tenté de le persuader de ralentir un peu.

Il paraît tellement épuisé certains matins. Son humeur me semble instable. Étant moi-même très prise par l'élection et la campagne, j'ai pardonné ces sautes d'humeur. Je suis un peu à cran moi aussi.

— Vous lui avez parlé ?

— J'ai essayé. Peut-être pas autant qu'il aurait fallu. Je n'avais pas compris à quel point cela pouvait être difficile à gérer. Il y a quelque temps, il est revenu de la bibliothèque un soir et il était... Tess, il lui était arrivé quelque chose. Il était tout débraillé, avec des griffures sur le visage. Il me semblait évident qu'il s'était retrouvé impliqué dans une bagarre mais il a prétendu être tombé de vélo. Je n'ai pas insisté. Et maintenant je le regrette. J'ai même laissé son père croire à cette excuse alors que je savais que Jerald avait pris la voiture ce soir-là. Je me suis convaincue qu'il avait le droit au respect de sa vie privée et qu'étant un garçon instruit et bien élevé, il saurait éviter les ennuis. Mais il y a quelque chose... Quelque chose dans son regard, ces derniers jours.

— Claire, soupçonnez-vous Jerald de prendre de la drogue ?

— Je ne sais pas. (Pendant quelques secondes, elle s'autorisa le luxe de se couvrir le visage de ses mains.) Je ne sais pas, répéta-t-elle. Mais je sais que nous devons agir avant que les choses empirent. Pas plus tard qu'hier, Jerald a été mêlé à une rixe affreuse au lycée. Il a été renvoyé plusieurs jours. Tess, ils prétendent qu'il aurait essayé de tuer l'autre garçon... à mains nues. (Elle baissa les yeux vers ses propres mains. Son alliance lui renvoya un éclat lumineux.) Il n'avait jamais eu le moindre souci auparavant.

Un frisson glacé s'était emparé de Tess. Elle se força à déglutir avant de demander, sur un ton soigneusement neutre :

— Que dit Jerald à propos de cette bagarre ?

— Rien. En tout cas pas à moi. Je sais que Charlton s'est entretenu avec lui mais ni l'un ni l'autre ne m'en ont parlé. Charlton est soucieux. (Elle croisa brièvement le regard de Tess avant de reporter son attention sur le tissu de la nappe.) Il essaie de faire comme si tout allait bien mais je perçois son inquiétude. Je sais à quel point cela pourrait être néfaste si la presse en était informée et j'ai très peur des conséquences possibles pour sa campagne. Charlton insiste sur le fait que Jerald a simplement besoin de quelques jours pour se reposer et retrouver son calme. J'aimerais pouvoir le croire.

— Voudriez-vous que je parle à Jerald ?

Claire tendit la main pour prendre celle de Tess.

— Oui, répondit-elle. Vraiment. Je ne sais pas quoi faire d'autre. J'ai été meilleure épouse et meilleure partenaire que mère. On dirait que Jerald m'a échappé et je suis très inquiète pour lui. Il semble distant et presque suffisant, comme s'il savait quelque chose que tout le monde ignore. J'espère que s'il a l'occasion de parler à quelqu'un qui n'est pas de la famille – mais néanmoins de notre monde – il se livrera un peu plus.

— Je ferai de mon mieux, Claire.

— J'en suis certaine.

Randolf Lithgow détestait l'hôpital. Et il détestait Jerald Hayden de l'y avoir expédié. L'humiliation était pire que la douleur. Comment allait-il pouvoir retourner en cours et affronter le regard des autres après s'être fait casser la figure par l'avorton de la classe ? Ce petit con se prenait pour la vedette du campus sous prétexte que son père était candidat à l'élection présidentielle. Lithgow espérait que Charlton P. Hayden perdrait l'élection sans remporter un seul État. Il espérait qu'il perdrait de manière si lamentable qu'il serait obligé de fuir Washington en pleine nuit en emportant son fils dérangé avec lui.

S'agitant dans son lit, il se prit aussi à souhaiter que ce soit l'heure des visites. Il porta une paille à ses lèvres et parvint à déglutir même si sa gorge le brûlait encore horriblement. Une fois remis sur pied, il ferait payer ce geek à face de craie.

À la fois fébrile, apitoyé sur son sort et mort d'ennui, Lithgow fit défiler les chaînes de télévision à l'aide de la télécommande. Il n'était pas d'humeur à suivre le flash info de dix-huit heures. Il aurait droit à la même chose dans le cours d'actualités à son retour au lycée. Continuant à zapper, il tomba sur la rediffusion d'une sitcom. Une scène dont il connaissait déjà les dialogues par cœur. Avec un juron, il passa à la chaîne suivante. Encore des infos. Alors qu'il s'apprêtait à laisser tomber pour prendre un livre, le portrait-robot de l'agresseur de Mary Beth Morrison s'afficha à l'écran.

Il aurait pu ne pas s'y arrêter mais… les yeux. Les yeux du portrait lui firent étrécir les siens. C'était ceux qu'il avait vus au moment de perdre connaissance, au moment où Jerald resserraient les mains autour de son cou. Concentré, il se força à retrouver les détails que le dessinateur n'avait pas inclus. Avant qu'il puisse être sûr, absolument sûr de son fait, l'image fut remplacée par celle du journaliste. Excité, tout ennui oublié, Randolf chercha un autre bulletin d'informations. Le portrait passerait peut-être de nouveau à l'écran.

Et si cela se produisait, il avait une idée très claire de ce qu'il ferait.

— Des voitures de patrouille vont quadriller la zone pendant toute la nuit. (Ben referma le dossier. Ed scrutait toujours le plan, comme s'il espérait qu'un élément lui sauterait soudain aux yeux.) S'il sort, il y a de bonnes chances pour qu'on le repère, ajouta Ben.

— Ou qu'il nous échappe, répliqua Ed. (Il tourna la tête vers l'entrée. À l'étage, Grace terminait sa troisième nuit dans son rôle d'appât.) À ton avis, on est passés combien de fois dans le secteur, à pied ou en voiture ?

— J'ai perdu le compte. Écoute, je continue à penser que le lycée est une bonne piste. Wight n'a peut-être pas reconnu le portrait-robot, mais il était nerveux.

— Les gens deviennent nerveux quand les flics viennent leur poser des questions.

— Ouais, mais j'ai l'intuition qu'il va y avoir un déclic quand Lowenstein aura terminé de faire circuler le portrait parmi les étudiants.

— Peut-être. Mais ça lui laisse encore ce soir et un paquet d'heures demain.

— Attends. Nous sommes tous les deux dans la maison. Billings est à l'extérieur et une patrouille passe tous les quarts d'heure. Elle est plus en sécurité ici que si on l'avait mise en cellule.

— J'ai réfléchi au profil psychiatrique que Tess a dressé. Je me demande pourquoi je n'arrive pas à penser comme lui.

— Peut-être parce qu'il lui manque une case.

— C'est pas ça. Tu sais comment ça se passe quand on se rapproche d'un suspect de ce genre. Aussi malade, aussi dérangé soit-il, on commence à réfléchir comme lui, à anticiper ses actes.

— Et c'est ce qu'on fait. C'est pour ça qu'on va le coincer.

— Mais on ne tombe pas tout à fait juste. (Ed se massa brièvement les paupières. Ses yeux avaient commencé à lui faire mal dès le milieu d'après-midi.) Et à mon avis, c'est parce que c'est un gamin. Plus j'y pense, plus j'en suis certain. Pas seulement à cause du témoignage de Morrison. Les jeunes ne pensent pas comme les adultes. Je me dis souvent que c'est pour ça qu'on envoie les gamins faire la guerre, parce qu'ils n'ont pas encore été confrontés à leur propre mortalité. C'est le genre de choses qui ne se produit pas avant la vingtaine.

Ben repensa à son frère.

— Certains gamins sont déjà adultes à seize ans.

— Pas celui-ci. Toutes les conclusions de Tess conduisent à un individu psychotique mais aussi immature.

— Donc il faudrait qu'on réfléchisse comme un petit jeune ?

Ed se mit à faire les cent pas, en essayant de s'identifier au meurtrier.

— Il aura sans doute boudé depuis son agression ratée contre Morrison. Rappelle-toi ce qu'elle a dit : il geignait comme un gamin qui a cassé son jouet préféré. Que fait un sale petit morveux qui a cassé son jouet ?

— Il casse celui de quelqu'un d'autre ?

— Dans le mille ! s'exclama Ed en se tournant vers lui. Ben, tu feras un père formidable.

— Merci. Mais bon, les viols et tentatives de viol qui sont survenus depuis Morrison ne correspondent pas.

— Je sais.

N'avait-il pas déjà lu le moindre mot du moindre rapport dans l'espoir de trouver un lien ?

— Peut-être qu'il ne s'est pas attaqué à une autre femme. Ça ne veut pas dire qu'il n'a pas agressé quelqu'un d'autre. Quand un violeur n'arrive pas à ses fins, sa frustration et sa colère ne font qu'augmenter. Et c'est un ado. Il faut bien qu'il se défoule sur quelqu'un.

— Donc tu te dis qu'il était prêt à en découdre, qu'il a cherché une occasion de se battre avec un autre gamin ?

— Je pense qu'il a dû s'en prendre à quelqu'un de plus faible, ou perçu comme tel. Et encore mieux si c'était quelqu'un qu'il connaissait.

— On peut aller consulter les arrestations pour agression des deux derniers jours.

— Et les hôpitaux. Je doute qu'il se satisferait d'une simple bousculade.

Ben le gratifia d'un grand sourire.

— Tu sais quoi ? Tu commences à penser comme Tess. Et c'est pour ça que je t'aime… C'est sûrement elle, dit-il en entendant le téléphone sonner. Je lui ai dit d'appeler quand elle arriverait à la maison.

— Dis-lui de se supplémenter en calcium.

Ed se replongea dans le dossier. Mais le ton de Ben lui fit abandonner sa lecture.

— Quand ? Tu as une adresse ? Venez nous remplacer, Renockie et toi, on s'en occupe. Écoute, Lowenstein, je me fous de savoir qui... *Qui ça ?* Bon Dieu. (Ben se passa une main sur le visage en tâchant de réfléchir posément.) Appelez le juge Meiter, c'est un républicain. Non, je ne plaisante pas. Je veux un mandat signé d'ici une heure, sinon tant pis, on fera sans. (Il raccrocha. S'il avait pu se le permettre, il aurait vidé un bon shot de vodka.) Une identification du portrait-robot. Un ado soigné à Georgetown a désigné un camarade de classe qui a tenté de l'étrangler. Un lycéen en dernière année à St. James. Le capitaine envoie quelqu'un pour obtenir un témoignage écrit.

— On a un nom ?

— Le gamin au téléphone a identifié notre homme comme étant Jerald Hayden. Et il habite en plein milieu du secteur délimité par Billings.

— Alors allons-y.

— Ce coup-là, il va falloir passer par les canaux officiels, mon vieux.

— Rien à foutre des canaux officiels !

Ben ne prit pas la peine de rappeler à Ed que d'habitude c'était lui qui insistait pour faire les choses dans les règles.

— Le gamin est le fils de Charlton P. Hayden, l'homme du peuple.

Ed le dévisagea pendant plusieurs secondes.

— Je monte chercher Grace, dit-il finalement.

Ben eut à peine le temps de hocher la tête avant que le téléphone sonne de nouveau.

— Paris ?

— Ben, excuse-moi de t'interrompre.

— Désolé, Doc, je dois laisser cette ligne libre.

— Je ferai vite. Je pense que c'est peut-être important.

Après un coup d'œil à sa montre, Ben se dit que Lowenstein avait encore cinquante-huit minutes pour lui obtenir son mandat.

— Vas-y.

— Ce que je vais te dire m'oblige à flirter avec les limites de la confidentialité que je dois à mes patients… (À vrai dire, elle avait passé un moment à négocier avec elle-même avant de se décider à décrocher le téléphone.) J'ai eu un entretien avec une femme aujourd'hui, quelqu'un que je connais. Elle s'inquiète pour son fils. Il a, semble-t-il, été mêlé à un incident grave à son école hier : il a failli étrangler un autre garçon. Ben, beaucoup des détails qu'elle m'a donnés correspondent au profil de votre tueur en série.

— Il a cassé le jouet de quelqu'un d'autre, murmura Ben. Donne-moi un nom, Doc. (Un silence. Il l'imagina assise à son bureau, se débattant avec son serment et sa conscience.) On va faire autrement, reprit-il. Dis-moi simplement si ce nom te paraît familier : Jerald Hayden.

— Mon Dieu !

— Tess, j'ai besoin d'un levier. On travaille déjà à obtenir un mandat. Un appel de ta part accélérerait les choses.

— Ben, j'ai accepté de voir ce garçon en tant que patient.

Inutile de s'emporter contre elle, se dit-il. Elle ne pouvait pas s'en empêcher.

— Alors tu peux considérer qu'il est de son intérêt que nous puissions l'amener au poste rapidement. Et vivant. Contacte Harris, Tess. Dis-lui ce que tu m'as dit.

— Fais attention. Il est beaucoup plus dangereux à présent.

— Je vous retrouve tout à l'heure, Junior et toi. Je vous adore.

Ben reposa le combiné alors même qu'Ed entrait dans la pièce avec Grace.

— Ed dit que vous l'avez identifié ?

— Ouais. Prête à prendre votre retraite en tant qu'amante téléphonique ?

— Le plus tôt sera le mieux. Combien de temps avant que vous l'appréhendiez ?

— On est en train d'obtenir un mandat. Vous êtes un peu pâle, Grace. Vous voulez un brandy ?

— Non, merci.

Ben sortit une cigarette, l'alluma et la tendit à Grace.

— C'était Tess au téléphone, expliqua-t-il. Washington est une petite ville. Elle a parlé à la mère de Jerald Hayden dans la journée. Cette dame pense que son fils a besoin d'un psy.

Grace souffla la fumée pour se donner le temps de prendre pleinement conscience de la situation.

— C'est drôle... J'avais toujours imaginé que quand ça arriverait, ce serait une sorte d'apothéose. Alors que finalement, ça prend la forme d'un coup de fil et d'un document officiel.

— Le travail de la police est essentiellement constitué de paperasserie, lui rappela Ed.

— Ouais, répondit-elle en tentant de sourire. J'ai le même problème dans mon métier. (Elle prit une nouvelle bouffée.) Je veux le voir. Je veux toujours le voir, Ed.

— Attendons d'abord d'avoir tout mis au clair, tu veux bien ? (Il lui caressa la joue afin qu'elle se tourne vers lui et le regarde.) Tu as fait ce que tu avais à faire, Grace. Il est temps de laisser partir Kathleen à présent.

— Une fois que vous l'aurez arrêté, que j'aurai appelé mes parents et… et Jonathan. Alors, oui, je pourrai la laisser partir.

Il fallut moins de quarante minutes à Lowenstein pour remettre en personne le mandat entre les mains de Ben.

— Les dossiers de l'hôpital contenaient le groupe sanguin de Hayden. Ça correspond avec celui du tueur. Allez le serrer, on couvrira la maison jusqu'à votre retour, dit-elle.

Ed posa les mains sur les épaules de Grace.

— Reste ici.

— Je n'ai pas l'intention d'aller où que ce soit. Écoute, je sais que le monde a besoin de héros, mais moi j'ai l'impression d'avoir encore plus besoin de toi. Alors sois un bon flic, Jackson, et prends garde à toi.

Elle l'agrippa par le haut de sa chemise et l'attira à elle pour l'embrasser.

— À tout à l'heure.

— Prends bien soin de cette jeune dame, Renockie ! lança Ben tandis qu'ils filaient vers la sortie. Je n'aimerais pas voir Ed te mettre au tapis.

Grace poussa un profond soupir puis se tourna vers ses nouveaux anges gardiens.

— Quelqu'un veut du mauvais café ?

En entendant sonner à la porte, Claire faillit laisser échapper un juron d'agacement. Si son mari et elle ne partaient pas dans les cinq minutes, ils seraient en retard. Après avoir fait signe à la bonne de retourner à ses occupations, elle vérifia sa coiffure puis ouvrit elle-même la porte.

— Inspecteurs Jackson et Paris. (Les insignes qu'ils lui présentaient firent naître en elle un sentiment d'alarme diffus.) Nous aimerions parler à Jerald Hayden.

Un sourire, fruit d'années de pratique, apparut automatiquement sur les lèvres de Claire.

— Jerald ? À quel sujet ?

Le fils Lithgow, sans doute. Les parents allaient porter plainte.

— Nous avons un mandat de perquisition, madame, indiqua Ben en lui tendant le document. Jerald Hayden est recherché pour son implication possible dans les meurtres de Kathleen Breezewood et Mary Grice et la tentative de viol sur Mary Beth Morrison.

— Non…

Claire était une femme forte. Elle ne s'était jamais évanouie de toute sa vie. Mais elle fut obligée d'enfoncer ses ongles au creux de sa paume jusqu'à ce que sa vision cesse de trembler.

— C'est une erreur… souffla-t-elle.

— Il y a un contretemps, Claire ? Nous risquons sérieusement d'être en retard. (C'était

Hayden, dont l'air d'impatience enjouée ne changea que très légèrement lorsqu'il vit les insignes des policiers.) Il y a un souci, inspecteurs ?

— C'est Jerald, dit Claire en lui serrant le bras avec force. Ils viennent pour Jerald. Oh, mon Dieu, Charlton. Ils ont parlé de meurtre !

— C'est absurde.

La compassion dont Ed faisait habituellement preuve s'était évaporée en chemin.

— Votre femme a les papiers, sénateur. Nous sommes autorisés à escorter votre fils jusqu'au commissariat pour l'interroger.

— Claire, appelle Stuart.

Cette situation nécessitait de faire appel à un avocat, songea Hayden. Même s'il n'y croyait pas, s'il ne pouvait y croire, il vit le programme solide qu'il avait passé des années à construire s'effondrer devant lui.

— Je ne doute pas que nous puissions dissiper rapidement ce malentendu, dit-il. Je vais demander à Jerald de descendre.

— Nous préférerions vous accompagner, répondit Ed.

— Très bien.

En se retournant pour emprunter l'escalier, Hayden sentit sa vie, ses ambitions et ses convictions lui échapper un peu plus à chaque marche qu'il montait. L'image très claire – douloureusement claire – du regard de Jerald dans le bureau du doyen flottait devant ses yeux. Il se força à rester droit, comme l'aurait fait un homme courageux face au peloton d'exécution, et frappa à la porte de la chambre de son fils.

— Excusez-moi, sénateur.

Ben passa un bras devant lui pour ouvrir le panneau. La lumière était allumée et une radio jouait discrètement dans un coin. Mais la pièce était déserte.

Un frisson glacé parcourut l'échine de Hayden.

— Il doit être en bas.

— Je viens avec vous.

Avec un hochement de tête imperceptible à l'intention de Ben, Ed s'avança dans la chambre de Jerald.

Il fallut moins de dix minutes pour constater que Jerald Hayden n'était pas chez lui. Quand Ben remonta jusqu'à la chambre, le sénateur et sa femme se tenaient derrière lui.

— Il dispose d'une jolie réserve, annonça Ed en indiquant le tiroir ouvert du bureau. Ne touchez à rien, je vous prie, ajouta-t-il comme Hayden s'approchait. Nous allons faire venir quelqu'un pour cataloguer le tout. Je dirais qu'il y a à peu près quarante grammes de cocaïne, peut-être cent vingt-cinq grammes d'herbe. (Il toucha le rebord d'un bocal avec l'extrémité d'un crayon.) Encore de la coke.

— C'est une erreur ! s'exclama Claire d'une voix où perçait un début d'hystérie. Jerald ne prend pas de drogue. Il fait partie des meilleurs étudiants de son école.

— Désolé.

Le regard de Ben passa de Claire à l'ordinateur qui occupait l'essentiel du bureau. Puis il se tourna vers Ed. Comme Billings l'avait imaginé, il s'agissait d'un équipement dernier cri.

— Il n'est pas dans la maison, dit-il à son partenaire.

Pendant que sa mère sanglotait dans sa chambre d'adolescent, Jerald escaladait la clôture entre la propriété d'Ed et la maison de Kathleen Breezewood. Il ne s'était jamais senti aussi bien. Il avait le cœur battant, une vie nouvelle coulait dans ses veines. Desiree l'attendait pour l'emporter au-delà du monde mortel, vers l'éternité.

Renockie sirotait son café dans le salon tandis que Grace tripotait sa tasse sans boire, le regard fixé sur l'horloge. Où était Ed ? Pourquoi n'avait-il pas téléphoné ?

— Vous savez, mademoiselle McCabe, je suis un de vos fans.

— C'est flatteur, inspecteur.

— J'ai préféré attendre que Lowenstein soit sortie voir Billings pour vous dire que je suis un écrivain amateur.

Qui ne l'est pas ? se demanda-t-elle. Mais elle se força à sourire. Ce n'était pas son genre de se montrer désobligeante.

— Ah, vraiment ? Vous écrivez des romans policiers ?

— Seulement des nouvelles. (L'aveu lui fit monter le rouge aux joues.) On passe beaucoup de temps en voiture ou simplement assis à attendre qu'une affaire nous réclame. Ça donne l'occasion de réfléchir à autre chose.

— Vous pourriez peut-être me montrer un exemple de ce que vous avez écrit ?

— Je ne voudrais pas m'imposer.

— Je suis curieuse de voir ça. Pourquoi ne pas...

Elle s'interrompit en voyant changer son expression. Elle aussi avait entendu : un bruit de mouvement, l'ouverture d'une porte.

— Montez à l'étage, vous voulez bien ? Et fermez la porte à clé. (Il dégaina son arme et la prit par le bras.) Par précaution, ajouta-t-il.

Elle obéit immédiatement, sans protester. Renockie s'avança en tenant son arme à deux mains, canon pointé vers le haut.

Arrivée dans la chambre, Grace se tint dos à la porte et attendit, l'oreille aux aguets. Ce n'était sans doute rien de sérieux. Comment aurait-il pu en être autrement ? Ed avait forcément appréhendé le tueur à cette heure. D'une minute à l'autre, le téléphone sonnerait et il lui annoncerait que tout était fini.

Puis elle entendit le plancher grincer et sursauta. De la sueur perlait de son front jusque dans ses yeux. Grace l'essuya en se traitant d'idiote. Ce n'était que l'aspirant écrivain venu lui dire que tout allait bien.

— Desiree ?

Le murmure assécha la moindre goutte de transpiration sur son corps. Le goût de la terreur lui envahit la bouche et elle se trouva incapable de déglutir. Elle vit la poignée de porte pivoter vers la gauche puis vers la droite.

— Desiree.

Piégée. Piégée ! Le mot résonna sous son crâne sans discontinuer. Elle était seule, seule avec l'homme qui était venu pour la tuer. Grace étouffa son cri à deux mains avant qu'il puisse jaillir. Elle avait su qu'il viendrait. Elle l'avait su et pourtant elle se retrouvait piégée. Mais elle n'était pas sans défense. Elle se précipita vers le tiroir où se trouvait son arme et s'en saisit maladroitement à l'instant même où il enfonça la porte.

C'est un enfant, se dit-elle en le contemplant.

Comment ce jeune garçon avec un alligator cousu sur son polo et ces boutons d'acné sur le menton pouvait-il avoir tué sa sœur ? Puis elle plongea son regard dans le sien et ses yeux lui dirent tout ce qu'elle avait besoin de savoir.

— Desiree, tu savais que je reviendrais.

— Je ne suis pas Desiree.

Lui aussi avait une arme. Le cœur de Grace faillit s'arrêter en la voyant, ainsi que les traces sanglantes sur son poignet. Dans l'autre main, il tenait un bouquet de fleurs. Des œillets roses.

— Peu importe le nom que tu te donnes. Tu es revenue. Tu m'as rappelé.

Il fit un pas vers Grace qui leva son arme.

— Non. N'approchez pas. Je ne veux pas vous faire de mal.

Il rit comme si elle avait dit quelque chose de délicieux.

— Tu ne peux pas.

De toute sa vie, il n'avait jamais rien désiré plus intensément qu'elle. N'avait jamais eu d'envie plus forte que celle de la satisfaire.

— Nous savons tous les deux que tu ne peux pas me faire de mal. Nous sommes au-delà de cela à présent, toi et moi. Tu te souviens de comment c'était ? Tu te souviens, Desiree ? Ta vie qui se déversait entre mes mains tandis que la mienne se déversait en toi.

— Vous avez tué ma sœur. Je le sais. La police aussi. Ils sont en route.

— Je t'aime. (Il s'était approché en lui parlant, l'hypnotisant presque avec ses yeux fous.) Il n'y a toujours eu que toi, déclara-t-il. Ensemble, nous pouvons tout faire, tout devenir. Tu me reviendras sans cesse. Et je reviendrai pour écouter, guetter, t'attendre. Ce sera comme avant. Encore et encore.

Il lui tendit les fleurs.

Ils captèrent le bruit au même moment. Grace vit Renockie, le visage maculé du sang qui s'écoulait depuis l'entaille laissée par la crosse de l'arme de Jerald. Il s'appuyait contre la porte et tentait péniblement de se redresser.

Jerald se retourna, les lèvres retroussées sur un rictus haineux. Le voyant brandir son revolver, Grace tira.

— Qu'est-ce qui se passe ?

Ben et Ed remontèrent le chemin en courant au moment où Lowenstein parvenait à enfoncer la porte d'entrée.

— J'étais partie chercher des donuts pour Billings et lui dire de remballer. Quand je suis revenue, la porte était fermée à clé.

Tous les trois pénétrèrent dans la maison, armes au poing, et se séparèrent. Ed fut le premier à repérer les traces de sang. Il suivit du regard la piste qui montait à l'étage. Il avait déjà bondi sur les marches quand ils entendirent la détonation.

Il s'élança vers la chambre avec l'impression que son cœur allait s'arrêter. Il entendit quelqu'un rugir le nom de Grace sans avoir conscience que c'était lui. Bondissant au-dessus de Renockie, il retomba en position de tir. Il était prêt et plus que préparé à tuer.

Grace avait glissé au sol, son dos appuyé contre le lit et l'arme toujours à la main. Son visage était pâle, ses yeux sombres et égarés. Mais elle respirait. Ed se précipita vers elle en écrasant au passage un bouquet d'œillets étalé par terre.

— Grace ? (Il la toucha, ses épaules, son visage, ses cheveux.) Est-ce qu'il t'a fait du mal, Grace ? Regarde-moi. Parle-moi.

Tout en parlant, il lui retira doucement l'arme des mains.

— Il était si jeune. Je n'arrivais pas à le croire... Il m'a apporté des fleurs. (Le regard de Grace se concentra sur Ed dont l'attention oscillait entre elle et le corps étendu à un mètre de là.) Il a dit qu'il m'aimait. (Elle eut un hoquet. Ed tenta de la serrer contre lui mais elle le maintint à l'écart.) Non, ça va. Je vais bien.

Lowenstein décrocha le téléphone posé derrière elle.

— D'après Renockie, vous lui avez sauvé la vie. Vous vous êtes conduite comme une vraie pro.

— Ouais... (Grace se prit le visage entre les mains pendant quelques instants.) Ed, je vais bien, vraiment. Mais je ne crois pas que j'arriverai à me relever sans aide.

— Appuie-toi sur moi, murmura-t-il. Juste un peu.

Elle opina du chef, la tête appuyée contre son épaule.

— D'accord.

— Tout va bien se passer, Gracie, dit Ben, penché sur Jerald. (Il examina la blessure. Lowenstein avait appelé une ambulance mais ce serait trop tard.) Si t'as quelque chose à dire, c'est le moment, dit-il au jeune homme.

— Je n'ai pas peur de mourir. (Jerald ne ressentait aucune douleur. Ce qui rendait la chose plus fantastique encore.) C'est l'expérience ultime, souffla-t-il. Desiree le sait. Elle l'a déjà vécue.

— Tu as tué Desiree et Roxanne, Jerald ?

— Je leur ai donné le meilleur. (Relevant les yeux, il vit le visage de Desiree flottant au-dessus du sien.) Desiree…

Malgré les tentatives d'Ed pour la tirer à l'écart, Grace resta plantée là où elle était, le regard fixé sur Jerald. Elle avait voulu savoir à quoi il ressemblait et c'était une image qu'elle porterait en elle pour le restant de ses jours. Elle avait demandé justice mais à cet instant précis elle n'était pas sûre de savoir ce que cela signifiait vraiment.

— Je reviendrai, dit l'adolescent. Je t'attendrai. Souviens-toi de moi.

Puis il mourut, le sourire aux lèvres.

— Descendons au salon, Grace, dit Ed en l'escortant hors de la pièce.

— Tu crois qu'on saura un jour pourquoi ? La vraie raison ?

— On apprend à se satisfaire des réponses qu'on peut trouver. Assieds-toi, je vais te servir un brandy.

— D'accord. (Elle s'assit, les coudes posés sur les cuisses, le visage entre ses mains.) Je lui ai dit que je ne voulais pas lui faire de mal. Et Dieu merci, j'étais sincère. Une fois que je l'ai vu, que j'ai vu comment il était, je n'ai pas pu continuer à le haïr comme avant.

— Tiens, bois.

— Merci. (Elle parvint à avaler une gorgée tremblante, puis une deuxième plus longue. Elle renifla puis s'essuya le nez du dos de la main.) Alors… Comment s'est passée ta journée ? demanda-t-elle.

Il la dévisagea pendant un petit moment. Elle reprenait des couleurs et ses mains ne tremblaient plus. *Une sacrée nana*, se dit-il. *C'est une sacrée nana*. Accroupi devant elle, il lui prit le verre des mains. Elle ouvrit les bras et il la serra contre lui.

— Oh, Ed, je ne veux plus jamais avoir peur comme ça. Plus jamais.

— Moi non plus.

Elle tourna la tête pour l'embrasser dans le cou.

— Tu trembles, dit-elle.

— C'est toi.

Elle émit un petit rire et le serra plus fort encore.

— Si tu le dis...

Sur le seuil, Ben hésita une seconde puis se racla la gorge.

— Va voir ailleurs si j'y suis, Paris, lança Ed.

— Dans une minute, promit Ben. Écoutez, Grace, nous avons le témoignage de Renockie donc il n'y a pas d'urgence pour recueillir le vôtre. On va demander à nos hommes de faire le boulot au plus vite pour vous laisser vous remettre tranquillement.

Grace s'écarta d'Ed le temps de tendre la main au policier.

— Merci, Ben. Vous êtes une crème.

— J'aurais aimé que nous débarquions plus tôt, répondit-il en serrant sa main tendue. Vous avez traversé des moments très durs, Grace. Si Tess était là, elle vous dirait de l'appeler si vous ressentez le besoin d'en parler.

— Je sais. Dites-lui que je suis heureuse de pouvoir lui rendre ses soirées en compagnie de son mari.

— On se voit demain, dit Ben en posant une main sur l'épaule d'Ed.

— Ouais. (Une fois Ben sorti, Ed remit le verre de dégustation entre les mains de Grace.) Bois encore un peu.

— Je crois que je vais carrément prendre la bouteille.

À ce moment, des bruits de pas et des voix se firent entendre dans l'escalier. Elle comprit ce qu'ils signifiaient. Cette fois, elle ne se leva pas pour aller voir.

— Ed, est-ce que… ? Je ne veux pas rester ici. Je veux rentrer à la maison.

Il lui toucha la joue avant de se relever et de s'écarter. Il ne voulait pas rester trop près d'elle s'il était sur le point de la perdre.

— Je suis désolé, Grace, mais tu ne vas pas pouvoir repartir pour New York ce soir. Dans un ou deux jours, une fois toute la paperasse remplie.

— New York ? (Grace posa le brandy sur la table. Elle n'en avait pas besoin, finalement.) J'ai dit que je voulais rentrer à la maison, Ed. La maison d'à côté. (Comme il se retournait, l'air surpris, elle s'autorisa un demi-sourire.) Enfin, si ton offre tient toujours, ajouta-t-elle.

— Toujours. (Il passa ses bras autour d'elle.) Mais ce n'est pas encore un foyer très accueillant, Grace. Il reste beaucoup de travaux à faire.

Elle se blottit contre lui, ravie.

— J'ai mes soirées de libres. Je te l'ai jamais dit mais le jour où je suis arrivée ici, c'est ta maison que j'ai choisie comme étant celle dans laquelle j'aurais eu le plus envie d'habiter. Alors rentrons à la maison, Ed.

— D'accord.

Il l'aida à se lever. Elle se frotta les joues avec les paumes des deux mains pour s'assurer d'avoir séché ses larmes.

— Une dernière chose, par contre… Ne compte pas sur moi pour repasser tes chemises !

Du même auteur aux Éditions J'ai lu

Les illusionnistes (n° 3608)
Un secret trop précieux (n° 3932)
Ennemies (n° 4080)
L'impossible mensonge (n° 4275)
Meurtres au Montana (n° 4374)
Question de choix (n° 5053)
La rivale (n° 5438)
Ce soir et à jamais (n° 5532)
Comme une ombre dans la nuit (n° 6224)
La villa (n° 6449)
Par une nuit sans mémoire (n° 6640)
La fortune des Sullivan (n° 6664)
Bayou (n° 7394)
Un dangereux secret (n° 7808)
Les diamants du passé (n° 8058)
Coup de cœur (n° 8332)
Douce revanche (n° 8638)
Les feux de la vengeance (n° 8822)
Le refuge de l'ange (n° 9067)
Si tu m'abandonnes (n° 9136)
La maison aux souvenirs (n° 9497)
Les collines de la chance (n° 9595)
Si je te retrouvais (n° 9966)
Un cœur en flammes (n°10363)
Une femme dans la tourmente (n° 10381)
Maléfice (n° 10399)
L'ultime refuge (n° 10464)
Et vos péchés seront pardonnés (n° 10579)
Une femme sous la menace (n° 10545)
Le cercle brisé (n° 10856)

Lieutenant Eve Dallas
Lieutenant Eve Dallas (n° 4428)
Crimes pour l'exemple (n° 4454)
Au bénéfice du crime (n° 4481)
Crimes en cascade (n° 4711)
Cérémonie du crime (n° 4756)
Au cœur du crime (n° 4918)
Les bijoux du crime (n° 5981)
Conspiration du crime (n° 6027)
Candidat au crime (n° 6855)
Témoin du crime (n° 7323)
La loi du crime (n° 7334)
Au nom du crime (n° 7393)
Fascination du crime (n° 7575)
Réunion du crime (n° 7606)
Pureté du crime (n° 7797)
Portrait du crime (n° 7953)
Imitation du crime (n° 8024)
Division du crime (n° 8128)
Visions du crime (n° 8172)
Sauvée du crime (n° 8259)
Aux sources du crime (n° 8441)
Souvenir du crime (n° 8471)
Naissance du crime (n° 8583)
Candeur du crime (n° 8685)
L'art du crime (n° 8871)
Scandale du crime (n° 9037)
L'autel du crime (n° 9183)
Promesses du crime (n° 9370)
Filiation du crime (n° 9496)
Fantaisie du crime (n° 9703)
Addiction au crime (n° 9853)
Perfidie du crime (n° 10096)
Crimes de New York à Dallas (n° 10271)
Célébrité du crime (n° 10489)
Démence du crime (n° 10687)
Préméditation du crime (n° 10838)

Les trois sœurs
Maggie la rebelle (n° 4102)
Douce Brianna (n° 4147)
Shannon apprivoisée (n° 4371)

Trois rêves
Orgueilleuse Margo (n° 4560)
Kate l'indomptable (n° 4584)
La blessure de Laura (n° 4585)

Les frères Quinn
Dans l'océan de tes yeux (n° 5106)
Sables mouvants (n° 5215)
À l'abri des tempêtes (n° 5306)
Les rivages de l'amour (n° 6444)

Magie irlandaise
Les joyaux du soleil (n° 6144)
Les larmes de la lune (n° 6232)
Le cœur de la mer (n° 6357)

L'Île des Trois Sœurs
Nell (n° 6533)
Ripley (n° 6654)
Mia (n° 8693)

L'hôtel des souvenirs
Un parfum de chèvrefeuille (n° 10958)

Les trois clés
La quête de Malory (n° 7535)
La quête de Dana (n° 7617)
La quête de Zoé (n° 7855)

Le secret des fleurs
Le dahlia bleu (n° 8388)
La rose noire (n° 8389)
Le lys pourpre (n° 8390)

Le cercle blanc
La croix de Morrigan (n° 8905)
La danse des dieux (n° 8980)
La vallée du silence (n° 9014)

Le cycle des sept
Le serment (n° 9211)
Le rituel (n° 9270)
La Pierre Païenne (n° 9317)

Quatre saisons de fiançailles
Rêves en blanc (n° 10095)
Rêves en bleu (n° 10173)
Rêves en rose (n° 10211)
Rêves dorés (n° 10296)

En grand format

L'hôtel des souvenirs
Un parfum de chèvrefeuille
Comme par magie
Sous le charme

Les héritiers de Sorcha
À l'aube du grand amour

Intégrales
Les frères Quinn
Les trois sœurs
Le cycle des sept
Magie irlandaise
Affaires de cœurs

10978

Composition
NORD COMPO

Achevé d'imprimer en Espagne
par CPI *(Barcelone)*
le 18 janvier 2015.

Dépôt légal janvier 2015.
EAN 9782290079768
OTP L21EPLN001349N001

ÉDITIONS J'AI LU
87, quai Panhard-et-Levassor, 75013 Paris

Diffusion France et étranger : Flammarion